Düsseldorf, May 25, 1984

To: Carol and Bob Vidic

Many best wishes from all your Dow Corning friends in Germany for your return to the USA.
We hope that this special book about Germany will always remind you of your short but nice, pleasant visits to our country.
Don't forget your many friends in Germany!

Best personal wishes and greetings
from all employees of the German Region!

Hans [illegible]

Deutschland
Allemagne
Germany

Susanne Ulrici

Deutschland
Allemagne
Germany

Abbildung auf den vorhergehenden Seiten:
Frühlingserwachen –
der Frühling ist voll Anfang, voll Ahnungen, Zartheit und Knospen. Er hält überall Einzug, über alle engen sprachlichen wie politischen Grenzen hinweg. Hat die mannigfaltigsten Kleider, Farben, Gerüche, Laute, Erinnerungen und eröffnet den Reigen unserer deutschen Jahreszeitenbilder.
Weiher der Moosmühle bei Feilnbach mit Wendelstein, Oberbayern

Printed in Germany

Projektleitung: Rudolf Werk
Bildtexte: Angelika Weigand
Französische Übersetzung: Marlène Kehayoff-Michel
Englische Übersetzung: Desmond Clayton
Layout: Günther Schmidt
Einbandgestaltung: Ruedi Becker
Reproduktion: Eder Repros, Ostfildern
Satz: Setzerei Lihs, Ludwigsburg
Druck: Universitätsdruckerei H. Stürtz AG, Würzburg
Papier: 150 g/qm BVS der Papierfabrik Scheufelen, Lenningen
Einbandarbeiten: Buchbinderei Sigloch, Künzelsau

Auslieferung an den deutschen Buchhandel: Stürtz Verlag, Würzburg
ISBN 3 8003 0200 4

Photo des pages précédentes:
Le printemps s'éveille –
plein de promesses, de tendresses, de bourgeons et de boutons. Faisant fi des frontières linguistiques comme politiques, il s'installe partout. Il se pare des costumes les plus variés en déployant son éventail de couleurs, de senteurs et de sons. Ressuscitant de multiples souvenirs, il ouvre notre livre de photos sur les saisons en Allemagne.
L'étang de Moosmühle près de Feilnbach, avec le Wendelstein, Haute-Bavière

Photograph on the preceding pages:
Spring awakens –
full of beginnings and fancies, tenderness and buds, disregarding all linguistic and political barriers. It comes in the most variegated apparel, bringing an immense range of colours, smells, and sounds; it stirs memories, and opens our photographic survey of the seasons in Germany.
The millpond of Moosmühle near Feilnbach, with Mt. Wendelstein, Upper Bavaria

Nachricht von der Nachtigall

Es war am Ende der Welt in dem etwa zweitausend Meter hohen unwirtlichen Gebirgszug der Horton Plains im Süden Sri Lankas, als ich mir zum Thema dieses Bildbandes erstmals Gedanken machte. Wir hatten uns vor Morgengrauen von unseren klammen Lagern erhoben und waren durch Wiesen und Nebelwälder bis zu jener Stelle gewandert, wo der Fels jäh abbricht, gähnender Abgrund sich auftut. Nur wenige Touristen zieht es in diese Öde herauf. Dann und wann suchen unglückliche Liebende mit einem Sprung in die Tiefe den Tod, wenn ihnen die noch immer streng befolgten Kastengesetze eine gemeinsame Zukunft verwehren. Hier könnten sich Affe und Leopard Gutenacht sagen. Diese großen Affen hatten uns ganz schön erschreckt, als sie mit ihren artistischen Sprüngen von Ast zu Ast die knorrigen, vom Sturmwind zerzausten Bäume über unseren Köpfen schwanken machten. Der scheue Leopard hielt sich im Dickicht verborgen, nur die noch frische Losung verriet seine Nähe.
Ich erfuhr übrigens wenig später, daß ich gar nicht so weit hätte reisen müssen, um ans Ende der Welt zu gelangen. Es soll auch eines bei Genf geben, ein anderes irgendwo in Schottland und weiß Gott wo sonst noch. Eigentlich hatte ich immer gedacht, es befände sich gleich hinter unserem Häuschen im Schwäbischen Wald, wo sich heute noch Fuchs und Hase Gutenacht sagen könnten, hätten sie sich nicht längst aus dem Staube gemacht. Verzogen, hingeschieden – was weiß man – ebenso wie der Igel, der früher an den

Le chant du rossignol

C'est au bout du monde, à quelque deux mille mètres d'altitude, dans les Horton Plains, une chaîne de montagnes inhospitalière au Sud de Ceylan, que j'ai songé pour la première fois au sujet de cet ouvrage. Nous avions quitté notre campement avant l'aube et cheminé dans la brume à travers les prés et les forêts jusqu'à un endroit où la roche tombe à pic sur un gouffre béant. Rares sont les touristes qu'attire ce coin désertique. De temps à autre, de malheureux amants viennent y chercher la mort en sautant dans le vide, lorsque les lois de caste qui sont encore rigoureusement observées dans ce pays leur interdisent un avenir commun ici-bas. C'est le refuge des singes et des léopards. Les grands singes nous avaient d'ailleurs passablement effrayés quand, sautant de branche en branche, ils avaient fait balancer au-dessus de nos têtes les arbres noueux, ébouriffés par les bourrasques de vent. Le timide léopard était resté caché dans les fourrés, des fumées encore fraîches accusaient seules sa présence dans le voisinage.
Je devais apprendre un peu plus tard qu'il n'aurait pas été nécessaire de voyager si loin pour arriver au bout du monde. Il y en a également un près de Genève, un autre quelque part en Ecosse et Dieu sait où encore. En fait, j'avais toujours pensé qu'il se trouvait juste derrière notre maison dans la Forêt Souabe, un endroit vraiment retiré où abondaient autrefois les renards et les lièvres. Mais ceux-ci ont disparu comme le hérisson qui jadis, les soirs d'été, venait seul ou en charmante compagnie laper son lait en faisant tinter l'assiette en fer-blanc préparée à son

Nightingale hits the headlines

It was at Land's End, high up in the barren range of hills called Horton Plains in southern Ceylon, that I first gave serious thought to the theme of this illustrated book. We had risen from our damp beds before dawn, and had walked through fields and misty woods to a point where the ground suddenly dropped away from us, and a yawning abyss opened up in front of our feet. Few tourists come to this wilderness, but now and then an unhappy pair of lovers leap from the edge to escape from the still very strict caste laws that deny them a future together on earth. Here you can meet leopards and monkeys – the large monkeys had given us quite a shock at first when they came noisily swinging through the branches of the gnarled trees misshapen by the storm winds that sweep across the heights. We could tell from the fresh droppings that the leopard was nearby, but it stayed out of sight in the undergrowth.
I discovered later, by the way, that I need not have travelled so far to get to land's end – there is one near Geneva, I am told, another in southern England, and others God knows where. I had previously always believed that it was just behind our hut in the Swabian Forest, which really is in the back of beyond, and where in earlier times there was also a variety of game and other wild animals. But these have all gone now – fox, and hare, and even the hedgehog who used to visit us on summer evenings and drink noisily from the dish that we put out for him.
From the Ceylonese Land's End we went on to Tissamaharama. The nearby Ruhunu

Sommerabenden allein oder in charmanter Gesellschaft seinen Trunk aus der heftig klappernden Blechschüssel schlabberte.
Vom ceylonesischen »Ende der Welt« waren wir dann nach Tissamaharama gelangt. Der nahe gelegene Ruhunu-Nationalpark mit seinem Dschungel und seinen Savannen, Felsen, Lagunen und Dünen hat etwas Paradiesisches. Die Tiere, die uns dort begegneten, viel Wild, Wasserbüffel, Affen, Wildschweine, Leguane, Störche mit rosa Popo, Pfauen, ebenso wunderschön wie unpraktisch kostümiert, und immer wieder Elefanten, die sehr bedächtig und wählerisch klitzekleine Blättchen vesperten, benahmen sich auch wie im Paradies, waren fast ohne Scheu. Eine Märchenlandschaft in exotisch leuchtenden Farben. Als sich am Ende eines langen Tages die Sonne hinter den Regenbäumen am Stausee unverschämt feurig verabschiedete, die Fliegenden Hunde vor dem brennenden Himmel schlafmützig auf unseren dunkelnden Garten zusegelten, da fühlte ich mich von deutscher Landschaft noch viel weiter entfernt als auf den Horton Plains. Und wieder kamen mir heimatliche Bilder in den Sinn, die so viel leiser sind: Im Garten verblassen jetzt die Farben, man muß das Laub auf der Wiese zusammenrechen. Es herbstelet. Die Natur bereitet sich auf den Winterschlaf vor.
In den Gefilden des ewigen Sommers wurde mir besonders deutlich, welchen Reichtum der Wechsel der Jahreszeiten unserer Landschaft beschert, indem er ihr Konterfei immerfort variiert. Dieses Bilderbuch spiegelt

intention. Du «bout du monde» ceylanais, nous nous étions alors rendus à Tissamaharama. Le parc national de Ruhunu, qui se trouve à proximité, a quelque chose de paradisiaque avec sa jungle et ses savanes, ses rochers, ses lagunes et ses dunes. Les animaux que nous y rencontrions, arnis, singes, sangliers, iguanes, cigognes au derrière rose, paons costumés de façon aussi ravissante que peu pratique, et encore et toujours des éléphants dégustant avec beaucoup de lenteur et de circonspection des feuilles minuscules, se comportaient également comme au paradis et ne manifestaient presque aucune crainte. C'était un paysage de conte de fées aux couleurs exotiques et lumineuses. Lorsqu'à la fin d'une longue journée le soleil disparut derrière le lac artificiel dans un ciel incandescent et que les kalongs se dirigèrent d'un vol nonchalant vers notre jardin, je me sentis soudain encore plus loin des paysages allemands que dans les Horton Plains. Et les images de mon pays, des images beaucoup plus douces, me revinrent à l'esprit: dans le jardin, les couleurs pâlissent maintenant, il faut ratisser les feuilles sur le pré. C'est l'automne. La nature se prépare pour son sommeil hivernal.
Au milieu du paysage de l'éternel été, j'ai compris de quelle richesse l'alternance des saisons gratifie nos régions en en changeant continuellement l'aspect. Cet ouvrage est un recueil des images offertes par les contrées allemandes au printemps, en été, en automne et en hiver. La caméra a réalisé ici l'intention poétique de l'écrivain romantique Ludwig

National Park, with its jungle and savanna, rocks, lagoons, and dunes is paradisaical. The animals we saw there – a great deal of game, water buffaloes, monkeys, wild boar, iguanas, pink-bottomed storks, peacocks with their lovely, but impractical feathers, and many elephants delicately plucking and chewing tiny leaves – also behaved as if they were in paradise, were almost totally unafraid. It was a fairytale landscape in glowing, exotic colours. When, at the end of a long day, the sun sank dramatically behind the trees along the reservoir, and the flying foxes, still only half awake, came sailing through the burning sky towards the garden, I felt much further removed from the German countryside than I had on the Horton Plains. And again I envisaged homeland scenes, which are so much more muted than in the East: the colours are fading in the garden now, leaf raking is starting, autumn mists rising, and nature is preparing to hibernate.
The rich variety that the changing seasons give our landscape became particularly clear to me while I was in the region of eternal sun. The photographs in this book present the German countryside in spring, summer, autumn, and winter. Here the poetic intention of the Romantic writer Ludwig Tieck of not describing trees but of invoking moods has been taken over by the camera. The photographs conjure up the mild breezes of springtime, the first blackbird's song, the scent of jasmine and wallflower; the reader's mouth begins to water for a bite of crisp apple; he gets a touch of hay-fever, feels the tingling

deutsche Landschaften im Frühling, Sommer, Herbst und Winter. Die poetische Absicht des Romantikers Ludwig Tieck, nicht Bäume abzuschreiben, sondern Gemüt zu vermitteln – hier wurde sie mit der Kamera realisiert. Die Aufnahmen verströmen linde Frühlingslüftchen, erstes Amsellied, den Duft von Jasmin und Goldlack; der Betrachter bekommt Appetit auf eine Waldmeisterbowle und einen Heuschnupfen, er spürt das Prickeln der Brandungswellen auf der Haut, denkt an Marillenknödel aus Quarkteig, hört, wie dem Altweibersommer seidige Flügel wachsen, riecht neuen Wein und geröstete Maronen, fröstelt angesichts der länger werdenden Schatten auf den Sonnenuhren. Leise Melancholie beschleicht ihn, wenn er fühlt, daß die Herbstzeitlosen im Anzug sind, jene bläßlichen kleinen Herolde, die des Sommers nahes Ende künden, Zeichen der Vergänglichkeit in die Wiese setzen. Er sehnt sich nach einem Kaminfeuer und einem samtenen Spätburgunder.
Im Text habe ich versucht, das Ziel Ludwig Tiecks mitunter auf sehr privaten Wegen anzusteuern. Wissen wir doch nur zu gut um das Bedrohtsein der schönen Bilder, um nicht »auf den Knien unseres Herzens« für ihre Rettung zu werben.
In Matthias Claudius' »Wandsbecker Boten« fand sich einmal folgende Schlagzeile auf Seite 1: »Gestern hat hier zum ersten Mal die Nachtigall wieder geschlagen.« Können wir etwas Schöneres anstreben, als daß auch in unseren Tagen eine Nachtigall Schlagzeilen mache?

Tieck qui ne voulait pas dépeindre des arbres mais évoquer des états d'âme. De ces photos émanent les douces senteurs du printemps, le premier chant du merle, le parfum du jasmin et de la giroflée; le lecteur a faim soudain d'un fruit croquant, éprouve comme un soupçon de rhume des foins, il sent sur sa peau le picotement des vagues de la mer, songe à des beignets aux pommes, rêve des journées paisibles de l'été de la Saint-Martin, hume le bouquet du vin nouveau et l'odeur des marrons grillés, frissonne à la vue de l'ombre qui s'allonge sur le cadran solaire. Une douce mélancolie s'empare de lui lorsqu'il voit les premiers colchiques, ces petits hérauts pâles de la fin de l'été, faire leur apparition dans les prés. Il rêve d'une bonne flambée dans la cheminée et d'un verre de Bourgogne velouté. Dans ce texte, j'ai essayé parfois de suivre à ma manière l'objectif de Ludwig Tieck. Nous ne savons que trop juste combien les beaux paysages de ce livre sont menacés pour ne pas nous engager à genoux à les sauver.
Dans un numéro du journal «Der Wandsbecker Bote» édité par Matthias Claudius, j'ai trouvé ce titre en première page: «Hier, le rossignol a fait entendre son premier chant de l'année». Pouvons-nous souhaiter quelque chose de plus beau qu'un gros titre consacré aujourd'hui au chant du rossignol?

of the sea-water on his skin, thinks of steaming dumplings, dreams of the peaceful sunny days of an Indian summer, smells fresh wine and roast chestnuts, shivers at the lengthening shadows on the sundial.
A gentle melancholy befalls him when he feels that the autumn crocuses, those pale heralds of summer's end, will soon be marking the meadows with signs of mortality. He longs for a warm fireside and a glass of smooth *Spätburgunder.* In the accompanying text I have tried to approach Ludwig Tieck's objective – often in a very personal way. We are sufficiently conscious of the threat to so much of what is shown in this book that we do not need to go down on our bended knees to appeal for them to be saved. In Matthias Claudius' newspaper "Der Wandsbecker Bote" I once found the following front-page headline: "First Nightingale Of Year Heard Yesterday". What could be more rewarding than to see a nightingale "hit the headlines" again in our own time?

Landschaft – Natur oder Menschenwerk?

Landschaft – was ist das? Lebensraum – Quelle des Ergötzens – Objekt der Ausbeutung? Betrachten wir sie einmal wertfrei als eine Komposition aus einer Reihe von Versatzstücken wie Himmel und Erde, Berg und Tal, Fluß und Meer, Feld und Wald, die der liebe Gott bei der Erschaffung der Welt für gut befunden, ergänzt durch allerlei Zutaten menschlicher Urheberschaft. Als althochdeutsche »lantscaf« taucht das Wort bereits im 8. Jahrhundert auf, bezeichnete eine politische oder auch natürliche Raumeinheit samt ihren Bewohnern. Im späteren Sprachgebrauch erweiterte sich der Wortsinn. Seit dem 16. Jahrhundert verstand man unter Landschaft auch deren Darstellung, die »Wiedergabe des visuellen Eindrucks einer Erdstelle von einem bestimmten Blickpunkt aus«.
Ich schaue auf die Erdstelle vor meinem Fenster und versuche, den visuellen Eindruck von diesem Blickpunkt aus wiederzugeben: grüne Wiese, die jenseits des von allerlei Buschwerk, kahlen Haselsträuchern und wilden Kirschbäumen gesäumten Baches, der nur als Graben erkennbar ist, sanft ansteigt bis hin zum Wald. Eine schwarze Katze streicht durch die Wiese auf Mäusefang. Der Waldboden trägt ein schmuckloses Gewand aus vergilbtem Laub, schlanke Buchenstämmchen setzen ein unregelmäßiges Gedränge von Taktstrichen in hellen Grau-Oliv-Tönen vor die schwarze Kulisse der Nadelbäume. In den Wipfeln zeigen sich Spuren von Violett und eine kaum wahrnehmbare Ahnung ersten Lindgrüns. Darüber lugen tiefgrüne Tannen-

Le paysage – œuvre de la nature ou de l'homme?

Le paysage – qu'est-ce que c'est? Un espace vital – une source de plaisir – un objet d'exploitation? Considérons-le d'abord, en faisant abstraction de toute valeur, comme une composition de décors mobiles tels que ciel et terre, mont et vallée, fleuve et mer, champ et forêt, que Dieu a trouvés bons en créant le monde, et complétée par toutes sortes d'accessoires d'origine humaine. Le Petit Robert donne du paysage la définition suivante: «partie d'un pays que la nature présente à un observateur».
De ma fenêtre, j'observe une partie du pays et j'essaye de transcrire l'impression visuelle que j'éprouve: un pré vert qui de l'autre côté du ruisseau, semblable d'ici à un fossé ourlé de toutes sortes de buissons, de noisettiers dépouillés et de cerisiers sauvages, monte doucement vers la forêt. Un chat noir traverse le pré en quête de souris. Le sol de la forêt est revêtu d'un simple costume de feuilles jaunies, des troncs de hêtres élancés d'un gris olive se pressent de façon irrégulière sur le fond noir des conifères. Leurs cimes sont ponctuées de touches de violet et d'un soupçon de vert pâle. Au-dessus d'elles s'élèvent les pointes des sapins d'un vert sombre et un mélèze tout long et nu. A droite, au fond, deux pins se détachent du paysage, derniers témoins d'une haute futaie où l'on trouvait autrefois de succulents cèpes pour des soufflés aux champignons. Nous avons parfois fait accroire à nos visiteurs que l'administration des eaux et forêts avait bien voulu épargner ces pins pour notre plaisir moyennant une petite taxe semestrielle.

The landscape – nature, or culture?

The landscape – what is it? A place to live in, a source of delight, something to exploit? Let us look at it objectively for a while as a composition made up of features such as sky and earth, mountain and valley, river and sea, meadow and forest, which found the approval of the Almighty when he created it, and which has been modified in all kinds of ways by the hand of man. The Old High German word "lantscaf" already appeared in the 8th century, when it meant either a political or natural region with its inhabitants. Later, the meaning of the word was extended, and from the 16th century it also came to mean a picture, or part of one, representing inland scenery. In English, the reverse was the case; landscape was first introduced into the language as a technical term by painters, and only later came to be used to describe an actual piece of countryside.
One definition of landscape is: "the reproduction or description of the visual impression of a piece of scenery from a certain point of view". I can look out at the piece of scenery in front of my window, and try to reproduce the visual impression from this point of view: a green meadow, which, on the other side of a stream only perceptible from here as a ditch lined with all kinds of shrubs, bare hazel-nut bushes, and wild cherry-trees, gently rises towards a wood. A black cat is hunting mice in the meadow. The ground in the wood is covered with faded yellow leaves, slim olive-grey beech trunks form an irregular parade against the black background of the conifers. There are traces of violet in the tops of the

spitzen und eine nackte, spindeldürre Lärche hervor. Rechts im Hintergrund zwei die Vedute hochgemut überragende Kiefern, letzte Zeugen eines abgeholzten Hochwaldes, in dem sich einst leckere Rothäuptchen für einen Pilzauflauf empfahlen. Manchmal haben wir unseren Besuchern weismachen können, wir zahlten dem Forstamt für die uns zuliebe verschonten Kiefern halbjährlich eine kleine Pacht.

Der Himmel zeigt in meinem Bildausschnitt ein gleichmäßig trübes Weiß und läßt immer mal wieder schüttere Schneeflocken fallen. Ein Mäusebussard kreist in der Höhe, fuchst sich womöglich über die Konkurrenz der Katze. Auf der Wiese frösteln in sich gekehrte Anemonen, in der Nähe des Bachs ein paar Himmelschlüsselchen. Der japanische Quittenstrauch vor dem Fenster ist mit kleinen rötlichen Pusteln übersät. Während ich dies notiere, hellt sich der Himmel zur Linken ein wenig auf, schieben sich griesgrämige Wolkenbänke nordwärts, leuchtet das Wiesengrün in flüchtigem Sonnenstrahl auf, werfen sich Schatten ins Bild. Ein auffliegendes Hausrotschwänzchen nimmt das bißchen Sonne gleich wieder mit fort. Es sieht kalt aus. Diese Erdstelle trägt heuer kein festliches Ostergewand.

Geographen definieren Landschaft als ein Gebiet, das sich durch sein besonderes Gepräge von anderen Landschaften abhebt. Alexander von Humboldt sprach vom Totalcharakter der Landschaft. Mittlerweile ist unser Landschaftsbegriff so total, daß er alles umfaßt, was der Mensch Gottes freier

De mon poste d'observation, le ciel est d'un blanc terne et il en tombe de temps en temps quelques flocons de neige. Un busard tournoie dans les hauteurs et s'énerve peut-être de la concurrence du chat. Dans les prés, les anémones recroquevillées frisonnent, quelques primevères sont blotties près du ruisseau. Le cognassier du Japon, devant la fenêtre, est parsemé de boutons rougeâtres. Pendant que j'écris, le ciel s'éclaircit un peu à gauche, des bancs de nuages moroses se déplacent vers le Nord, le vert des prés s'éclaire sous un rayon de soleil fugitif que semble emporter un rouge-queue qui s'envole. Il fait froid dehors. Ce coin de terre n'est pas encore paré de son somptueux costume pascal.

Les géographes définissent le paysage comme une région qui se distingue par ses caractères particuliers d'autres paysage. Alexander von Humboldt parlait du caractère total du paysage. Entretemps notre conception du paysage est devenue si globale qu'elle englobe tout ce que l'homme a ajouté et ajoute à la nature créée par Dieu – c'est-à-dire les grandes villes, les autoroutes, les zones industrielles et les dépôts d'ordures.

Aujourd'hui, le paysage est en quelque sorte un instantané d'un long développement au cours changeant qui ne connaît pas d'arrêt. Certes les processus naturels qui transforment l'aspect général de la surface de la terre se produisent dans des périodes qui dépassent notre imagination, mais, si l'on fait un retour en arrière de quelques années seulement, on a une idée de l'action créatrice de la nature –

trees and a scarcely-perceptible suggestion of the pale green to come. Above this line peer the deep green tops of the silver firs, and a bare, skinny larch. To the right are two towering Scots pines, the last remains of a once proud primeval forest in which, at one time, you could find delicious fungi called boletus rufus for mushroom soufflé. We have sometimes convinced gullible visitors that we pay the forestry commission a special fee to preserve the Scots pines especially for us.

From my point of view here, the sky is an even, misty white, and every now and again it releases a scattering of snowflakes. A buzzard circles high up, irritated, perhaps, by the prowling cat. A few anemones shiver in the meadow, and cowslips huddle along the stream. The Japanese quince in front of the window is covered in small, reddish pimples. While I am taking this in, the sky brightens a little on the left, the sullen clouds withdraw slightly to the north, the green of the meadow lights up for a while in the passing sunshine, and shadows are momentarily cast. A redstart flies off, taking the touch of sunshine with it. It looks cold outside. The usual mass of flowers that Eastertide brings has not yet materialized.

Geographers define landscape as an area which is distinguished by its special features from other landscapes. Alexander von Humboldt spoke of the overall character of a landscape. In the meantime, our concept of the landscape is so 'overall' that it includes everything that man has added to nature – including the sprawling cities, the motorways,

Natur hinzugefügt und zugefügt hat – also auch die Großstadt, die Autobahn, das Industrierevier und die Müllhalde.
Unsere heutige Landschaft ist gleichsam eine Momentaufnahme aus einer langen, wechselhaften Entwicklung, die keinen Stillstand kennt. Zwar finden die das gesamte Bild der Erdoberfläche verändernden natürlichen Prozesse in Zeiträumen statt, welche menschliches Vorstellungsvermögen überschreiten. Doch schon der Rückblick über ein paar Jahre gibt eine Ahnung vom gestalterischen Wirken der Natur – von den radikalen Veränderungen, wie sie der Landschaft über Nacht von Menschenhand zugefügt werden, ganz zu schweigen.
Als wir unser Häuschen im Schwäbischen Wald planten, erhielten wir zunächst keine Baugenehmigung, weil der auserkorene Standort in dem vom Landschaftsschutz beschirmten Tal von einem nahen Wanderweg aus einsehbar war. Weniger einsehbar war die Ablehnung. Es hatte nämlich keiner der pflichteifrigen Landschaftsschützer bemerkt, daß jener Wanderweg bald darauf völlig zugewachsen sein und überhaupt keine Aussicht mehr preisgeben würde.
Der Blick aus dem Fenster zeigt, wieviel sich in diesem kleinen Ausschnitt in einer Zeitspanne von zwei Jahrzehnten verändert hat: Hier ist der Hochwald verschwunden, dort ist eine Schonung zu einem stattlichen Forst herangewachsen. Wo einstmals Kühe weideten, sind nun Forellenteiche. Abgeschafft Ziegen und Kälbchen, die die Kinder im Übermut vor den Handwagen spannten,

pour ne pas parler des transformations radicales que l'homme lui fait subir presque du jour au lendemain.
Lorsque nous avons décidé de construire notre petite maison dans la Forêt Souabe, nous n'avons pas obtenu immédiatement de permis de construire car l'endroit choisi dans la vallée, placée sous la protection des sites, se voyait d'un chemin pédestre tout proche. Mais ce que les conservateurs si zélés n'avaient pas prévu, c'est que le sentier pédestre en question serait bientôt envahi par la végétation et n'offrirait bientôt plus aucune vue.
Le tableau que je vois de ma fenêtre montre combien de choses ont changé en l'espace de deux décennies: ici la haute futaie a disparu, là un bois en défens est devenu une superbe forêt. Là où paissaient autrefois les vaches il y a maintenant des étangs à truites. Partis les chèvres et les petits veaux que les enfants attelaient aux charrettes à bras, les cochons qu'on laissait de temps en temps s'ébattre dans la nature. Disparus les lièvres et les hérissons qui se promenaient autour de la maison. Les buissons ont tant poussé que l'été ils cachent presque entièrement les prés fleuris. Depuis longtemps les écrevisses ne logent plus dans le ruisseau bien que nous n'en ayons pêché que quelques exemplaires pour les grandes occasions. Beaucoup d'eau a coulé dans le petit ruisseau. Aujourd'hui, dans la vallée transformée, le bouc Hugo a pour compagnon un cheval de selle.
Hugo et moi, nous vivons dans un «paysage culturel», un paysage donc qui a été

the industrial conurbations, and the rubbish dumps.
Our countryside is like a snapshot taken at a point in time during a long and varied development. The overall picture of the earth's surface is subject to changes due to natural processes over periods of time so long that they defy our ability to grasp them as a concept, and yet even a survey extending back only a few years gives us an idea of nature's formative powers, not to speak of the changes brought about almost overnight by man's activities.
When we decided to build our little house in the Swabian Forest we were at first refused planning permission, because the site we had chosen in a valley in a conservation area could be seen from a nearby path. What the officious conservationists could not foresee, however, was that the path referred to would soon be completely overgrown and would no longer afford a view of our projected building site. The view from the window reveals how much has changed in this small section of countryside in a period of two decades: over there, the primeval forest has gone, over here a plantation has grown into a fully-fledged forest. Where cows once grazed there are now trout ponds. Gone are the goats and calves that the children used to harness in front of a hand-cart, the pigs, which used to be allowed to frolic in the fields every now and again. Gone are the hares and hedgehogs which visited the garden. Small bushes have grown so high that in summer they almost conceal the lush meadow. The many crabs have long

die Schweine, denen hin und wieder ein Ausflug ins Grüne vergönnt war. Verschwunden Hase und Igel, die damals um das Häuschen herumlungerten. Niederes Buschwerk so mächtig in die Höhe geschossen, daß es sommers die sanften jenseitigen Wiesen fast ganz verbirgt. Lange schon siedelt kein Krebs mehr im Rohrbach, obwohl wir von seiner einst stattlichen Sippe nur ganz wenige Exemplare an hohen Feiertagen in unseren Kochtopf hatten wandern lassen. Es ist viel Wasser das Bächlein hinuntergeflossen. Heute paßt der Ziegenbock Hugo in das veränderte Tal: Er ist der Gesellschafter eines Reitpferds.

Hugo und ich leben in einer Kulturlandschaft, in einer Landschaft also, die wesentlich von Menschenhand mitgeformt ist. Der älteste noch weithin sichtbare Zeuge dafür ist der Reichenberg, eine prächtige Höhenburg aus dem 13. Jahrhundert, auf einem Bergsattel am Eingang des Tälchens gelegen. Eine gewaltige Anzahl von Burgen beherrschte damals die Lande – rund 19000 sind allein im deutschen Sprachgebiet nachgewiesen.

Im Gegensatz zur Kulturlandschaft ist die sogenannte Naturlandschaft unbeeinflußt vom Menschen allein durch Naturfaktoren geprägt. Auf unserem dicht besiedelten und hoch industrialisierten Kontinent findet man allenfalls noch kümmerliche Reste davon in unzugänglichen Reservaten der Gebirge oder im unwirtlichen äußersten Norden. Nachdem man in jüngster Zeit mit Hilfe der Spurenanalyse von Menschen erzeugte Stoffe in den Pinguineiern der abgelegenen Falklandinseln

sensiblement modelé par la main de l'homme. Le plus ancien témoin de cette transformation est le Reichenberg, un superbe château fort du 13e siècle perché sur la croupe d'une montagne à l'entrée de la petite vallée. Un nombre imposant de châteaux forts dominaient autrefois le pays; rien que dans les régions de langue allemande, on en a dénombré environ 19.000.

A l'opposé du paysage culturel, le paysage naturel n'est pas influencé par l'homme et est uniquement façonné par des facteurs naturels. Sur notre continent très peuplé et hautement industrialisé, on en trouve tout au plus de maigres vestiges dans les réverves inaccessibles des montagnes ou dans le Grand Nord inhospitalier. Toutefois on a constaté récemment que dans les lointaines îles Malouines (c'était avant que cet archipel ne fasse la une de l'actualité à la suite du conflit anglo-argentin) les œufs des manchots contenaient des traces de substances produites par l'homme et qu'il y avait du DDT dans le foie des poissons pêchés par 1.500 mètres de fond au large des Bermudes. Aussi paraît-il peu probable qu'il existe encore un endroit du globe qui n'ait vraiment pas été touché par la main de l'homme.

On ignorait encore hier dans quelle mesure les hommes primitifs avaient influencé le paysage. Aujourd'hui, on sait que les savanes de l'Afrique tropicale sont une conséquence des feux allumés pendant les périodes de sécheresse par les indigènes qui, de tout temps, ont cherché à étendre leurs terrains de chasse. On peut aisément supposer que

since disappeared from the stream, although we restricted ourselves to fishing only a few for the table on high days and holidays. Much water has flowed down the stream. Now the changed valley is shared by the billy-goat Hugo and a riding horse.

Hugo and I live in a "cultural landscape"; one, in other words, that has been shaped largely by man. The oldest evidence of this is the Reichenberg, a magnificent 13th century castle perched on a saddle above the entrance to the valley. When it was built there were no less than 19000 castles in the German-language regions alone. The other kind of landscape, the "natural landscape", shaped only by natural forces, without the influence of man, has as good as disappeared from our densely-populated continent. It is at the most to be found in fragmentary form in inaccessible mountain regions or in the inhospitable extreme north. In recent times it has been discoverd that penguin eggs on the Falkland Islands (this was before the British-Argentinian armed conflict) contain traces of man-made substances, and that the livers of fish brought up from a depth of 5,000 ft by a Bermuda fisherman contained DDT; this makes it seem extremely unlikely that even the remotest corner of the globe has been unaffected by man.

The extent to which primitive peoples on all the continents have also influenced the development of the countryside was not known until recent times. Today we know that the savanna of tropical Africa is a result of fires started by the aborignes in times of

entdeckte, kurz bevor diese Inseln durch den britisch-argentinischen Konflikt in die Schlagzeilen gerieten, nachdem man DDT in der Leber von Fischen nachweisen konnte, die ein Bermudafischer aus 1500 Meter Wassertiefe heraufholte, erscheint es höchst zweifelhaft, ob es überhaupt noch einen weißen Flecken auf dem Globus gibt, irgendeinen Winkel von Menschenhand tatsächlich unberührter Natur.
Wie nachhaltig auch die auf niedrigen Kulturstufen angesiedelten Menschen in allen Erdteilen Landschaft beeinflußt haben, war gestern noch unbekannt. Heute weiß man, daß die Savannen des tropischen Afrika eine Folge jener in Trockenzeiten angelegten Brände sind, mit denen die Eingeborenen von alters her ihre Jagdgründe zu erweitern suchten. Die Vermutung liegt nahe, andere waldlose Gebiete wie etwa die südamerikanischen Pampas könnten auf ähnliche Weise entstanden sein. In vielen scheinbar unberührten Waldlandschaften der immerfeuchten Tropen hat der ursprüngliche Wald durch die Methoden des wandernden Rodungshackbaus sein Gesicht längst verändert: Aus dem Primärwald ist fast unbemerkt ein Sekundärwald geworden. Und mancher abenteuerlustige Reisende dürfte ein langes Gesicht machen, wenn er – etwa in dem weithin durch Brandrodung heimgesuchten Goldenen Dreieck im Norden Thailands – zum ersten Mal jene schütteren Gehölze erblickt, die bis auf den Namen fast nichts mehr mit einem Urwald gemein haben. All dies ist noch vergleichsweise harmlos gemessen daran, wie

d'autres régions déboisées, comme les pampas de l'Amérique du Sud, sont nées de façon semblable. Dans de nombreuses contrées boisées apparemment vierges des tropiques, l'aspect originel de la forêt a été transformé depuis longtemps par les méthodes de l'essartage: la forêt primaire est devenue presque insensiblement une forêt secondaire. Et plus d'un voyageur aventureux serait bien déçu en découvrant pour la première fois – par exemple dans le Triangle d'Or du Nord de la Thaïlande, déboisé pour longtemps par les incendies – ces forêts clairsemées qui, à part le nom, n'ont plus rien de commun avec la forêt vierge. Mais tout ceci est encore anodin comparé à la façon dont, dans l'Antiquité, les hommes ont saccagé les forêts tout autour de la Méditerranée, détruisant le paysage pour des siècles si ce n'est pour l'éternité.
Quel aspect pourraient bien avoir nos régions si dès le début l'homme n'avait pas touché à la nature? Pour le savoir, la science fait appel à diverses méthodes et se sert en particulier de l'analyse des pollens. Elle s'intéresse surtout au paysage primitif, tel qu'il se présentait avant que l'homme ne se mette à le cultiver, c'est-à-dire au début du néolithique, la période la plus récente de l'âge de pierre, environ 5000 ans avant J.-C. Si je risque encore une fois un coup d'œil par la fenêtre et m'imagine ce que j'aurais pu voir à cette époque, je dois dire que les arbres me cachent la forêt. Ayant été contraintes d'émigrer d'Europe centrale pendant la période glaciaire, les forêts reprirent le chemin du retour dans les cinq mille ans qui précédèrent le

drought – an ancient method of trying to extend their hunting grounds. It seems likely that other forest-less regions, such as the pampas of South America, were created in a similar manner. Many apparently virgin areas of tropical rain forest have changed their character: the primary jungle has almost imperceptibly given way to secondary forestland as a result of semi-nomadic farming activities. And many an adventurous traveller will have pulled a long face in some areas – such as the Golden Triangle in the north of Thailand, which has suffered badly from the use of fire to make clearings for cultivation – when he sees the thin scrubland which passes for a jungle. All this, however, is relatively harmless compared with the way in which, in Classical times, the peoples living round the Mediterranean plundered the woodlands, destroying all hope of regrowth for centuries if not for ever.
What would the countryside in Germany look like if man had never interfered with nature? Scientists use a number of methods to try and discover the answer to this question, in particular pollen analysis. Science is particularly interested in trying to work out what the primeval country looked like before man set foot in it – in about 5,000 BC, at the beginning of the Neolithic, or New Stone Age. If I glance out of the window again, and try to imagine how the landscape would have looked in those times, I cannot see the wood for the trees, as it were. After the forests had been forced to emigrate from Central Europe during the Ice Age, they proceeded to regain

die Menschen in der Antike die Landschaft rund um das Mittelmeer durch Raubbau an Wäldern für unabsehbare Zeiten, wenn nicht für immer ausgebrannt haben.
Wie sähe es wohl bei uns aus, hätte der Mensch von Anfang an die Finger von der Natur gelassen? Dies zu ergründen, bedient sich die Wissenschaft verschiedener Methoden, insbesondere der Analyse des Blütenstaubs. Sie interessiert sich vor allem für die sogenannte Urlandschaft, wie sie sich präsentierte unmittelbar bevor der Mensch als Ackerbauer auf den Plan trat. Das soll zu Beginn des Neolithikums, der jüngeren Steinzeit gewesen sein, also etwa 5000 v. Chr. Wenn ich nochmals einen Blick aus dem Fenster riskiere und mir ausmale, wie es zu jenen Zeiten hier ausgesehen haben mag, dann sehe ich – um es salopp zu sagen – den Wald vor Bäumen nicht. Nachdem die Wälder während der Eiszeit notgedrungen aus Mitteleuropa emigriert waren, hatten sie nun in den dem Neolithikum vorausgegangenen fünftausend Jahren den Rückweg angetreten. Birken voran und Kiefern, mit einigem Abstand gefolgt von Eichen, Ulmen, Linden und Eschen. Die später hier vorherrschenden Buchen ließen noch ein Weilchen auf sich warten. Es hat also eine Baumwanderung stattgefunden, als an eine Völkerwanderung noch gar nicht zu denken war.
Nachdem sich die Gelehrten einig sind, daß sich das natürliche Landschaftsbild ohne das Eingreifen unserer Vorväter seither kaum verändert hätte, sollte man sich auch unter den gegenwärtigen Klimabedingungen hier-

néolithique. Avec en tête les bouleaux et les pins suivis à quelque distance des chênes, des ormes, des tilleuls et des frênes. Les frênes, qui prédominent ici, se firent encore un peu attendre. Il y a donc eu une migration sylvestre bien avant les migrations des peuples.
Les savants étant unanimes à dire que l'aspect du paysage naturel n'aurait guère changé sans l'intervention de nos ancêtres, on peut s'imaginer un terrain boisé troué ici et là de quelques petits marais et de steppes et par les roches nues des hautes montagnes. Le bois feuillu dominerait mélangé aux pins et aux épicéas sur les hauteurs comme dans les plaines de l'Est. Aussi absurde que cela serait de vouloir copier cette image du paysage naturel, elle n'en est pas moins d'une grande valeur pour le conservateur des sites soucieux de l'exactitude de ses interprétations écologiques.

their ground during the five thousand years before the New Stone Age, led by the birch and Scots pine, followed some time after by the oak, elm, lime, and ash. The beech, which was ultimately to predominate, came even later. So there was a kind of migration of the trees long before the migration of the peoples began.
Since the scientists maintain that without the activities of our forebears the natural landscape would have hardly changed to this day, we have to imagine that the forests would still prevail, broken only here and there by patches of bog or steppeland, and by the naked rock in the high mountains. Deciduous woodland would probably predominate, but would be mixed with coniferous trees in the higher altitudes and in the eastern plains. Although it would be absurd to attempt to reestablish such a primeval landscape, it is nevertheless of great theoretical interest to today's ecologists.

zulande ein geschlossenes Waldland vorstellen, durchlöchert von ein paar kleinen Mooren und Steppeninseln, von den kahlen Felsen der höchsten Gebirge. Vorherrschen dürfte der Laubwald, in höheren Lagen wie in den östlichen Tieflandregionen mit Kiefern und Fichten vermischt. So absurd es wäre, dieses Bild der potentiellen Naturlandschaft von heute kopieren zu wollen – für den in seinen ökologischen Interpretationen um Werktreue bemühten Landschaftspfleger ist es dennoch von großem Wert.

▸ **Die Jagst bei Oberregenbach, Nordwürttemberg**
Wir springen hinaus zu den Plätzen, wo immer die Schlüsselblumen stehen und die schnellblühenden Anemonen. Oh, dieses Vogelgezwitscher!
Unbändig der Fluß – nimmt er uns alles mit, die Winterkrusten, die Starre. Franst uns die Ränder aus. Aber was macht's!
Die Wiesen sind feucht, und lebendiges Grün sprießt hervor. Die Knospen platzen vor Freude. Endlich Frühling!

▸ **La Jagst près d'Oberregenbach, Nord-Wurtemberg.**
Quel merveilleux instant lorsque les primevères et les anémones s'éparpillent à nouveau dans les prés et que l'air s'emplit du gazouillis des oiseaux. Impétueuse, la rivière emporte les dernières traces de l'hiver. Les prés sont humides et tout verdoie. Les bourgeons éclatent de joie. Enfin le printemps!

▸ **The River Jagst near Oberregenbach, North Württemberg.** It is an exciting moment when the primulas and anemones dot the meadows once again and birdsong fills the air! The river, carrying away the last frozen remnants of winter is beside itself. Living green reasserts itself, the buds burst for joy, and spring is here at last!

▾ Unterregenbach, Jagst, Nordwürttemberg
▸ Taubertal bei Bettwar, Mittelfranken
Das gibt es also noch: liebliche Flußtäler, mit Schilf und Brennesseln bewachsene Ufer, Dorfnester, Wiesen voll Butterblumen, Hahnenfuß und Löwenzahn.
Und es gibt in Unterregenbach noch ein geschichtliches Rätsel zu lösen: ob hier einstmals das bisher noch nicht wiedergefundene Pirminskloster Emeretztal gelegen war. Ausgrabungen brachten Reste einer Basilika aus dem 11. Jahrhundert zutage, der wohl schon in karolingischer Zeit ein Kirchenbau vorausging.

▾ Unterregenbach sur la Jagst, Nord-Wurtemberg
▸ La vallée de la Tauber près de Bettwar, Moyenne-Franconie
Cela existe encore: de charmantes vallées et des rivières ourlées de roseaux et d'orties, des villages pittoresques nichés dans le paysage. Des fouilles effectuées à Unterregenbach ont mis au jour des vestiges de l'époque carolingienne.

▾ Unterregenbach on the Jagst, North Württemberg
▸ The Tauber Valley near Bettwar, Central Franconia
They still exist here and there: idyllic river valleys, their banks overgrown with reeds and nettles, and picturesque villages nestled in the landscape. Archaeological digs in Unterregenbach have revealed that it dates back at least to Carolingian times.

◂ **Schloß Liebenstein bei Neckarwestheim, Neckartal.** Ein seltsames Paar: die kecke, frisch herausgeputzte, schnörkelige Schloßkapelle und der fast bis obenhin zugewachsene Alte, der Bergfried mit dem Efeuauge. *Sie* wird bewundert, soll ja auch von Gottfried Beer erbaut sein (1599/1600). Aber *er* beherrscht die Szene immer noch, war von Anfang an (etwa 1230/45) der bequeme Wohnturm der Herren von Liebenstein, das Innere geräumig, mit Kamin und Aborterker. Daß die Herren sich in der Renaissance noch bequemere Häuser bauten, das war der Lauf der Zeit.

▾ **Möckmühl an der Jagst, Nordwürttemberg.** »Da schrie ich wieder zu ime hinuff. Er sollt mich hindenn lecken«, erinnert sich Götz von Berlichingen. Goethe machte diesen Spruch berühmt. Und Möckmühl und andere Jagstflecken machten sich die Ehre streitig, Schauplatz dieses denkwürdigen Ausspruchs gegen den Krautheimer Amtmann gewesen zu sein. Fest steht, daß der »Ritter mit der eisernen Hand« 1518 die Geschäfte des Amtmanns in Möckmühl im Dienste des Herzogs Ulrich von Württemberg übernahm. Als der Schwäbische Bund bald danach gegen die Stadt zu Felde zog und die Bürger bereit zur Übergabe waren, verschanzte sich Götz im Schloß mit dem mächtigen Bergfried und schoß auf Stadt und Feinde. Es half nichts, er wurde gefangengenommen und nach Heilbronn gebracht.

◂ **Château de Liebenstein près de Neckarwestheim, dans la vallée du Neckar.** La tour du château est du 13ᵉ siècle. Le reste de l'édifice avec la chapelle date de la Renaissance.

▴ **Möckmühl sur la Jagst, Nord-Wurtemberg.** Götz von Berlichingen, surnommé Main de Fer, un chevalier allemand dont Goethe a fait le héros d'un de ses drames, a été vaincu et emprisonné dans ce château.

◂ **Liebenstein Castle near Neckarwestheim, in the Neckar Valley.** The oldest part of the castle is the tower house on the right, built in the early 13th century. The rest of the complex with the chapel is Renaissance.

▴ **Möckmühl on the Jagst, North Württemberg.** Götz von Berlichingen, also known as Götz of the Iron Hand, a German soldier and adventurer, made famous by the tragedy Goethe named after him, was besieged in the castle here, defeated, and taken prisoner.

◂ **Erkenberg bei Neidlingen, Schwäbische Alb.** Nicht rauh – lieblich, im weißen Blütenkleid, mit zartem Grün bedeckt, empfängt uns die Alb.

▸ **Kloster Wiblingen bei Ulm. Bibliothekssaal,** »in welchem alle Schätze der Weisheit und Wissenschaft verborgen sind«, verkündet eine Inschrift in lateinischer Sprache am Eingang. Stuckmuscheln und Blumenranken sind in das einflutende Licht getaucht, und die Wissenschaften persönlich haben sich versammelt: Jurisprudenz mit Schwert und Waage, Mathematik mit Zirkel, Naturwissenschaft mit Flammenbündel und Geschichte mit Buch und Tintenfaß. Zu ihnen gesellen sich die klösterlichen Tugenden Weltverachtung, Gehorsam, Gebet und Glaubenswissenschaft (Figuren von Dominikus Hermenegild Herberger). Das Dekkengemälde enthält ein ganzes historisch-theologisches Programm.
Bald nach diesem Neubau im 18. Jahrhundert wurde das altehrwürdige Benediktinerkloster Wiblingen säkularisiert (1803).

◂ **Erkenberg près de Neidlingen, Jura Souabe.** Vêtue d'une robe fleurie et de vert tendre, la région nous fait bon accueil.

▸ **Monastère de Wiblingen près d'Ulm. La bibliothèque.** Cette belle bibliothèque avec ses sculptures, ses peintures et ses stucs montre que les moines bénédictins ne reculaient pas à la dépense pour donner à la science un cadre digne d'elle. 700 ans de tradition monastique ont trouvé ici un nouvel épanouissement auquel la sécularisation de 1803 devait mettre une fin brutale.

◂ **Erkenberg near Neidlingen, Swabian Uplands.** The Uplands receive us here in a gentle mood, with white blossom and tender green.

▸ **Wiblingen Monastery near Ulm. Library.** This magnificent room with its figures, paintings, and stucco-work reflects the high esteem of the Benedictine monks for science and scholarship. In this period, 700 years of monastic tradition experienced a new flowering, only to be brought to an abrupt end a few years later through the secularization of 1803.

Mädchen am Waschtrog du blondhaariges zeige die Arme
Nicht und die Schultern so bloß unter dem Fenster des
Abtes!
Der zwar sieht dich zum Glück nicht mehr, doch dem arti
gen Forstmann
Dort bei den Acten bereits störst du sein stilles Conzept
(Eduard Mörike aus dem Zyklus »Bilder aus Bebenhausen«)

▸ **Kloster Bebenhausen, Südwürttemberg.** Was für ein Kontrast zwischen dem prunkvollen glatten Bibliothekssaal von Wiblingen und den zusammengedrängten erdverbundenen Häusern von Bebenhausen!
Dieses Kloster hat eine wechselvolle Geschichte hinter sich: Prämonstratenser, Zisterzienser, evangelische Klosterschule, Jagdschloß, Parlamentssitz, Forstdirektion für Südwürttemberg-Hohenzollern – und doch: die mittelalterliche Klosterstadt mit den zwei Mauerringen hat allen Wandel weitgehend unbeschadet überstanden

▸ **Monastère de Bebenhausen, Sud-Wurtemberg.** Tour à tour monastère école, pavillon de chasse et service des Eaux et Forêts, cette cité monastique médiévale a survécu presque intacte à tous les changements

▸ **Bebenhausen Monastery, South Württemberg.** In the course of time, this medieval monastic town has served as monastery, school, hunting lodge, and forestry office – but has survived all the changes almost intact

◂◂ **Berneck, Nordschwarzwald.** Ein stiller Morgen mit hoher Schildmauer auf Bergsporn. Das zweihäusige Schloß, 1846/47 auf den Grundmauern der alten Burg errichtet, lehnt sich an diesen fast 800 Jahre alten Schutzschild an und mit ihm das ganze Städtchen. In luftiger Höhe vom Wehrgang und von den beiden steinernen Kampfhäusern aus hatten die Herren von Berneck allezeit den rechten Überblick. Übrigens war Berneck bis zu seiner Eingemeindung nach Altensteig das zweitkleinste Städtchen in Württemberg.

◂ **Freilichtmuseum Vogtsbauernhof, Gutachtal.** Blick ins Innere alter behäbiger Schwarzwaldhäuser: Küche des Hippenseppenhofes (oben), Webstuhl im Vogtsbauernhof (Mitte) und Küche des Lorenzhofes (rechts).

◂◂ **Berneck, dans le Nord de la Forêt-Noire.** Construit sur un éperon; sa courtine a près de 800 ans.

◂ **Le Vogtsbauernhof, musée folklorique de plein air, Gutachtal.** Trois pièces d'anciennes habitations paysannes de la Forêt-Noire: une cuisine (en haut), un métier à tisser (au milieu), une cuisine (à droite).

◂◂ **Berneck, North Black Forest.** Built on a spur; the great curtain wall is almost 800 years old.

◂ **The Vogtsbauernhof Open-Air Museum, Gutachtal.** The cosy interior of an old Black Forest house: kitchen (above), loom (middle) and kitchen (right) in three of the museum's houses.

◂ **Vorfrühling bei Urach im Schwarzwald.** So mögen's die Schlüsselblumen, so feucht. Unbekümmert und wild trägt die junge Breg die Schmelzwasser davon und bringt schließlich mit der Brigach die Donau zuweg. Kuckucksrufe künden jetzt den Frühling an.
Das ist die Heimat der Schwarzwalduhren. Schon Mitte des 17. Jahrhunderts sollen in der benachbarten Vogtei Waldau Uhren gebaut worden sein. Simon Dilger aus Urach und Franz Ketterer aus Schönwald bei Triberg, die Begründer der Schwarzwälder Uhrenindustrie im 18. Jahrhundert, ließen dann erstmals den Kuckuck und andere bewegliche Figuren herauskommen, um die rechte Zeit anzusagen.

◂ **Urach, dans le Sud de la Forêt-Noire.** Patrie des pendules à coucou. C'est au 18e siècle que le coucou est sorti pour la première fois de sa maisonnette pour annoncer l'heure.

◂ **Urach, South Black Forest.** Home of the cuckoo clock. It was in the 18th century that the first cuckoo popped out of its house to announce the time.

▼ Kloster Salem
► Burg Rötteln bei Lörrach, Südbaden
Hier behagliche Wärme, gediegene Wohnkultur – dort zugige Unwirtlichkeit, nur das blaue Himmelszelt als Dach. Das Gemeinsame liegt hier nicht so offen zutage: Beide Anlagen wurden fast gleichzeitig zerstört. Rötteln 1678 im Orléanskrieg durch die französischen Truppen. Endgültig. Kloster Salem durch einen Brand im Jahre 1697. Ein barokker Neubau folgte, aber dem Leben dieses jahrhundertelang einflußreichen Klosters setzte die Säkularisation 1802/03 ein Ende.
So wärmt denn der Kamin keinen Abt mehr, und der Wind in den Fensterhöhlen läßt niemanden frieren.

▼ Salem Monastery
► Rötteln Castle near Lörrach, South Baden
Rötteln Castle was destroyed by Louis XIV's troops in 1678. Soon afterwards, in 1697, a fire destroyed the venerable monastery buildings of Salem. A Baroque successor was built, but monastic life there came to an end a hundred years later during the Secularization.

▼ Abbaye de Salem
► Château de Rötteln, près de Lörrach, Sud de Baden
Le château de Rötteln a été complètement détruit en 1678 par les troupes de Louis XIV. Peu après, en 1695, un incendie a détruit la vénérable abbaye de Salem. Une construction baroque l'a remplacée mais la vie monacale y a pris fin cent ans plus tard du fait de la sécularisation.

◂ **Bei Oberreitnau, Lindau. Blick über den Bodensee zu Säntis und Altmann.** Vorsichtig übt sich die Natur im Farbengeben. Ein zartes Grün, ein blaues Band Erhaben die steinerne Pracht der Berge.

▾ **Klosterkirche Birnau.** Einen ähnlich aussichtsreichen Platz am Ufer des Schwäbischen Meeres hat Birnau, als Sommerresidenz für den Abt von Salem erbaut, mit der berühmten Wallfahrtskirche. Pralle Putten schwelgen hier in überschwenglichem Stuck, Marmor und Zierat.

◂ **Près d'Oberreitnau, Lindau. Vue sur le lac de Constance et les sommets du Säntis et de l'Altmann.** La nature fait ici preuve de retenue dans l'art du coloriage: un vert tendre. une bande de bleu et pour couronner le tout la froide majesté des montagnes.

▾ **L'église baroque de l'abbaye de Birnau,** sur les bords du lac de Constance, jouit d'une vue magnifique. Cette célèbre église de pélerinage, où les angelots gambadent sur un fond de stuc, de marbre et d'or, a été construite avec l'abbaye, résidence d'été de l'abbé de Salem.

◂ **Near Oberreitnau, Lindau. View across Lake Constance to the Säntis and Altmann peaks.** Nature demonstrates her mastery of restrained colours here a tender green. a band of blue. and. rising above it all. the stony grandeur of the mountains.

▾ **Birnau Monastery Church,** on the shore of Lake Constance, has a magnificent view. The monastery was built as a summer residence for the Abbot of Salem, and with it the famous pilgrimage church, where plump cherubs frolic against the sumptuous background of stucco. marble. and gold

◂ **Hopfensee mit Tannheimer Bergen, bayerisches Allgäu**
An der Grenze des Tages:
Boote nicht mehr beladen, noch nicht leer.
Nebel schwungvoll gedreht und noch nicht schwer.
Fischmännle drunten im See und Kinder noch in der Wiege.
Noch Abendlicht in den Flugelbogen der Schwäne,
aber am Ufer schon der zottige Aufhock,
will mitgetragen werden,
läßt nicht wieder ab vor dem ersten Morgenlicht.

▾ **Schloß Blutenburg, München.** Blüten – das ist die Bedeutung von »Pluedenburg«. Albrecht III., Herzog von Bayern, baute ein altes Jagdschloß an der Würm aus (1435–1439), und sein Sohn Sigismund machte es zum Mittelpunkt seiner Hofhaltung und Treffpunkt der besten Künstler seiner Zeit. Mit Sigismunds Tod 1501 war dann aber der Frühling der Blütenburg schon vorbei.

◂ **Hopfensee et monts de Tannheim, Allgäu bavarois.** La légende raconte qu'un ondin vit dans les eaux du lac et attire parfois les petits enfants pour en faire ses serviteurs. Et la nuit les voyageurs peuvent rencontrer le Vieil Homme du lac qui ne les lâchera plus avant l'aube.

▾ **Le château de Blutenburg, à Munich,** dont le nom vient de «Blüten», fleur. Il a été construit entre 1435 et 1439 par le duc Albrecht III de Bavière et est devenu la résidence de son fils Sigismund.

◂ **Lake Hopfen with the Tannheim Mountains, Bavarian Allgäu.** There is a legend that a water elf lives in the depths of the lake, occasionally snatching small children to make them his servants. And, at night, travellers might meet the Old Man of the Lake, who leaps onto their backs and cannot be shaken off before dawn.

▾ **Blutenburg Castle, Munich.** The name comes from *Blüten,* blossom, not *Blut,* blood. It was built 1435 to 1439 by Duke Albrecht III of Bavaria, and became the main residence of his son Sigismund.

◂ **Harburg an der Wörnitz, Bayerisch-Schwaben.** Berg, Burg und Stadt sind aus demselben Stoff gemacht. Die staufische Reichsburg aus dem 11. Jahrhundert kam 1295 an die Grafen von Oettingen, die sie vielfach aus- und umbauten und auch heute noch bewohnen. Die Anlage gehört zu den am besten erhaltenen in Deutschland.

◂ **Harburg sur la Wörnitz, Souabe bavaroise.** Le château impérial des Hohenstaufen construit au 11e siècle est devenu en 1295 la propriété des comtes d'Oettingen qui y ont fait de nombreuses transformations et y habitent encore aujourd'hui. C'est l'un des châteaux les mieux conservés d'Allemagne.

◂ **Harburg on the Wörnitz, Bavarian Swabia.** Hill, castle, and town are all made of the same material. The Hohenstaufen imperial castle, built in the 11th century, passed to the Counts of Oettingen in 1295; they extended and rebuilt the castle throughout the centuries, and still live there. It is one of the best-preserved in Germany.

◂ **Kloster Weltenburg an der Donau, Niederbayern.** Unablässig fließend und nagend hat die Donau den Durchbruch geschafft und den Jurafelsen besiegt. Ein ähnliches Schauspiel findet im Chor der Klosterkirche Weltenburg statt. Unablässig reitet dort der heilige Georg daher, um den Drachen zu töten – man weiß ja, daß es ihm schließlich gelang.

▸ **Nürnberg, am Weinstadel.** Ein Griff in »des Deutschen Reiches Schatzkästlein«, und wir haben einen der ganz malerischen Winkel der Freien Reichsstadt Nürnberg vor uns: in der Mitte der Wasserturm, der als Teil der zweiten Umwallung der Stadt Anfang des 13. Jahrhunderts errichtet wurde, mit dem Henkersteg über den Unterlauf der Pegnitz, und links d[illegible] Weinstadel, ursprünglich ein Siechenhaus aus dem 15[illegible]ahrhundert, das ab 1528 dem nahegelegenen Weinmarkt als Lager diente

◂ **Abbaye de Weltenburg sur le Danube, Basse-Bavière.** La percée du Danube entre les rochers calcaires jurassiques illustre la victoire de l'eau sur la roche, un spectacle qui semble se refléter à l'intérieur de l'église avec la statue de St. Georges terrassant le dragon.

▸ **Nuremberg, «am Weinstadel».** L'un des coins les plus pittoresques de l'ancienne ville libre impériale: au milieu le château d'eau du 13e siècle avec à droite le «Henkersteg» (passerelle du Bourreau) et à gauche le «Weinstadel», à l'origine la maladrerie de la ville qui servit plus tard d'entrepôt de vin.

◂ **Weltenburg Monastery on the Danube, Lower Bavaria.** The eternal battle between water and rock was finally won by the Danube when it cut its way through the Jurassic limestone[illegible]s natural drama seems to be reflected inside the churc[illegible]here the figure of St. George rides through a gap in the retable before his victory over the dragon.

▸ **Nuremberg, "am Weinstadel".** One of the most picturesque corners of the old free imperial city: in the middle is the 13th century Water Tower with, on the right, "Henkersteg" (Hangman's Walk), and, left, the hospital, later used as a wine depot.

▸ **Ronneburg, Wetterau, Hessen.** Wie ehedem bewehrt drängen sich die Gebäude um den mittelalterlichen Bergfried. Der Name ist eine Erinnerung an die Zeit, als auf dem Basaltkegel eine mit Ronen – das sind alte Baumstämme – befestigte Fliehburg lag. Noch einmal, im 18. Jahrhundert, war sie Zuflucht für Flüchtlinge: des Glaubens. Der schlesische Graf Zinzendorf bewohnte sie einige Jahre mit seiner Brüdergemeinde. Und sind die Wanderer, für die die Burg seit 1905 als Ausflugsziel und Raststätte dient, nicht auch in zunehmendem Maße Flüchtlinge: vor der Zivilisation, der Hektik unserer Zeit?

▾ **Schloß Ahorn bei Coburg, Oberfranken.** Das Schloß im Fränkischen, jenseits der Rhön, hat seine Wehrhaftigkeit aufgegeben, wie viele Burgen in der Zeit der Renaissance, als der Adel aus den engen, verwinkelten, unbequemen Wohnsitzen des Mittelalters strebte. Man baute jetzt auch in ungeschützten Lagen repräsentative Häuser oder baute Altes im neuen Stil um. Seit der Erfindung des Schießpulvers hatten Mauern und Gräben ohnehin viel von ihrem Wert als Schutz für die Bewohner eingebüßt.

▸ **Château de Ronneburg, Wetterau, Hesse.** Cet édifice a été construit au 13e siècle à l'emplacement d'un château fortifié avec des «Ronen» (troncs d'abres) d'où son nom. Aujourd'hui, le Ronneburg est un but d'excursion très populaire.

▾ **Château de Ahorn, près de Coburg, Haute-Franconie.** Pendant la Renaissance, les propriétaires démolirent la forteresse médiévale pour la remplacer par ce noble édifice.

▸ **Ronneburg Castle, Wetterau, Hesse.** Before this castle was built there was an earlier one on the site built with *Ronen* – tree trunks, hence its name. Today it is a popular place for an outing.

▾ **Ahorn Palace near Coburg, Upper Franconia.** The owners demolished the medieval castle during the Renaissance period, replacing it with this imposing residence.

◂ **Burg Kronberg im Taunus, Hessen.** Einblicke, Anblicke, Durchblicke von der Unterburg zur Mittelburg, während der alles überragende Bergfried der Oberburg nicht zu sehen ist. Die Fülle von reizvollen Ansichten – da sind ja noch die steilen Treppenläufe des Städtchens Kronberg, der im Hintergrund aufsteigende Altkönig, die weite Mainebene – diese ganze Fülle muß es gewesen sein, die die Maler im 19. Jahrhundert angezogen hat, in Kronberg eine Kolonie zu gründen und Licht und Schatten und Reize festzuhalten.

▸ **Marburg an der Lahn, Hessen.** Diese Stadt hat eine lange und reiche Geschichte, von der wir die Überlieferungen vom Leben der heiligen Elisabeth herausgreifen wollen. Mit 14 Jahren verheiratet, nach dem Tode ihres Mannes Ludwig von Thüringen von der Wartburg verstoßen, auf der Marcburg (Grenzburg) der Thüringer Landgrafen aufgenommen, mit 24 Jahren tot. Dazwischen Brot und Rosen, bewunderte und angefeindete Nächstenliebe, Frömmigkeit und Selbstkasteiung. Ihrem Tod 1231 folgt bereits vier Jahre später die Heiligsprechung. Über ihrem Grab entsteht die erste gotische Kirche Deutschlands (1235–1283), die innerhalb kurzer Zeit zu einer der größten Wallfahrtsstätten des Mittelalters wird. Nur wenig später (1297) wird der Chor der Marienkirche (Bild) geweiht.

◂ **Château de Kronberg dans les montagnes du Taunus, Hesse.** Vue du bâtiment inférieur sur le bâtiment central. Le bâtiment supérieur avec le donjon, la plus ancienne partie du complexe, est encore plus élevé. La puissante famille des Kronberg y vécut du début du 13ᵉ siècle jusqu'à son extinction en 1704. La ravissante situation de la petite ville et du château avec ses escaliers raides et sa merveilleuse vue sur la vallée du Main a attiré au cours du siècle dernier de nombreux peintres qui y ont fondé une colonie d'artistes.

▸ **Marburg sur la Lahn, Hesse.** Vue sur l'église Ste-Marie, dont le chœur a été consacré en 1297. (La construction de l'église a été achevée à la fin du 14ᵉ siècle)

◂ **Kronberg Castle, in the Taunus Hills, Hesse.** View from the lower to the central castle. Higher still is the upper castle with keep, the oldest part of the complex. The powerful Cronberg family lived here from the beginning of the 13th century until the line died out in 1704. The charming situation of the little town and castle with its steep lanes and delightful views of the Main Valley, attracted many painters, and they founded an artists' colony here in the last century.

▸ **Marburg on the Lahn, Hesse.** View of St. Mary's Church. The chancel was consecrated in 1297, the whole building finished at the end of the 14th century.

◂ **Freudenberg, Siegerland.** Man fühlt es förmlich, die Freudenberger sind stolz auf ihre Fachwerkhäuser. Sonst hätten sie sie nicht so schön herausgeputzt. Das seit rund 300 Jahren unveränderte Stadtbild macht den Ort zu einem »Baudenkmal« besonderer Art. Eisenhütten und acht Hammerwerke bildeten seine wirtschaftliche Grundlage vom 15. bis zum 19. Jahrhundert, bis die Stahlerzeugung durch eine bedeutende Lederindustrie abgelöst wurde.

▸ **Kurort Rathen mit Talwächter, Sächsische Schweiz.** Seit der Eröffnung der Dampfschiffahrt im Jahre 1837 und dem Anschluß an das Eisenbahnnetz 1850 kamen nicht mehr nur Romantiker in diese wildschöne Landschaft, sondern immer mehr auch Kletterer, Wanderer und Erholungsuchende. – Und wie jedes Jahr hat sich die Natur schon mit ihrem Frühlingskleid für den Empfang hergerichtet.

◂ **Freudenberg, Siegerland.** L'aspect de cette ville aux nombreuses maisons à colombage qui lui confèrent un charme particulier n'a pratiquement pas changé depuis 300 ans.

▸ **Rathen, une ville d'eau en Suisse saxonne.** Ici également le printemps a fait son apparition pour accueillir la foule des randonneurs, des intrépides ascensionnistes et tous ceux qui viennent se reposer et se détendre.

◂ **Freudenberg, Siegerland.** Hardly changed for three hundred years, the town is a treasure-house of half-timbered houses.

▸ **Rathen, a spa in "Saxonian Switzerland".** Here, too, spring awaits the crowds of ramblers, trippers and resolute rock-climbers who come here for recreation.

◂ **Camburg an der Saale, Thüringen.** Städtchen mit Burgruine aus dem 12. Jahrhundert. Die Saale entspringt in Oberfranken. Nachdem sie die kurze Strecke zur Grenze zwischen hüben und drüben durchplätschert, ein Stück weit mit ihr spielt, gräbt sie sich durch den Thüringer Wald, um bei Saalfeld das Gebirge zu verlassen. An ihrem Ufer reihen sich Burgen wie an einer Perlenkette aneinander. Nicht weit von Camburg liegt die Rudelsburg, wo jenes berühmt gewordene Lied von »der Saale hellem Strande« entstand.

▸ **Rudolstadt, Thüringen.** Im Heinrich-Heine-Park stehen diese beiden Thüringer Bauernhäuser. Das eine wurde von Unterhasel, das andere von Birkenhaide hierher versetzt. Sie sind rund 300 Jahre alt und bewahren auch Möbel und Arbeitsgeräte auf.

◂ **Camburg sur la Saale, Thuringe.** Une petite ville et un château en ruine avec un donjon rond du 12e siècle. La Saale, qui prend sa source en Franconie, se fraye un passage à travers la Forêt de Thuringe et quitte la montagne près de Saalfeld à proximité de Rudolstadt.

▸ **Rudolstadt, Thuringe.** Deux maisons paysannes de Thuringe du 17e siècle avec mobilier et outils anciens.

◂ **Camburg on the Saale, Thuringia.** Little town and ruined castle with round, 12th century keep.
The River Saale, which rises in Franconia, cuts its way through the hilly Thuringian Forest, emerging near Rudolstadt.

▸ **Rudolstadt, Thuringia.** Two 17th century Thuringian farmhouses, with a wealth of period furniture and implements inside.

▸ Bei Rödinghausen, Wiehengebirge, Ostwestfalen. Vom Wittekindsweg, der auf dem Kamm des Gebirges verläuft kann der Blick nach Norden über das Tiefland schweifen und im Süden breitet sich von den Hängen des Wiehengebirges her das schöne Ravensberger Land aus. Mit einem bäuerlichen Gesicht und Spuren, die in die frühe Geschichte, ja bis in die graue Vorzeit zurückführen: noch an die vierzig stattliche Sattelmaierhöfe gibt es hier, deren Besitzer schon zur Zeit Karls des Großen freie Bauern waren, ihrem Landesherrn aber (bis ins 16. Jahrhundert) ständig ein Pferd bereithalten mußten für Kriegszüge. Viele Steingräber finden sich noch und, nicht weit von Rödinghausen entfernt, ein vor 140 Millionen Jahren beliebter Futterplatz von Sauriern. Ihre Riesenabdrücke kamen in einem Steinbruch wieder zum Vorschein.

▸ Près de Rödinghausen, Wiehengebirge, Rhenanie du Nord-Westphalie. La région de Ravensberg qui s'étend à partir des contreforts du Wiehengebirge est une contrée agréable où l'on trouve de ravissantes maisons paysannes. De nombreux tombeaux préhistoriques attestent que cette région a été colonisée très tôt. Il y a 140 millions d'années, les dinosaures venaient s'abreuver ici: on peut voir leurs immenses empreintes préservées dans la roche dans une carrière près de Rödinghausen.

▸ Near Rödinghausen, Wiehen Mountains, East Westphalia. The Ravensberg region, extending from the foothills of the Wiehen Mountains is still very peaceful and rural, with fine farmhouses. The many prehistoric graves to be found here show that the area was settled very early. 140 million years ago the dinosaurs met here at the wateringholes: their huge footprints can be seen preserved in rock in a quarry near Rödinghausen.

◂ **Mühle an der Nord-Radde, Hümmling, Niedersachsen.** Folgt man dem Kammweg vom Wiehengebirge in nordwestlicher Richtung über Bramsche und die Fürstenauer Berge, so marschiert man geradewegs in den Hümmling hinein, ein verbliebener Rest Urlandschaft. Heide, Wald, Sümpfe und zahlreiche Steingräber aus der Jungsteinzeit prägen das Gesicht der Geestinsel inmitten ausgedehnter Moore.

▸ **Im Seegebruch bei Gartow, Wendland, Niedersachsen.** Wasser, Salz und Wälder – das ist Wendland. Wenn im Frühjahr die Elbe Schmelzwasser mit sich führt, stauen sich ihre Nebenflüsse und überschwemmen das ganze Land. Hier konnte in der Abgeschiedenheit dieses Landstriches eine einzigartige Pflanzen- und Tierwelt überleben. Hinter Gartow tritt die Seege, einer dieser Elbenebenflüsse, in den Bereich des Gorleben-Rambower Salzstockes ein. Das Salz ist vor rund 220 Millionen Jahren abgelagert worden und hat sich gegen spätere schwerere Gesteinsschichten nach oben gedrückt. Wo es mit Grundwasser in Berührung kommt, wird es sofort angelaugt. An manchen Orten ist dadurch die Erddecke eingebrochen, und Seen bildeten sich. Ein alter Spruch von Salzbergwerksleuten lautet: »Es grüne die Tanne, es wachse das Salz, Gott halte uns allen das Wasser vom Hals.«

◂ **Moulin à eau sur la Nord-Radde, Hümmling, Basse-Saxe.** Un paysage de pâturages, de forêts et de marais où l'on trouve de nombreux tombeaux du néolithique et qui a pu en grande partie gardé son caractère primitif au milieu d'une vaste région de tourbières.

▸ **Dans les marais le long de la Seege près de Gartow, Wendland, Basse-Saxe.** A la fonte des neiges, les affluents de l'Elbe, comme la Seege, sortent de leur lit et inondent la campagne alentour.

◂ **Mill on the River Nord-Radde, Hümmling, Lower Saxony.** A largely unspoilt landscape of heath, forest, and marsh, with many New Stone Age burial mounds, set in a wider region of extensive moors.

▸ **In the marshlands along the Seege near Gartow, Wendland, Lower Saxony.** When the snows melt, the tributaries of the Elbe, like the Seege, break their banks and flood large areas of the surrounding countryside.

▸ **Satemin bei Lüchow, Wendland.** Die geschichtlichen Anfänge dieses Landstriches sind noch immer nicht ganz erhellt: Wann obotritische Slawen dieses Gebiet erstmals besiedelt haben – bereits im 5. Jahrhundert nach Christus oder erst später –, ob es wüst war oder von den nach Süden wandernden Langobarden verlassen; schließlich wann und zu welchem Zwecke die Slawen ihre Dörfer als Rundlinge anlegten. Fest steht, daß dieser westlichste Ausläufer slawischer Besiedlung bei der Germanisierung und Ostkolonisation seit Otto dem Großen immer umgangen, ausgespart wurde, dieses unwegsame, sumpfige Wendland. So konnte sich die wendische Sprache bis ins 18. Jahrhundert hinein halten, Volksglauben und Bräuche bis in die Gegenwart. In der Gegend von Lüchow finden wir noch eine ganze Reihe solcher »Rundlinge«: Um einen Dorfplatz gruppieren sich in der Regel 7 bis 20 Häuser, den Giebel zur Mitte gewandt. Satemin ist kein ganz ausgebildeter, aber ein besonders großer und gut gepflegter Rundling. Die Fachwerkhäuser stammen fast alle aus dem frühen 19. Jahrhundert, als die Umstellung auf Flachsanbau zu einem gewissen bäuerlichen Wohlstand führte und die meisten Bauern die alten Eichenfachwerkhäuser durch neue mit Weichholzfachwerk ersetzten.

▸ **Satemin près de Lüchow, Wendland.** Les maisons sont groupées autour de la place, leur pignon tourné vers le milieu. Une forme de village typique du Wendland. Dans cette région reculée, la plus occidentale des terres colonisées par les Slaves, la langue wende a été parlée jusqu'au 18e siècle et les croyances et les coutumes wendes sont encore vivantes de nos jours.

▸ **Satemin near Lüchow, Wendland.** The houses are grouped round a green, their gable-ends facing the middle. This is a typical village form in Wendland.
In this remote region, the most westerly to be settled by Slav peoples, the Wendish language survived into the 18th century, and Wendish beliefs and customs are still alive today.

Eine Rückreise

Es war einmal ein Sonntagmorgen, da läutete mich gegen sieben Uhr der Postbote aus dem Bett: ein Eilbrief aus der DDR. Den Absender kannte ich nur dem Namen nach – er bekleidet eine Position, die mein Vater bis Kriegsende innegehabt hatte. Jetzt lud er mich zu einem Jubiläum ein. Was für eine Überraschung! Ich war ganz aus dem Häuschen bei der Vorstellung, nach Jahrzehnten die Stätten meiner Kindheit wiederzusehen – das Elternhaus, die Lindenallee, den Wald, den See, das Dorf mit dem Pfarrhaus und dem kleinen Schlößchen, die Schule, das Luch. Wie lange schon hatte ich mir gewünscht, dieses Fleckchen Erde Mann und Tochter zeigen zu können. Denn von den Reizen einer Landschaft, die so flach ist wie ein Spätzlesbrett, der schon die alten Römer ihr Interesse versagt hatten, in der ja nicht einmal Wein gedeiht, waren sie verbal nicht zu überzeugen. Bei meinen Schilderungen jener sandigen Gegend hatten sie immer nur milde gelächelt. So war denn mein erster Gedanke, ob ich die beiden würde mitnehmen dürfen. Ich durfte. Als wir ein paar Wochen später selbdritt die Fahrt antraten, kam ich mir trotz offizieller Einladung und aller amtlichen

◂ **Ostseeküste in der Kieler Bucht, Schleswig-Holstein.** Wir stehen am Rand unseres Landes. Ein weißer Strand als sanfter Übergang noch, und dann kann der Blick übers Meer schweifen bis an den Horizont. Dahinter liegen andere Strände und andere Länder.

Un voyage dans le passé

Un dimanche matin, je fus réveillée par la sonnette de la porte d'entrée: le facteur m'apportait une lettre exprès venant d'Allemagne de l'Est. Je ne connaissais l'expéditeur que de nom – il occupait un poste que mon père avait eu jusqu'à la fin de la guerre. Il m'invitait maintenant à un anniversaire. Quelle surprise! J'étais dans tous mes états à la pensée de revoir après tant d'années les lieux de mon enfance – la maison de mes parents, l'allée de tilleuls, la forêt, le lac, le village avec le presbytère et le petit château, l'école, le marais. Depuis combien de temps n'avais-je pas souhaité pouvoir montrer ce petit coin du monde à mon mari et à ma fille. Car je n'avais pu les convaincre du charme d'un paysage aussi plat qu'une planche à pâtisserie, qu'avaient déjà ignoré les Romains et où ne poussent même pas de vignes. Devant mes descriptions de cette contrée sablonneuse, ils s'étaient toujours contentés de sourire. Aussi ma première pensée fut de me demander si je pourrais les emmener tous les deux. Je pouvais. Lorsque quelques semaines plus tard nous entreprîmes tous les trois le voyage, je me fis quand même un peu l'effet d'un cheval de Troie malgré l'invitation officielle et toutes

◂ **La baie de Kiel sur la côte de la mer Baltique, Schleswig-Holstein.** La bordure de l'Allemagne. Une immense plage de sable blanc comme transition et puis rien que la mer et le ciel à l'horizon.

The past revisited

It happened on a Sunday morning. I was woken by the doorbell: the postman had an express letter for me from East Germany. It came from a man I only knew by name – he held a post which my father had held until the end of the war. The letter was an invitation to an anniversary celebration. What a surprise! I was beside myself at the thought of revisiting, after so many years, the scenes of my childhood – my parent's house, the limetree avenue, the woods, the lake, the village with its parish church and mansion-house, the school, the marshland. How long had I yearned to show that corner of the world to my husband and daughter – for I had been quite unable to convince them of the charms of a landscape which is as flat as a pastry-board, which had been ignored even by the Romans, and which produces not a drop of wine. All my attempts to describe that sandy region in glowing terms earned nothing but tired smiles. So my first thought was: would I be allowed to take the two sceptics with me? I was. When we started out a couple of weeks later, I felt a bit like a Trojan horse, although I had the official invitation and had acquired all the papers required for a visit to the G.D.R.

◂ **Kiel Bay on the Baltic coast, Schleswig-Holstein.** The edge of Germany. A wide beach of white sand as transition, and then there is nothing but sea all the way to the horizon.

Genehmigungen, deren es für die Einreise in die DDR bedarf, doch noch ein bißchen vor wie ein trojanisches Pferd.
Die Strecke von Stuttgart über Nürnberg und Bayreuth bis Hof zog sich für meine Ungeduld ziemlich hin, dann wurden die Straßen leerer, kündigten das sogenannte Zonenrandgebiet an. Wunderschönes Land rundum, kaum noch besiedelt, so gut wie gar keine Industrie. Unverbrauchte, anheimelnde Landschaft, die eine heile Welt vorspiegelt, während sie in Wirklichkeit beklemmende Unnatur präsentiert. 665 Wachttürme und 900 Erdbunker markieren die wohl am besten bewachte Grenze der Welt. Als wir die nicht nur den Heimkehrer irritierende Prozedur der Kontrolle hinter uns hatten, kam das Leben langsam wieder in Fluß. Die Gegend wurde so flach, daß es meine Lieben angeblich schwindelte. Weite Felder, Koppeln, Parklandschaften, im Dunst verschwimmende Stadtsilhouetten, qualmende Industriereviere. Das breite Bett der Elbe.
Kurz vor Berlin verlassen wir die Autobahn, kommen durch Potsdam, die Residenz des sonst so sparsamen Großen Friedrich, der hier – herausgefordert durch das Vorbild Versailles – gewaltigen Aufwand getrieben hat. Dieser spiegelt sich im klassisch gemäßigten Barock des Stadtbilds mit seinen Schlössern, in Sanssouci vor allem mit dem nun wieder liebevoll gepflegten Park. Polnische Denkmalpfleger, ob ihrer Sorgfalt und ihres stilistischen Fingerspitzengefühls international hoch angesehen, haben wesentlich dazu beigetragen, daß sich die obersten

les autorisations administratives requises dont j'étais nantie.
Le trajet de Stuttgart à Hof via Nuremberg et Bayreuth me parut bien long. Puis les routes se firent plus vides, un signe que nous approchions de la zone frontalière. Un merveilleux pays alentour, à peine habité, pratiquement sans industrie. Un paysage intact, charmant qui semble dire que tout est pour le mieux dans le meilleur des mondes alors qu'en réalité il indique le contraire. 665 miradors et 900 casemates marquent la frontière sans doute la mieux gardée du monde. Passée la frontière et les formalités irritantes accomplies, la vie reprit peu à peu son cours. La région devint si plate que ma famille en eut soi-disant le vertige. De vastes champs, des enclos, des parcs, la silhouette brumeuse des villes, des zones industrielles enfumées. Le large lit de l'Elbe.
Peu avant Berlin, nous quittons l'autoroute, traversons Potsdam, la résidence de Frédéric le Grand, d'ordinaire si économe mais qui ici – mis au défi par l'exemple de Versailles – s'est livré à de grosses dépenses. Ce dont témoigne la physionomie de la ville d'un style baroque classique tempéré avec ses châteaux et surtout le château de Sanssouci avec son parc à nouveau fort bien soigné. Des restaurateurs polonais, dont le travail jouit d'une réputation internationale, ont contribué à ce que les terrasses supérieures des vignes retrouvent leur beauté d'il y a 250 ans et que, comme autrefois, des figues mûrissent dans les serres, à l'abri de fenêtres à deux battants.

The stretch from Stuttgart via Nuremberg and Bayreuth to Hof seemed awfully long to my impatient mind. Then the roads began to get emptier, and it was clear that we had reached the so-called border zone: wonderful countryside everywhere, but sparsely inhabited, and with as good as no industry. Unspoilt, charming country which seems to say that all is right with the world, but which in fact signals the opposite. 665 watchtowers and 900 bunkers mark what is probably the most heavily-guarded border in the world. Once we had got the irritating frontier formalities behind us, and moved on, the countryside gradually began to look more lived-in. The region is so flat that my family insisted it made them giddy. Broad fields, paddocks, parklike countryside, the hazy silhouettes of towns, smoky industrial districts; the broad bed of the River Elbe.
We left the motorway shortly after Berlin, passing through Potsdam, the seat of the otherwise so frugal Frederick the Great, who – responding to the challenge of Versailles – went on a building spree here. The results are still to be seen in the restrained Baroque architecture of the townscape with its palaces, and, in Sanssouci in particular, in the now once again lovingly-tended park. Polish restorers, internationally known for their sensitive work, were instrumental in ensuring that the upper terraces of the vineyard regained their original glory of 250 years ago and that in the hothouse niches, sheltered by two-winged windows, sweet figs grow again. The architect of Sanssouci was Georg von

Terrassen des Weinbergs nach rund zweihundertfünfzig Jahren wieder in ihrem Originalzustand präsentieren und in den Treibhausnischen im Schutze zweiflügliger Fenster wie anno dazumal süße Feigen gedeihen.
Erbauer Sanssoucis war Georg von Knobelsdorff, der als Maler und Baumeister schon dem Rheinsberger Kreis Friedrichs angehört hatte. Auch die Entwürfe für die Berliner Oper Unter den Linden sowie für den neuen Flügel des Charlottenburger Schlosses stammen von ihm. Auf dem Bild über meiner Kommode – es ist im Jahre 1804 entstanden – schwebt die anmutige Kuppel des Schlosses über einer Woge von Grün, der Vordergrund zeigt eine ländliche Idylle.
Historische Reminiszenzen: das Potsdamer Edikt, das im Jahre 1685, dem Geburtsjahr Johann Sebastian Bachs, Georg Friedrich Händels und Dominikus Zimmermanns, die aus Frankreich vertriebenen Hugenotten nach Brandenburg rief; das Potsdamer Abkommen, welches das Nachkriegsschicksal Deutschlands festgeschrieben hat.
Ich hätte gern einen Blick auf mein Haus geworfen, genauer gesagt auf jenes Haus, das einmal meinen Eltern gehörte und das bis heute nicht offiziell enteignet ist. Es liegt am Jungfernsee, vielleicht fünfhundert Meter entfernt vom Schlagbaum auf der Glienicker Brücke, hinter dem der amerikanische Sektor Berlins beginnt. Aber wir konnten nicht bis zu dem Grundstück vordringen, bewaffnete Soldaten verwehrten uns die Weiterfahrt, weil die Schwanenallee dem militärischen Sperrgürtel um Berlin einverleibt ist.

L'architecte de Sanssouci fut Georg von Knobelsdorff qui, peintre et ami de Frédéric II, avait auparavant déjà construit le château de Rheinsberg et fait les plans de l'Opéra de Berlin et de l'aile neuve du château de Charlottenburg. Sur le tableau suspendu au-dessus de ma commode – il date de 1804 – la gracieuse coupole du château plane au-dessus d'un flot de verdure, une idylle champêtre est représentée au premier plan.
Quelques réminiscences historiques: l'édit des Huguenots signé à Potsdam en 1685, l'année de la naissance de Jean-Sébastien Bach, de Georg Friedrich Händel et de Dominique Zimmermann, qui donnait en Brandebourg une nouvelle patrie aux protestants chassés de France; l'accord de Potsdam qui fixa le destin de l'Allemagne d'après-guerre.
J'aurais volontiers jeté un regard sur ma maison, plutôt sur la maison qui appartenait autrefois à mes parents et qui jusqu'à ce jour n'a pas été expropriée officiellement.
Elle est située au bord du Jungfernsee, à cinq cents mètres peut-être du secteur américain de Berlin. Mais nous ne pûmes en approcher car la maison se trouve dans la zone militaire interdite qui entoure Berlin et des soldats en armes en barraient le passage.
Dernière étape en direction de Nauen, Kremmen. Un espace familier, beaucoup de ciel. Dans un de ses essais, Manfred Hausmann qualifie le paysage également plat autour de Worpswede de «cielage» ou de «lumiérage». Mari et fille s'amusent à la vue des poteaux indicateurs en direction de Schwanenbeck, Ribbeck, dans le Havelland

Knobelsdorff, who, as painter and architect, had already belonged to Frederick's circle in his days at Rheinsberg. The designs for the Berlin Opera Unter den Linden and the new wing of Charlottenburg Palace were by him. In the painting of Charlottenburg (dated 1804) that hangs above my chest of drawers at home, the delightful dome of the palace floats above an expanse of green with a pastoral idyll in the foreground. Historical footnotes: in 1685, the year of birth of Bach, Händel, and Dominikus Zimmermann, the Edict of Potsdam summoned to Brandenburg Huguenots driven from France; in 1945, the Potsdam Agreement settled the fate of post-war Germany. I would have liked to see my house – or rather, the house that once belonged to my parents and which has still not been officially expropriated by the East German authorities. It is on Lake Jungfern, perhaps five hundred yards from the American sector of Berlin. But we could not get through because the house is within the prohibited military area that encircles Berlin, and armed soldiers barred the way.
The final stage towards Nauen and Kremmen took us through broad expanses of country with a great deal of sky. In one of his essays, Manfred Hausmann described the equally flat countryside round Worpswede as a "sky-scape" or "lightscape". Husband and daughter were amused to see a signpost pointing to Ribbeck in Havelland, where, if one can believe Theodor Fontane, the hand of a character called Ribbeck used to emerge from the grave and distribute pears to all and

Letzte Etappe in Richtung Nauen, Kremmen. Vertraute Weite, sehr viel Himmel. Manfred Hausmann hat in einem seiner Essays die ebenso flache Landschaft um Worpswede als »Himmelschaft« oder »Lichtschaft« bezeichnet. Ehgemahl und Tochter amüsierten sich über die Wegweiser nach Schwanebeck, nach Ribbeck, wo, wenn man Fontane glauben darf, die Hand des von Ribbeck auf Ribbeck im Havelland noch heute aus dem Grabe heraus Birnensegen spendet. In einem Gedicht an das Havelland führt Fontane eine Reihe solcher für Zugereiste kauzigen slawischen Ortsnamen in einem possierlichen Reigen vor:

Linow, Lindow,
Rhinow, Glindow,
Beetz und Gatow,
Dreetz und Flatow,
Bamme, Damme, Kriele, Krielow,
Petzow, Retzow, Ferch am Schwilow,
Zachow, Wachow und Gross-Bähnitz,
Marquardt, Uetz an Wublitz-Schlänitz,
Senzke, Lenzke und Marzahne,
Lietzow, Tietzow und Rekahne,
Und zum Schluß in dem leuchtenden Kranz:
Ketzin, Ketzür und Vehlefanz.

Märkische Heide, märkischer Sand, Kiefernwälder, auf den weiten Koppeln schwarzweißgescheckte Rinder, Kartoffelfelder, Kanälchen, breite Dorfstraßen mit Kopfsteinpflaster, von alten Bäumen und dem Sommerweg für die Pferdefuhrwerke gesäumt. Rechts und links unscheinbare

où, si l'on doit en croire Fontane, la main de Monsieur von Ribbeck sort du tombeau pour distribuer des poires alentour. Dans un poème dédié à la région de la Havel, Fontane énumère à la façon d'une comptine des noms curieux de localités d'origine slave:

Linow, Lindow,
Rhinow, Glindow,
Beetz et Gatow,
Dreetz et Flatow,
Bamme, Damme, Kriele, Krielow,
Petzow, Retzow, Ferch am Schwilow,
Zachow, Wachow et Gross-Bähnitz,
Marquardt, Uetz an Wublitz-Schlänitz,
Senzke, Lenzke et Marzahne,
Lietzow, Tietzow et Rekahne,
Et pour finir dans la couronne brillante:
Ketzin, Ketzür et Vehlefanz.

Landes de la Marche, sable de la Marche, bois de pins, bœufs tachetés de noir et de blanc dans les vastes enclos, champs de pommes de terre, petits canaux, larges rues de village au pavage en blocage, bordées de vieux arbres et d'un bas-côté pour les voitures à chevaux. A droite et à gauche, des maisons paysannes, grises et sans ornement comme de tout temps mais vieillies de décennies depuis que je ne les ai vues et ayant grand besoin d'une couche de peinture. Pas de château fort ou de monastère en ruine, pas la moindre indication qu'il s'agit ici d'un pays chargé de mille ans d'histoire.
Je m'abandonnais à la joie des retrouvailles avec quelques battements de cœur. Des images connues, des sentiments mitigés. Ce

sundry. In a poem about Havelland, Fontane lists a series of curious place names of Slav origin:

Linow, Lindow,
Rhinow, Glindow,
Beetz and Gatow,
Dreetz and Flatow,
Bamme, Damme, Kriele, Krielow,
Petzow, Retzow, Ferch am Schwilow,
Zachow, Wachow and Gross-Bähnitz,
Marquardt, Uetz on Wublitz-Schlänitz,
Senzke, Lenzke and Marzahne,
Lietzow, Tietzow and Rekahne,
And, to round off this light-hearted dance:
Ketzin, Ketzür and Vehlefanz.

We saw the heath, sand, and pine forest of Brandenburg, with black-and-white cattle out to grass, potato fields, narrow canals, broad, cobbled village streets lined with old trees and with parallel summer tracks for horse and cart. To the right and left: modest farmhouses, as grey and unornamented as ever, decades older than when I last saw them, and all needing a lick of paint or a dab of plaster. No castle ruins or monasteries or any indication of the fact that this region has a thousand years of history behind it.
With my heart beating a little faster, I indulged in the pleasure of nostalgia for a while. Familiar sights, mixed feelings: the return to the country of my youth was becoming a journey into my innermost self. When we finally arrived, everything seemed strangely familiar and unapproachable at the same

Bauernhäuser, grau und schmucklos wie eh und je, kaum eines frisch verputzt, aber um Jahrzehnte gealtert. Nicht die Spur einer verfallenen Burg, einer Klosterruine, irgendeines steinernen Zeugen dafür, daß es sich hier um fast tausend Jahre altes Kulturland handelt.
Ich überließ mich der Wiedersehensfreude, bekam wohl auch leichtes Herzklopfen. Bekannte Bilder, gemischte Gefühle. Die Rückreise in die heimatliche Landschaft geriet zur Expedition ins eigene Innere. Endlich am Ziel, erschien alles wundersam vertraut und entrückt zugleich, freilich auch älter geworden, ein bißchen in sich zusammengekrochen, nicht ganz so großartig wie in der Erinnerung. Und lauter fremde Gesichter zu Hause. Doch man empfing uns mit jener noblen und herzlichen Gastfreundschaft, wie sie in diesem uns gegenüber nicht gerade gastfreien Staat so viel besser gedeiht als in der Bundesrepublik. Wir wohnten in dem Haus, in dem ich geboren wurde. Wald rundum, unweit der kleine See. Der Duft der Lindenblüten, Grillengezirp, fast vergessene Stille.

retour au pays devint un voyage introspectif. Arrivés au but, tout parut merveilleusement familier et lointain à la fois, bien sûr un peu vieilli aussi, un peu rapetissé, pas ausi grandiose que dans les souvenirs.
A la maison, les visage étaient inconnus. Et pourtant on nous reçut avec cette hospitalité généreuse et chaleureuse qui, dans cet Etat pas précisément accueillant, fleurit bien mieux qu'en République fédérale. Nous avons habité la maison où je suis née. De la forêt tout autour, non loin le petit lac. Le parfum des tilleuls, le chant des grillons, un calme presque oublié.

time; older, too, of course, a bit withdrawn, and not quite as grand as my recollections. The faces at home were strange, but we were welcomed with the kind of generous, warm-hearted hospitality that seems to flourish better in this otherwise not exactly welcoming country than it does in West Germany. We stayed in the house where I was born, not far from the little lake surrounded by woodlands, the sound of crickets, and that now rare luxury: tranquillity.

Lieb Havelland

Nein – Kremmen ist keine Reise wert. Wir fuhren in dieses Städtchen nördlich von Berlin, um unserer polizeilichen Anmeldepflicht zu genügen. Weite Koppeln zu beiden Seiten der Straße, auf halber Strecke unterbrochen vom Langen Horst, einem schmalen langgezogenen Kiefernwald. Das verwitterte Steinkreuz zum Gedenken an Johannes Graf zu Hohenlohe, der bei der Schlacht am Kremmer Damm am Sankt-Columbani-Tage im Jahre des Herrn 1412 gefallen ist. Die kleine Brücke über den Rhin, Hechte gab es hier früher, Schleien und Aale; und die armselige Hütte eines Mannes, dem böse Zungen nachsagten, er sei ein Hundeschlächter. Zur Linken das alte Forsthaus, in dem der Dichter Richard Dehmel seine Kindheit verbracht hat.
Kremmen, um 1216 als Weiler einer askanischen Burg entstanden, sieht ziemlich spartanisch aus, strotzt nicht eben von Knusperhäuschen-Charme, verleugnet mit seinem unscheinbaren Äußeren die Tatsache, daß es schon rund siebenhundert Jahre Stadtrecht genießt. Wir gingen zum Marktplatz. Kopfsteinpflaster, Kriegerdenkmal, grämliche Fassaden, an der Schmalseite des spitzwinkligen Dreiecks das Rathaus. Plötzlich springt ein rundliches Muttchen vom Fahrrad, starrt mich an, ruft: »Mensch, Susanne.« »Irmchen«, sag' ich augenblicks. Der Name ist auf einmal da, noch ehe ich recht begriffen habe. Wir hatten selbander die Schulbank gedrückt, aber das lag nun an die dreißig Jahre zurück, und seither hatten wir uns völlig aus den Augen verloren. Es gab ein

Le pays de la Havel

Non, Kremmen ne vaut pas un voyage. Nous nous rendîmes dans cette petite ville située au Nord de Berlin pour faire notre déclaration de séjour à la police. De vastes enclos des deux côtés de la route, interrompus à mi-chemin par le Langer Horst, une forêt de pins qui s'étire en longueur. La croix de pierre rongée par le temps, élevée à mémoire du comte Johann de Hohenlohe, tombé à la bataille au barrage de Kremmen, le jour de la St. Colomban, en l'An de grâce 1412. Le petit pont au-dessus du Rhin, un affluent de la Havel, où l'on pouvait autrefois pêcher des brochets, des tanches et des anguilles; et la malheureuse cabane d'un pauvre homme dont on disait qu'il tuait les chiens pour avoir de la viande. A gauche, la vieille maison forestière où le poète Richard Dehmel a passé son enfance.
Kremmen, fondée en 1216 à côté d'un château ascanien, a un aspect si austère que l'on ne devinerait pas qu'elle jouit du statut de ville depuis plus de sept cents ans. Nous nous sommes rendus sur la place du Marché, une place triangulaire avec des pavés en blocage, un monument aux morts, des façades moroses et l'hôtel de ville. Soudain, une dame rondelette saute de bicyclette, me regarde et s'écrie: «Ciel, Suzanne.» «Irmchen», le nom m'est revenu tout de suite, sans que je m'en rende compte. Nous avions été ensemble à l'école, mais cela faisait trente ans de cela, et depuis nous nous étions complètement perdues de vue. Nos retrouvailles sont des plus chaleureuses. Irmchen nous offre un verre de vin, raconte ce que sont devenus nos

Havelland

We had to go to Kremmen, a little town to the north of Berlin, in order to register with the police – the town is not worth the journey otherwise. Large fields extend on either side of the road, interrupted at about the half-way mark by a long narrow pine wood. We passed a weathered stone cross commemorating Johannes Count of Hohenlohe, who fell in battle near here on St. Golumbani's Day in the Year of Our Lord 1412; the little bridge over the River Rhin, where you used to be able to catch pike, tench, and eels; and the miserable hut of a man rumoured to slaughter dogs for meat. On the left is the old forest chalet in which the poet Richard Dehmel grew up.
Kremmen, founded in 1216 near a castle of the Akanier family, makes such a dull, Spartan impression that the visitor would not guess that its town charter is over seven hundred years old. We walked to the market-place: a narrow triangle, with cobble-stones, war memorial, sullen facades, and the Town Hall at its apex. Suddenly a plump matron jumped off her bike, stared at me hard, and called out "If it isn't Susanne!" "Irmchen", I answered – the name popped out before I had time to think about it. We had gone to school together, but that was now getting on for thirty years back, and we had completely lost sight of one another since. It was a lively reunion. Over a glass of wine, Irmchen reported on the weal and woe of other former schoolmates, enthused over Willy Brandt, and expressed pleasant surprise that we thought along the same lines although our smart car

herzliches Wiedersehen. Irmchen kredenzte ein Gläschen Südwein, erzählte vom Wohl und Wehe anderer Mitschüler, schwärmte für Willy Brandt und zeigte sich angenehm überrascht, daß wir ihre Sympathien teilten, obschon unser flottes Auto in ihren Augen dagegen sprach.
Wir fahndeten nach dem Kremmer See, der sich hinter dichtem Röhricht verbirgt, drangen ein Stückchen ins Rhinluch vor. In vergangenen Zeiten überfluteten Oder, Spree, Havel und Elbe samt ihren Nebenflüssen im Frühjahr und Herbst weite Landflächen. So sind die zahlreichen Brüche und Luche entstanden, auch der Spreewald verdankt sein schönes Dasein dem immer wiederkehrenden Hochwasser. Schon zur Zeit des Soldatenkönigs begann man hier mit dem Torfstechen. Mit Hilfe von Entwässerungsgräben, Kanälen und Schleusen wurden nach und nach weite Teile dieser Sumpfgebiete in fruchtbare Felder und Wiesen verwandelt.
In meiner Kindheit war das vom Eise befreite Rhinluch Ziel des Osterspaziergangs. Die weite, schwermütige Moorlandschaft hatte sich dann mit deftigen Dotterblumen und grazilen Anemonen herausgeputzt. Wir suchten in diesem Vogelparadies meist vergeblich nach den lustig gesprenkelten Kiebitzeiern, bewunderten Fischreiher, Störche und seltene Wasservögel. Der schwarze Boden federte unter den Füßen, bisweilen gluckste es ganz schön unheimlich, Irrlichter huschten durchs Gemüt. Es gab so spannende Schauergeschichten, wie sie den nächtlichen Wanderer, der sie mit einer traulich schimmernden

anciens camarades de classe, est emballée de Willy Brandt et se montre agréablement surprise de nous voir partager ses sympathies bien que notre élégante voiture semble à ses yeux témoigner du contraire.
Nous avons cherché le lac de Kremmen, et nous nous sommes avancés un peu dans le Rhinluch qui est une dépression marécageuse. Autrefois, l'Oder, la Spree, la Havel et l'Elbe avec tous leurs affluents inondaient au printemps et à l'automne de vastes étendues de terres. Ainsi sont nés les nombreux marais et marécages de la région; la forêt de la Spree doit également son existence aux crues répétées de la rivière. Dès l'époque du roi soldat, on a commencé ici à extraire de la tourbe. Au moyen de fossés d'irrigation, de canaux et d'écluses, de grandes parties de cette région marécageuse ont été transformées peu à peu en prés et champs fertiles. Dans mon enfance, le Rhinluch était un but de promenade à Pâques. Libéré des glaces, ce vaste et mélancolique paysage marécageux était alors paré de robustes renoncules et de frêles anémones. Dans ce paradis des oiseaux, nous cherchions, généralement en vain, des œufs de vanneau aux amusantes mouchetures, nous admirions les hérons cendrés, les cigognes et des oiseaux aquatiques rares. Le sol noir s'écaillait sous nos pas, de temps en temps il faisait entendre des clapotements inquiétants et l'on songeait aux feux follets. On racontait tant d'histoires troublantes, comment la nuit ils égaraient les voyageurs qui les prenaient pour d'innocentes chandelles et allaient se noyer dans le marécage.

had evidently made this seem unlikely in her eyes.
We went on an expedition to the Kremmen Lake, which is hidden behind a thick bank of reeds, and from there walked a short way into the marshy ground along the Rhin. In past ages the Oder, Spree, Havel, and Elbe rivers broke their banks regularly in spring and autumn, and flooded large areas of country. This led to the formation of the countless marshes and bogs – the swampy charm of the famous Spree Forest is a result of the frequent floodings. Peat was first cut here during the reign of Frederick I of Prussia, the "Soldier King". Over the years, with the help of a drainage system of canals, ditches, and weirs, large areas of this marshland have gradually been transformed into fertile agricultural land.
In my childhood, the Rhinluch marsh was a popular area for Eastertide walks. By then the ice had thawed, and the extensive, melancholy bogland was alive with marsh-marigolds, anemones, and wild birds. We went in search of the prettily speckled lapwing eggs – usually in vain – and admired the herons, storks, and rare aquatic birds. The black earth was springy underfoot, and made interesting, alarming gurgling noises at every step, and one thought of will-o'-the-wisps. There were gripping stories about travellers mistaking them at night for homely candles and striking out across the bog only to be sucked down to a watery grave.
In the next village, the little palace built by the architect J. F. Schinkel dreams of the past.

Kerze verwechselt, vom sicheren Pfade locken, so daß er sich verirrt und elendiglich im Sumpf seine Seele verhaucht.
Im Nachbardorf träumt das kleine Schinkelschlößchen von vergangenen Zeiten. Ein bißchen nackt steht es in der zugigen Gegend, entblößt von seinem Park, die Freitreppe verliert sich jetzt in einem Rübenfeld. Im Quastschen Gutshaus daneben hat die Schule Einzug gehalten.
Wir schauten uns weiter im Lande um. Bald dachten meine Leutchen nicht mehr daran, mit süddeutschen Vorurteilen zu kokettieren, so sehr waren sie von den spröden Reizen der Mark gefangen. Die »Streusandbüchse des Heiligen Römischen Reiches deutscher Nation« entdeckte sich ihnen als die Landschaft Fontanes.
Kreuz und quer durchs Havelland. Immer wieder Wiesen, Seen, Sand. Und die anspruchslosen Kiefern, die ihr schwarzgrünes Wipfelgeäst auf hohen, kahlen, im Abendlicht sanft errötenden Stämmen tragen. Walter Leistikow, dem künstlerischen Entdecker der märkischen Seenlandschaft, haben sie viele Male Modell gestanden. Daneben Mischwälder, in denen sich Eichen, Buchen und Birken ein Stelldichein geben. In Fehrbellin erinnert wenig daran, daß hier der Große Kurfürst glorreich die Schweden geschlagen hat. Neuruppin, die Geburtsstadt Fontanes und Schinkels und nicht zuletzt der berühmten Ruppiner Bilderbögen des tüchtigen Gustav Kühn, die in naiver Manier aktuelle politische Meldungen illustrierten, aber auch historische Ereignisse, Märchen und Moritaten. Sie

Dans le village voisin, le petit château construit par Schinkel rêve d'époques révolues. Privé de son parc, il paraît un peu nu dans la contrée venteuse et son perron aboutit maintenant dans un champ de betteraves. A côté, la maison de campagne qui appartenait à la famille Quast a été transformée en école.
Nous avons continué à visiter le pays et très vite mon mari et ma fille ont été pris sous le charme sévère de la Marche. Le «sablier du Saint-Empire romain» devenait pour eux le paysage de Fontane.
A travers le pays de la Havel. Encore des prés, des lacs, du sable. Des pins sans prétention brandissent leurs cîmes d'un vert noir audessus de troncs élancés et dépouillés qui prennent des tons roux dans la lumière du soir. Ils ont souvent servi de modèles à Walter Leistikow, le peintre des paysages lacustres de la Marche. A côte, des forêts d'essences diverses dans lesquelles chênes, hêtres et bouleaux se donnent rendez-vous. A Fehrbellin, peu de choses rappellent que le Grand Electeur y a remporté une glorieuse victoire sur les Suédois en 1675. Neuruppin, la ville où sont nés Fontane et Schinkel et aussi les célèbres Images d'Epinal de Ruppin, les images de l'industrieux Gustav Kühn qui, de façon naïve, illustraient les informations politiques mais également les événements historiques, les contes et les histoires de brigands. Celles-ci se vendirent extrêmement bien jusque dans la première moitié de notre siècle et leur popularité peut se comparer à celle dont jouissent aujourd'hui les journaux à grand tirage et la télévision.

Shorn of its park, and with its staircase ending in a beet field, it looks rather forlorn in this draughty region. Nearby, the country house that belonged to the Quast family has been converted into a school.
We toured the area a bit more, and soon my family had lost some of their flippancy: the fragile charm of Brandenburg was beginning to have its effect. The "sand-box of the Holy Roman Empire", as they had thought of it, was turning into Fontane's country, characterized by meadows, lakes, sand and the lofty, undemanding Scots pines, with their dark green branches at the top of bare trunks which take on a reddish hue in the evening light. They often modelled for the painter Walter Leistikow in his impressionistic views of the Brandenburg lakes. Then there is mixed woodland, in which oak, beech, and birch intermingle. In Fehrbellin there is nothing much to remind the visitor that the Great Elector Frederick William defeated the Swedes here in 1675. Neuruppin was the birthplace of Fontane and Schinkel – and of Gustav Kühn and his famous Ruppiner Bilderbögen, or Ruppin Broadsheet, which, in a naive and effective style, provided illustrated comments on current affairs, and also featured historical events, fairytales and ballads. They were extremely popular right into the first half of our century, and were just as eagerly "consumed" as are today's tabloids and TV programmes.
We walked along the wall with its ornamental gardens, a remnant of the medieval fortifications, and then along the lake. The lake

fanden bis in die erste Hälfte unseres Jahrhunderts hinein reißenden Absatz, wurden ebenso eifrig konsumiert wie heute die Bildzeitung oder das Fernsehen.
Promenade auf dem von Grünanlagen gesäumten Wall, den Überresten der mittelalterlichen Befestigungen, später am Ruppiner See entlang. Das Seengebiet um Neuruppin, Gransee und Rheinsberg kann man gemächlich auf den schier endlosen Wasserwegen erfahren, da fast alle diese Seen durch schmale, oft von Trauerweiden verhangene Kanälchen wie durch verwunschene Korridore miteinander verbunden sind. Das Rheinsberger Schlößchen, Musensitz Friedrichs II., das sich mit seiner Säulengalerie und den Rundtürmen im See spiegelt und von seiner Rokoko-Anmut äußerlich nichts eingebüßt hat, auch wenn es heute ein wenig nach Desinfektionsmitteln riecht. Tucholsky diente es als graziöse Staffage für seine Liebesgeschichte. Betrachten wir es mit den Augen Fontanes: »... ein Bild von nicht gewöhnlicher Schönheit ... Erst der glatte Wasserspiegel, an seinem Ufer ein Kranz von Schilf und Nymphäen, dahinter ansteigend ein frischer Garten-Rasen und endlich das Schloß selbst, die Fernsicht schließend. Nach links hin dehnt sich der See, wohin wir blicken, ein Reichtum von Wasser und Wald, die Bäume nur manchmal gelichtet, um uns irgendein Denkmal auf den stillen Grasplätzen des Parks oder eine Marmorfigur oder einen ›Tempel‹ zu zeigen. Das Schloß war in den alten Tagen ein gotischer Bau mit Turm und Giebeldach. Erst zu Anfang des vorigen

Nous nous promenons sur le rempart bordé d'espaces verts, vestiges des fortifications médiévales, puis au bord du lac de Ruppin. La région lacustre autour de Neuruppin, Grausee et Rheinsberg, peut être visitée tranquillement sur les canaux étroits qui relient entre eux presque tous les lacs et qui, souvent couverts de saules pleureurs, ressemblent à des couloirs enchantés. Le petit château de Rheinsberg, où Frédéric II passa une partie de sa jeunesse, se reflète dans le lac avec ses ailes latérales reliées par une colonnade et ses tours rondes et n'a rien perdu extérieurement de son charme rococo bien qu'il sente quelque peu aujourd'hui le désinfectant. Tucholsky en a fait le cadre gracieux de ses histoires d'amour. Contemplons-le avec le regard de Fontane: «... un tableau d'une beauté peu commune ... D'abord la nappe d'eau lisse comme un miroir, avec sur ses bords une couronne de roseaux et de nymphéas, derrière un jardin de frais gazon montant vers le château qui clôt la vue. Le lac s'étend vers la gauche, une abondance d'eau et de forêt, les arbres élagués ici et là révèlent un quelconque monument à un endroit paisible du parc ou une statue en marbre ou un ‹temple›. Le château était autrefois une construction gothique avec tour et toit à pignon. Ce n'est qu'au début du siècle précédent qu'il a été remplacé par un château dans le goût français qui, trente ans plus tard, a pris sous la direction de Knobelsdorff les formes qu'il présente encore aujourd'hui.»
Au milieu de la Schorfheide, une lande de bois épais et giboyeux, les joies de la baignade

district around Neuruppin, Gransee, and Rheinsberg can be comfortably explored by following the seemingly endless narrow canals, often overhung by weeping willows, which join up almost all the lakes like long, enchanted green corridors. There is Rheinsberg Palace, where Frederick the Great lived for four years while he was still Crown Prince, which, with its colonnade and its round towers reflected in the lake, has lost none of its Rococo charm on the outside, although it does smell a bit of disinfectant. Tucholsky used it as a graceful background for one of his stories. In the eyes of Fontane, it formed "a picture of unusual beauty ... First, the smooth surface of the lake enclosed in a wreath of reeds and nymphs, then, behind it, a lawn rising to the palace itself. Our eyes follow the lake to the left, a lush scene of water and woodland, the trees cleared here and there to reveal some monument or other on the peaceful sward of the park, or a marble figure, or a "temple". In the old days the palace was a Gothic building with tower and gabled roof. It was not until the beginning of the last century that a palace in the French style replaced the ancient Gothic, and this was remodelled thirty years later under Knobelsdorff's direction along the general lines that we still see today."
Bathing in the Werbellinsee is fun – the lake, in its secluded woodland setting, attracted the leaders of the two Germanies, Erich Honnecker and Helmut Schmidt, to its shores for what are called German-German talks. We discovered that the nearby Stechlin Lake –

Jahrhunderts trat ein Schloßbau in französischem Geschmack an die Stelle der alten Gotik und nahm dreißig Jahre später unter Knobelsdorffs Leitung im wesentlichen die Formen an, die er noch jetzt zeigt.«
Inmitten der wildreichen Schorfheide Badefreuden im Werbellinsee, dessen Abgeschiedenheit Erich Honecker und Helmut Schmidt zu einem deutsch-deutschen Rendezvous an seinen Ufern verlockte. Die Entdeckung, daß man auf dem Grunde des Stechlin noch immer jeden Kieselstein deutlich erkennt. Klare Seen, weite Landstriche, die vom Würgenetz der Autostraßen noch unbeschädigt, von Hochhäusern, Industrieanlagen und Supermärkten verschont geblieben sind. Umweltschutz ist in der DDR kein Fremdwort. Doch daß es kaum höherer Einsicht in die Notwendigkeit des Schützens und Bewahrens zu danken ist, die das Gesicht dieser Landschaft unversehrt erhalten hat, davon geben die Industriereviere in der DDR ein trauriges Zeugnis: Das Ziel der Produktionssteigerung als oberstes Gebot kennt hier keinerlei ökologische Rücksichten.
Auf schmalen Straßen nur selten ein Auto. Wir fühlten uns in eine andere Welt versetzt und empfanden ein tiefes Wohlgefallen an dieser Landschaft, in der die Uhren vor Kriegsausbruch stehengeblieben sind.

▸ Ein Sommerwiesenweg –
führt geradewegs ins schattige Wäldchen –
zum Erfrischen.

dans le Werbellinsee dont la situation isolée s'est prêtée à la rencontre des leaders des deux Allemagnes, Erich Honecker et Helmut Schmidt. C'est une région de lacs limpides, de vastes terres qui n'ont pas encore été étranglées par le réseau autoroutier et qu'ont épargnées les grands ensembles, les installations industrielles et les supermarchés.
La protection de l'environnement existe en RDA mais les zones industrielles de l'Allemagne de l'Est, où toute considération écologique est sacrifiée sur l'autel de la productivité, montrent que c'est plutôt par chance que par égard pour la nature que ce paysage est resté intact.
Sur les routes étroites, les voitures sont rares. Nous avions l'impression d'être dans un autre monde et nous éprouvions une profonde satisfaction à contempler ce paysage où le temps semble s'être arrêté depuis le début de la guerre.

▸ Un chemin qui mène à travers champs dans l'agréable fraîcheur du bois.

which featured in another Fontane novel – is still as clear as glass. It is an area of clean lakes and broad stretches of country that have not been strangled in the network of roads or disfigured by high-rise blocks, industrial sites, and supermarkets. Nature conservation exists in the G.D.R., but the industrial districts, where all environmental considerations are ruthlessly sacrificed to the god of increased production, make it clear that this is more a matter of luck than good judgement. You rarely see a car on the narrow roads of Brandenburg. We felt transported to another world, and derived a profound satisfaction from a countryside where the clocks seem to have stood still since the outbreak of war.

▸ A summery path leads to the refreshing coolness of the woods.

◂◂ **Kirchberg an der Jagst, Nordwürttemberg.** Auf dem Kamm des Bergrückens eine Straße, links und rechts davon eine Häuserreihe: das ist der Kern des Städtchens. Es ist durch einen tiefen Graben vom Schloßbezirk getrennt, der den vorderen Teil des Bergsporns bis zum Steilabfall füllt. Hier residierten bis 1861 die Fürsten von Hohenlohe-Kirchberg.
Da ist aber auch noch das »Kirchberg im Tal«, das alte Bauern- und Gerberviertel direkt am Fluß. Der Geruch aus den Lohgruben konnte so nicht die Bewohner der Oberstadt belästigen.

◂ **Taubertal mit Blick auf Rothenburg, Mittelfranken.** Der rote Klatschmohn blüht zum Greifen nah in feuchtwarmer Wiese, während am Horizont, einer Vision gleich, die Silhouette der alten Reichsstadt Rothenburg im Dunst vorüberzieht.

▸ **Hof Mühlreisig bei Spalt, Mittelfranken,** etwas außerhalb des alten fränkischen Städtchens gelegen. Für ein gutes Hopfengebräu braucht man viele Trockenböden, hier staffeln und schieben fünf das Dach steil nach oben.

◂◂ **Kirchberg sur la Jagst, Nord-Wurtemberg.** La ville et l'ancienne résidence des princes de Hohenlohe-Kirchberg se partagent l'étroite place sur la croupe de la montagne. En bas, dans la vallée, est situé Kirchberg am Tal, l'ancien quartier des paysans et des tanneurs.

◂ **La vallée de la Tauber avec vue sur Rothenburg, Moyenne-Franconie.** Les coquelicots apportent une note de couleur vive au milieu d'un pré chaud et humide tandis que la silhouette de l'ancienne ville libre impériale de Rothenburg se profile à l'horizon comme un mirage.

▸ **Ferme de Mühlreisig près de Spalt, Moyenne-Franconie.** Les cinq séchoirs à houblon sont empilés sous le toit de cette ferme située un peu en dehors de l'ancienne petite ville franconienne de Spalt.

◂◂ **Kirchberg on the Jagst, North Württemberg.** The town and the former seat of the Princes of Hohenlohe-Kirchberg share the limited space on the hill. In the valley lies Kirchberg im Tal, the old farming and tanning quarter.

◂ **The Tauber Valley with view of Rothenburg, Central Franconia.** The poppies provide a lively splash of colour in the damp, warm field, while the silhouette of the old free city of Rothenburg is poised on the horizon like a mirage.

▸ **Mühlreisig Farm near Spalt, Central Franconia.** The five drying lofts for hops are piled up above the living quarters in this farmhouse just outside the old Franconian town of Spalt.

◂ **Dinkelsbühl an der Wörnitz, Mittelfranken.** Ein Frosch würde an dieser Stelle Dinkelsbühl wohl eher für ein verschlafenes Dorf denn für eine ehemalige Freie Reichsstadt halten. Das Tor und der Turm mit der Fachwerkhaube auf der Stadtmauer stehen aber, wie es die Vögel leichter erkennen können, nur stellvertretend für die gesamte unversehrte Befestigung der Stadt mit zahlreichen Türmen und den vier Toren. Ein Sohn Dinkelsbühls, Christoph von Schmidt, dichtete hier im letzten Jahrhundert das Weihnachtslied »Ihr Kinderlein kommet«.

◂ **Dinkelsbühl sur la Wörnitz, Moyenne-Franconie.** L'ancienne ville libre impériale a un aspect champêtre sous cet angle mais elle a conservé ses murs d'enceinte avec ses nombreuses tours et ses fossés.

◂ **Dinkelsbühl on the Wörnitz, Central Franconia.** The former free city looks very bucolic from this angle, but in fact still has a complete town wall with numerous towers and gates.

◂ Kühreuteteich bei Böhmenkirch, Schwäbische Alb. Andernorts füllen Flüsse die Talgründe – mit Jagst-, Tauber- oder Wörnitzwasser. Auf der Alb finden wir stattdessen Wiesentäler und Löwenzahnteiche. Fast alles Wasser verschwindet im Erdinnern, seit sich das Gebirge vor rund 50 Millionen Jahren als Folge des Rheingrabenbruches hob und verkarstete und die Flußtäler austrockneten.

◂ Kühreuteteich près de Böhmenkirch, Jura Souabe. Dans d'autres régions, des rivières comme la Jagst, la Tauber ou la Wörnitz coulent dans le fond des vallées. Mais dans les plateaux calcaires jurassiques, qui se sont formés il y a 50 millions d'années, les vallées sont remplies de prés ou d'«étangs» à pissenlits car l'eau s'infiltre à travers la roche poreuse et les vallées sont à sec depuis longtemps.

◂ Kühreuteteich near Böhmenkirch, Swabian Uplands. In other areas the valleys are alive with water from the Jagst, Tauber, or Wörnitz rivers. In the limestone Uplands, formed about 50 million years ago, we find the valleys full of meadows, or dandelion 'ponds', because the water seeps away through the porous rock and the rivers have long since dried out.

▾ **Pfahlbauten bei Unteruhldingen am Bodensee.** Es heißt Abschied nehmen von den Anschauungen des 19. Jahrhunderts, von Südseeromantik. Die Ausgrabungen der letzten Jahre haben ergeben, daß die Menschen der Jungsteinzeit vor rund 5000 Jahren lediglich hochwassersicher bauten: Im Sommer reichte das Hochwasser bis unter die Wohnböden, im Winter lag das Ufer trocken. Die in »Flecklinge« eingezapften Pfähle verhinderten das Absinken der Häuser in den weichen Seegrund.

▸ **Überlinger See bei Bodman.** Den modernen Uferbelagerern, ihren Jachthäfen und Anlegestellen sind hier wie an zahlreichen anderen Stellen die Pfahlbauten ihrer Vorfahren aus der Steinzeit zum Opfer gefallen.
Bodman, alemannisch »zi deme Podame«, der alemannische Ort, der auf dem Boden, das heißt dem Uferstreifen zwischen See und Bergrücken liegt, hat dem Bodensee seinen heutigen Namen gegeben. Die Römer nannten ihn noch Lacus Brigantinus, Bregenzer See.

▾ **Constructions sur pilotis près d'Unteruhldingen, lac de Constance.** Les hommes du néolithique, il y a environ 5000 ans, ont construit ici des maisons sur pilotis: en été, l'eau atteignait le plancher, en hiver la rive était à sec.

▸ **L'Überlingersee près de Bodman.** Une des trois parties du lac de Constance ou Bodensee en allemand. C'est le Lacus Brigantinus des Romains, du nom de la ville de Brigantium, l'actuelle Bregenz.

▾ **Lake dwellings near Unteruhldingen, Lake Constance.** Here, about 5,000 years ago, Stone Age people built their houses on piles: in summer, the water rose to floor level, in winter the lake shore was dry.

▸ **Lake Constance near Bodman.** Lake Constance has a number of names. This northwest part is called Überlinger See in German, while the whole lake is known as Bodensee. The Romans named it Lacus Brigantinus, after the town Brigantium, now Bregenz.

◂ **Wassermühle im Jostal, Südschwarzwald.** Während sich am Bodenseeufer schon vor 10000 Jahren Menschen niederließen, war der Schwarzwald bis in die Karolingerzeit Urwald, unbewohnt. Mit Kreuz und Axt drangen vor allem die Mönche in dieses unzugängliche Gebiet vor, ließen roden und den Boden kultivieren. Die Römer nannten das Gebirge den »Hercynischen Wald«, der Name »Schwarzwald« taucht erstmals 763 auf. Mühlen offensichtlich wie am Fließband sehen wir auf dem Bild, dafür nicht so romantische wie die in dem bekannten Schwarzwaldlied. Früher hatte jeder größere Hof eine eigene Mühle.

▸ **Ammerschlucht bei Rottenbuch, Oberbayern**
Über dem naßstrudelnden Fluß,
dem Sprühen der Wasserkaskaden die dämpfige Schlucht.
Und draußen, darüber die schwüle Sommersonne.

◂ **Moulin à eau dans la vallée de Jos, Sud de la Forêt-Noire.** Autrefois, chaque ferme d'une certaine importance avait son moulin. La Forêt-Noire, une région montagneuse très boisée, a commencé à être défrichée et habitée au moment de la christianisation à partir de l'époque carolingienne.

▸ **La gorge de l'Ammer, près de Rottenbuch, Haute-Bavière.** La gorge s'élève au-dessus du bouillonnement de l'eau et du jet brumeux des cascades tandis que brille un soleil de plomb.

◂ **Watermill in the Jos Valley, South Black Forest.** Formerly every large farm had its own mill. The Black Forest, a thickly-wooded mountainous area in Baden-Württemberg, rising to almost 5,000 ft in parts, was first settled when clearances began to be made in the course of Christianization, which began in the Carolingian period.

▸ **The Ammer Gorge near Rottenbuch, Upper Bavaria.** The gorge towers above the haze of the river and the dancing waterfalls. And outside gleams the sultry summer sun.

▸ Vogtland bei Gutenfürst
»Drauß en Vogtland senn se su
hab de Maadle Bänderschuh,
Bänderschuh un Buckelhaubn,
senne wie de Turteltaubn.«
So und ähnlich klingen die Rundas, die Tanzlieder zum schwungvollen Dreher. Dieser Volkstanz stammt aus dem Vogtland und hat alle Verbote der Sittenwächter überstanden.

▸ Vogtland près de Gutenfürst. Cette région champêtre est la patrie du «Dreher», une danse populaire très entraînante qui a survécu à tous les interdits des moralistes austères.

▸ Vogtland near Gutenfürst. This bucolic landscape is the home of a folk dance called the *Dreher*, a lively round dance which has survived all the onslaughts of Puritanical moralists.

◂ **Pottenstein, Fränkische Schweiz.** Eine Landschaft von besonderem Reiz ist die Fränkische Schweiz. Ortschaften in enge Täler eingezwängt, umrahmt von bizarren Jurakalkformationen. Für Burgenbauer im 12. Jahrhundert ideale Plätze, da sie einen natürlichen Schutz, allerdings auch manche Unbequemlichkeit für die Bewohner mit sich brachten. So mußte zum Beispiel das Wasser mit Eseln aus dem Tal heraufgeschafft werden. 1750 bat der Burgkastellan, ins Tal ziehen zu dürfen, weil ihm der Weg in den Ort und wieder zurück zu beschwerlich geworden sei. Danach standen die Gebäude leer oder wurden als Getreideschüttboden benützt. Ein Nürnberger Apotheker kaufte sie 1878 und rettete sie so vor dem endgültigen Verfall.

▸ **Blick auf Geroda, Südrhön.** Kuppig die Landschaft und mit Noppen aus Getreidegarben versehen die abgeernteten Felder. Die menschliche Siedlung fügt sich noch harmonisch in ihre natürliche Umgebung.

◂ **Pottenstein, Suisse franconienne.** Les belles formations du calcaire jurassique de la Suisse franconienne ont été des emplacements idéals pour les bâtisseurs de châteaux. Le Pottenstein a été construit au 12e siècle et jusqu'en 1750 a été la résidence officielle pour la région des évêques de Bamberg. Il est resté vide ensuite ou a servi de grenier à céréales et est tombé peu à peu en ruine. Un pharmacien de Nuremberg l'a acheté en 1878 et l'a sauvé de la ruine totale.

▸ **Vue de Geroda, Sud de la Röhn.** Un paysage tout en douceur avec des sommets arrondis et des gerbes de blé liées dans le champ moissonné et un village qui s'intègre harmonieusement dans son environnement naturel.

◂ **Pottenstein, "Franconian Switzerland".** The rugged limestone formations in "Franconian Switzerland" provided many ideal sites for castles. Pottenstein was built in the 12th century, and, until 1750, was the official seat for this region of the Bishops of Bamberg. From that date on it remained empty or served as a grain store, and gradually fell into ruin until it was bought by a Nuremberg chemist in 1878 and saved from total destruction.

▸ **View of Geroda, South Rhön.** A peaceful rural scene of rolling hills and golden fields. The village still blends harmoniously with the surrounding countryside.

◂ **Heppenheim an der Bergstraße, Hessen.** Bei den Römern hieß diese Straße am Westrand des Odenwaldes zwischen Heidelberg und Darmstadt bereits »strata montana«, »Bergstraße«. Sie nutzten die Gunst des milden Klimas zum Weinanbau, und das ist auch heute noch so. Reizvolle Ortschaften und Burgen liegen dicht hintereinander. Und die Bewohner bekommen von den Gemeinden Mandelbäumchen und andere Frühblüher zum Anpflanzen geschenkt. Das Blütenmeer im Frühling lockt denn auch Jahr für Jahr zahlreiche Besucher an die Bergstraße.
Die Geschichte Heppenheims läßt sich weit ins frühe Mittelalter zurückverfolgen. 755 erstmals urkundlich erwähnt, befindet es sich im Besitz der Abtei Lorsch. An Gebäuden finden wir allerdings nur noch wenige, die vor 1693 erbaut sind. In diesem Jahr brannte nämlich während der französischen Reunionskriege Heppenheim bis auf fünf Häuser ab. Zu ihnen gehören das herrliche Rathaus von 1551 und der Kurmainzer Amtshof mit seinem Winzerkeller von 1301.
In der Apotheke am Marktplatz begann die Laufbahn des großen Chemikers Justus von Liebig nicht gerade verheißungsvoll: 1819 endete seine Lehrzeit mit einem Knall. Bei einem seiner heimlichen Experimente wurde ein Teil des Daches heruntergerissen.
Beherrschender Mittelpunkt der Stadt ist zweifellos die Kirche St. Peter, auch »Dom der Bergstraße« genannt. Zwar lassen sich in den Fundamenten die Spuren noch bis in karolingische Zeit verfolgen, doch was heute zu sehen ist, entstand erst um die letzte Jahrhundertwende.

◂ **Heppenheim sur la Bergstraße, Hesse.** Les Romains appréciaient déjà la douceur du climat le long de la «strata montana», la route de montagne qui longe la bordure occidentale de l'Odenwald, et y plantèrent des vignes. Cette région avec ses charmantes petites villes, ses villages et ses châteaux attire chaque année de nombreux visiteurs lorsque les amandiers sont en fleur. La ville d'Heppenheim est dominée par la «cathédrale de la Bergstrasse» construite au tournant du siècle sur des fondations qui datent du 8e siècle. C'est dans la pharmacie sur la place du Marché que le grand Justus von Liebig a commencé sa carrière par une explosion qui lui a coûté sa place d'apprenti.

◂ **Heppenheim an der Bergstrasse, Hesse.** The Romans already appreciated the mild climate along the *strata montana*, the mountain road, that follows the western edge of the Odenwald, and established vineyards here. This region, with its many charming little towns, villages and castles, is particularly attractive when the almond trees are in blossom. Heppenheim itself is dominated by the "Cathedral of the Bergstrasse", which was built at the turn of the century, although its foundations go back to the 8th century. In the chemist's shop on the market place, the great Justus von Liebig, the founder of agricultural chemistry, began his career with an explosion that cost him his apprenticeship.

MARBACH BURGGRAND

◂ **Bacharach am Rhein.** Ein Bilderbuchstädtchen am großen Strom, vielbesungen und geschichtsträchtig: in der Stauferzeit Residenz der Pfalzgrafen bei Rhein, Burg Stahleck Ort der heimlichen Vermählung von Agnes von Stahleck mit dem Sohn Heinrichs des Löwen – Versöhnung von Staufen und Welfen. Ereignisreich das 14. Jahrhundert mit den zahlreichen Fürstentagen, dem Bau der Stadtbefestigung und den Tausenden von Wallfahrern am Grab des heiligen Werner. Trotzdem wurde die von der Kölner Dombauhütte begonnene Wernerkapelle mit dem schönen Kleeblatt-Chor nie vollendet und verfiel später ganz zur Ruine.

▸ **Braunfels an der Lahn, Hessen.** Wir sehen auf dem Marktplatz die Häuser, die Graf Wilhelm Moritz nach dem großen Stadtbrand von 1679 einheitlich bauen ließ, »eines wie das andere 60 Schuh lang und 40 Schuh in der Breite«. Er war ein Sproß des Geschlechtes der Grafen von Solms, das vom Mittelalter bis zur Mediatisierung 1806 seinen Herrschaftsbereich behauptete und auch heute noch das Schloß bewohnt. Es thront auf einem Basaltkegel über der Stadt, und das äußere Tor am Marktplatz ist nur der Auftakt dazu. Im Geiste der Romantik mit seiner Verehrung des Mittelalters baute Fürst Georg das Schloß im 19. Jahrhundert um – ein hessisches Neuschwanstein, aber viel burgenhafter.

◂ **Bacharach sur le Rhin**. Une ville très pittoresque au bord du grand fleuve et nantie d'une longue histoire. A l'époque des Hohenstaufen, elle fut la résidence des comtes palatins et le château de Stahleck a servi de cadre aux fiançailles secrètes d'Agnès von Stahleck avec le fils d'Henri le Lion – la réconciliation des Hohenstaufen et des Welfen. Le 14e siècle a été riche en événements – de nombreuses assemblées princières se sont tenues ici, le mur d'enceinte a été construit et des milliers de personnes sont venues en pélerinage sur la tombe de Saint Werner. Pourtant la chapelle St.-Werner avec son élégant chœur trilobé dont la construction avait été commencée par la loge de la cathédrale de Cologne, n'a jamais été terminée et est tombée plus tard en ruine.

▸ **Braunfels sur la Lahn, Hesse**. Les pittoresques maisons à colombage sur la place du Marché de Braunfels ont toutes été construites après le grand incendie de 1679. La route qui passe par la porte extérieure mène à un château élevé dans le style de la fin du romantisme sur une colline de basalte.

◂ **Bacharach on the Rhine**. A picture-book town on the great river, with a long and imposing history. In the Hohenstaufen period it was the seat of the Counts Palatinate, and Stahleck Castle was the scene of the secret betrothal of Agnes von Stahleck and the son of Henry the Lion – reconciliation of the Hohenstaufens and the Guelphs. The 14th century was marked by the numerous noble assemblies held here, the building of the town wall, and the coming and going of thousands of pilgrims to the grave of St. Werner. Nevertheless, the Werner Chapel, with its fine trefoil vaulting in the choir, begun by the Cologne Cathedral lodge, was never finished, and later fell into ruin.

▸ **Braunfels on the Lahn, Hesse**. The picturesque half-timbered houses were all built in the years following the great fire of 1679. The road through the outer gate leads to a castle in the late-Romantic style poised above the town on a basalt hill.

◂ **Trifels, Münz und Anebos, Rheinland-Pfalz.** Drei Wellenkämme türmen sich über dem wogenden Kornfeld auf, gekrönt von ehemaligen staufischen Reichsburgen: im Vordergrund der Trifels, von 1125 bis 1273 Aufbewahrungsort der Reichskleinodien (Reichsapfel, Zepter, Kaisermantel, Reichsschwert) und bis zur Zahlung eines hohen Lösegeldes unfreiwillige Bleibe für Richard Löwenherz. Seit der Pest 1622 verlassen und verfallen und erst in diesem Jahrhundert wieder aufgebaut. Dahinter liegen die Burgen Scharfenberg (auch Münz genannt), im Bauernkrieg zerstört, und Anebos, bereits 1264 aufgegeben. Beide dienten der Sicherung der Hauptburg Trifels.

◂ **Les châteaux du Trifels, du Münz et de l'Anebos, Rhénanie-Palatinat.** Les trois cônes de la montagne du Trifels se dressent au-dessus d'un champ de blé et sont couronnés par trois anciens château impériaux des Hohenstaufen, le Trifels (où ont été conservés de 1125 à 1273 les joyaux de la couronne impériale) et le Scharfenburg ou Münz et l'Anebos. Ces deux derniers sont tombés en ruine depuis longtemps mais le Trifels a été restauré au début de ce siècle.

◂ **The Trifels, Münz, and Anebos Hills, Rhineland-Palatinate.** They tower above the waving cornfield like three breakers each crowned with a splash of foam – the former Hohenstaufen imperial castle of Trifels (where the Imperial Crown Jewels were kept from 1125–1273) and the two outer castles Scharfenburg and Anebos. The latter have been ruins for centuries, but Trifels was restored at the beginning of this century.

◂ **Neustadt an der Weinstraße, Pfalz.** Bis vor wenigen Jahren bewohnte noch ein Türmer das Türmerhaus der Stiftskirche, das man im 18. Jahrhundert dem Südturm aufgesetzt hatte. Dieser reicht in seinem Unterbau in die Zeit zurück, als sich die Pfalzgrafen Anfang des 13. Jahrhunderts eine »Nuwenstat« planmäßig anlegten. Uns mutet das Gassengewinkel – hier die Metzgergasse – sehr heimelig an.
Übrigens – durch die Eingemeindung einer Reihe von Dörfern ist Neustadt die größte Weinbaugemeinde Deutschlands geworden.

◂ **Neustadt an der Weinstraße, Palatinat.** La pittoresque ruelle conduit à l'église collégiale dont certaines parties datent du 13e siècle, époque à laquelle la ville a été édifiée.

◂ **Neustadt an der Weinstrasse, Palatinate.** A picturesque lane leading to the Collegiate Church. Parts of the church date back to the 13th century, when the town was laid out to plan.

◂ **Kronenburg am Nordrand der Schnee-Eifel im Kylltal.** In der Mittagssonne, wenn die Hitze flimmernd über dem Pflaster liegt, die Schatten rar sind, die Menschen sich in die Kühle ihrer Häuser zurückgezogen haben, dann bekommt auch ein Eifelstädtchen wie Kronenburg südländisches Flair – weißgetünchte Mauern, die Steinbögen; ausgetretene Schwelle, bucklige Wand – das erinnert an den noch lebendigen Brauch, daß die jungen Burschen Balken in der Hochzeitsnacht zum Haus des Brautpaares schleppen – um es abzustützen, damit es das zu erwartende Beben und überhaupt die ganze Liebe aushält ...
Das Städtchen liegt malerisch, ist romantisch, vom »obersten Flecken«, wo früher ein Hochschloß lag, über den Amtshof bis zum »untersten Flecken«, und es gab hier bis vor wenigen Jahrzehnten eine Malerschule. Aus der Geschichte ist noch weiter zu berichten, daß 1631 Wallensteins General Piccolomini im Kronenburger Schloß Quartier genommen hat und daß Kronenburg früher wegen seiner Eisenhütte bekannt war.

▸ **Monschau, Nordeifel.** Der Sage nach soll Karl der Große bei einer Jagd in dieser wilden Gegend beschlossen haben, hier ein Schloß zu bauen, das er dann »Montjoie« nannte, Bergfreude. Der Ortsname wurde erst Anfang dieses Jahrhunderts eingedeutscht. Das Rote Haus im Vordergrund ließ 1765 der Tuchfabrikant Scheibler errichten. Aus seinem Schreiben an die kurfürstliche Regierung in Düsseldorf erfahren wir auch etwas über die Monschauer Tuchindustrie: »Ich, Johann Scheibler der ältere, ernähre alleinig von meiner Fabrique beständig mehr als 400 Menschen und bin ohne eigenen Ruhm zu melden, derjenige, der das Monjoyer Tuch durch ganz Europa in die Renomee ... gebracht habe.« Hie und da kann man an den wie Zahnhälse bloßliegenden Untergeschossen der Häuser noch Aufzugswinden zum Hochhieven der Warenballen sehen.

◂ **Kronenburg sur la bordure septentrionale de l'Eifel Neigeux dans la vallée de la Kyll**. Sous le soleil de midi, cette petite ville aux murs blanchis à la chaux et aux arches de pierre qui s'accroche au flanc de la vallée a un aspect presque méditerranéen. Elle avait autrefois un château et une importante fonderie sur la Kyll.

▸ **Monschau, Eifel septentrional**. Le nom français de cette petite ville «Montjoie», qui n'a été germanisé qu'au début de ce siècle, remonterait à Charlemagne. Les maisons se pressent sur les bords de la Rur, au premier plan à gauche la maison rouge a été construite par un drapier du nom de Scheibler en 1765.

◂ **Kronenburg, on the northern edge of the Schnee-Eifel Mountains in the Kyll Valley**. In the midday sun, this little town climbing up the steep side of the valley in the Eifel, with its whitewashed walls and stone arch, makes an almost Mediterranean impression. At one time it had a castle and an important ironworks on the River Kyll.

▸ **Monschau, northern Eifel**. The original French name of this town, "Montjoie", which was only Germanizied at the beginning of this century, is said to date back to Charlemagne. The houses hug the banks of the River Rur. The red house in the left foreground was built by a cloth manufacturer called Scheibler in 1765.

◂ Zons, Niederrhein. Mühlenturm auf der Stadtmauer. Zur Selbstversorgung einer Zollfestung, wie sie Zons war, gehört auch eine Mühle. Sie ist zugleich einer der Ecktürme der fast quadratischen Anlage. Der Kölner Erzbischof Friedrich von Saarwerden ließ sie sich zur Sicherung des Rheinzolles innerhalb weniger Jahre errichten (1388 vollendet). Die Häuser der Stadt stammen allerdings fast ausnahmslos aus der Zeit nach dem verheerenden Stadtbrand von 1620.

▸ Schloß Pfaffendorf, Bergheim/Erft. Einst verwalteten Vögte im Schloß für die Stiftsdamen in Essen die Grundherrschaft Pfaffendorf mit zahlreichen Höfen. Heute ist das neugotisch umgebaute Schloß Informationszentrum des Braunkohlebergbaus.
Aus dem angrenzenden Tagebau Fortuna-Garsdorf, einem der größten der Erde, kommt die Hälfte der gesamten Braunkohlegewinnung der Bundesrepublik. Die Wunden, die die Großradschaufelbagger der Landschaft in wenigen Tagen zufügen, müssen in jahrelanger Rekultivierungsarbeit wieder geheilt werden.

◂ Zons, Rhin-Inférieur, tour du moulin sur le mur d'enceinte. C'est l'une des tours d'angle de l'enceinte du 14e siècle qui dessine un parallélogramme presque rectangulaire. La plupart des maisons médiévales ont été détruites dans le grand incendie de 1620.

▸ Château de Pfaffendorf, Bergheim/Erft. Reconstruit dans le style néo-gothique au 19e siècle, le château abrite aujourd'hui un Centre d'information de l'industrie minière du lignite. Près de la moitié de la production de lignite de la République fédérale vient de Fortuna-Garsdorf, une exploitation à ciel ouvert voisine, l'une des plus importantes du monde. Il faut des années pour réparer les dommages causés en quelques jours au paysage par les excavatrices géantes.

◂ Zons, Lower Rhine, mill tower on the town wall. This was one of the corner towers of the 14th century fortifications, which were laid out as an almost perfect square. Most of the medieval town houses were destroyed in the great fire of 1620.

▸ Pfaffendorf Palace, Bergheim/Erft. Rebuilt in the neo-Gothic style in the 19th century, the palace now houses the Information Centre of the Lignite Mining Industry. Almost half of the Federal Republic's lignite production comes from the adjacent Fortuna-Garsdorf open-cast mine, one of the largest in the world. The damage that the giant excavators do to the countryside will take years of recultivation to heal.

◂ **Druidenstein bei Herkersdorf, Siegerland.** Als vor etwa 70 Millionen Jahren die Alpen aufgefaltet wurden, entstanden Schwächezonen in der Erdkruste, wo dann – wie an zahlreichen Stellen im Siegerland und Westerwald – Vulkane gewaltige Tuffmassen an die Oberfläche schleuderten. Das nachdringende glutflüssige Magma blieb darin stecken und erkaltete zu hartem Basalt. Während die weichere Tuffschicht im Lauf der Jahrtausende durch Erosion abgetragen wurde, blieben die bizarr geformten Basaltkegel zurück.
Vor rund fünfzig Jahren hätte die Gemeinde Herkersdorf ihren Druidenstein für 2000 Mark verkaufen können, zur Verwertung als Steinbruch, hat das aber abgelehnt und so Generationen von Schulklassen ein beliebtes Ausflugsziel erhalten. Die Ahnungen von schaurigen Opfergottesdiensten der Druiden, der geheimnisumwitterten keltischen Priester, bleiben wach.

▸ **Morgenstimmung am Hennestausee, Sauerland.** Im Land der Quellen, wo Wasser hervorquillt, Flüsse und Seen speist, sich in Dunst, Nebel und Wolken verwandelt. Und Regen fällt im Land der Quellen, speist Seen, tränkt die Erde, quillt wieder hervor ...

◂ **La pierre des druides près d'Herkersdorf, Siegerland**. L'érosion a dégagé l'intérieur d'un volcan en activité il y a 70 millions d'années: un cône de basalte de forme étrange. La pierre des druides a ainsi été nommée d'après les mystérieux prêtres de l'époque celtique qui l'ont probablement utilisée comme lieu de culte en raison de sa forme bizarre.

▸ **Atmosphère matinale près du lac de barrage de la Henne, Sauerland**. C'est le pays des sources, où l'eau jaillit alimentant rivières et lacs et se transformant ensuite en brume, brouillard et nuages. Et la pluie tombe dans le pays des sources, alimentant les lacs, arrosant la terre et ressortant sous forme de sources ...

◂ **The Druids' Stone near Herkersdorf, Siegerland**. Erosion has exposed the interior of a volcano that was active about 70 million years ago: a bizarrely-shaped basalt core. The Druids' Stone is named after the mysterious priests of ancient Celtic times, and was probably used by them as a shrine because ot its strange shape.

▸ **Early morning atmosphere by the Henne Reservoir, Sauerland**. This is the land of springs, where water flows, forming rivers and lakes, and then haze, mist, and clouds. Rain falls in the land of the springs, filling the lakes, drenching the earth, and flowing forth again in the form of springs ...

◂ **Züschen im Nuhnetal, Sauerland.** »Alle Huiser un alle Boime, wat wecket se Bieler un Droime! Wat konnt se mellen, wat konnt se vertellen ...«, schreibt die Sauerländer Nachtigall, die Mundartdichterin Christine Koch, über ihre Heimat. Auch in Züschen finden wir noch zahlreiche Fachwerkhäuser mit Schiefer gedeckt und Schnitzereien verziert. Holz und Schiefer gibt es genug im Sauerland.

◂ **Züschen dans la vallée de la Nuhne, Sauerland**. Les toits montrent que l'on exploite toujours l'ardoise dans le Sauerland et les maisons à colombage souvent richement ornées sont un signe de l'abondance du bois.

◂ **Züschen in the Nuhne Valley, Sauerland**. The roofs reveal the fact that slate is still quarried in Sauerland – and the half-timbered houses, often richly decorated, are a sign that wood has always been plentiful.

◂ **Landschaft bei Schmallenberg, Hochsauerland.** Der Wald, der über die Hälfte des Sauerlandes bedeckt, macht diese Landschaft zum »Wasserturm des Ruhrgebietes«. Denn er speichert in Bäumen, Sträuchern und Moospolstern über die Hälfte aller Niederschläge, und die sind reichlich hier.

◂ **Paysage près de Schmallenberg, Hochsauerland.** Des précipitations abondantes et beaucoup de forêts font de cette région le château d'eau de la Ruhr.

◂ **Landscape near Schmallenberg, Hochsauerland.** A high level of precipitation, and extensive woods, make this upland area of the Sauerland into the "watertower of the Ruhr District".

◂ **Buchfart bei Weimar, Thüringen. Überdachte Ilmbrücke.** An einer der schönsten Stellen des mittleren Ilmtales gab es schon im Mittelalter inmitten von Buchenwäldern eine Furt über das Flüßchen. Und so erklärt sich auch der Name der Siedlung. Im Jahre 1613 baute man anstelle der vom Hochwasser zerstörten Steinbrücke diese überdachte Holzbrücke.

▸ **Wörlitz bei Dessau. Park und Gotisches Haus.** Impressionen venezianischer und englischer Gotik – wie das »Vorüberschweben eines leisen Traumbildes« (Goethe). Eigenartig unbestimmt und entgrenzt bleibt dieser Park. Festgehaltene Reisebilder des Fürsten Franz von Anhalt-Dessau und seines Architekten Erdmannsdorf aus England und Italien. Zu seiner Zeit avantgardistisch und doch bereits ein Meisterwerk der Landschaftsgärtnerei. Auch das Schloß gilt als das erste klassizistische Schloß in Deutschland (1769–1773 erbaut).
Pavillons, Tempel und Tempelchen, Grotten, Brücken, Inseln und Inselchen, mit dem Boot zu erreichen, Urweltmammutbäume und Sumpfzypressen. Und fast unmerklich verliert sich der Park in den natürlichen Wiesen und Wäldern der Umgebung – vorbei das Traumbild.

◂ **Buchfart près de Weimar, Thuringe. Pont couvert sur l'Ilm**. Le nom de ce village vient d'un gué médiéval qui traversait ici l'Ilm au milieu de hêtres dans la vallée centrale de l'Ilm. L'actuel pont couvert en bois a été construit en 1613 pour remplacer un pont de pierre emporté par la rivière en crue.

▸ **Wörlitz près de Dessau. Parc et maison gothique**. Le prince Franz von Anhalt-Dessau construisit ici un château et fit tracer un jardin de style anglais avant même que le prince Pückler-Muskau ne crée ses célèbres jardins à Kromlau et Muskau.

◂ **Buchfart near Weimar, Thuringia. Covered bridge over the Ilm**. The name of this village derives from a medieval ford that crossed the Ilm here among the beech trees in the central Ilm Valley. The present covered bridge was built in 1613 to replace an older stone one destroyed by floods.

▸ **Wörlitz near Dessau. Park, and Gothic house.** Prince Franz of Anhalt-Dessau built a palace and laid out a garden in the English style here before Prince Pückler-Muskau created his famous gardens in Kromlau and Muskau.

◂◂ Meißen, Dom und Albrechtsburg
◂ Magdeburg, Dom, Mittelschiff
▾ Freiberg, Dom, Goldene Pforte
Den größten Handelsplatz für den Warenaustausch mit dem slawischen Osten, »Magadoburg«, schenkte Otto der Große seiner Braut Editha von England als Morgengabe. Er ließ den Ort zur Sicherung der Grenze ausbauen und 955 begann man mit dem Dombau. Sieben Jahre zuvor entstand auf seine Veranlassung auf dem Burgberg in Meißen, dem äußersten Stützpunkt im Osten, eine Kapelle. Und auf der Synode von Ravenna im Jahre 968 stiftet Otto der Große das Erzbistum Magdeburg und das Bistum Meißen. Wiederum gleichzeitig, vom 13. bis zum 15. Jahrhundert, entstanden die beiden mächtigen Dome, wie wir sie auch heute noch sehen können.
Die Stadt Freiberg verdankt ihre Entstehung der Entdekkung von Silbererzlagern Ende des 12. Jahrhunderts. Die Goldene Pforte, ursprünglich tatsächlich vergoldet, ist noch Teil des romanischen Domes aus dem 13. Jahrhundert, der 1486 abbrannte. Sie wurde in den 1512 vollendeten Neubau übernommen. So umfaßt auch dieser Dom, wie der in Magdeburg und der in Meißen, fast drei Jahrhunderte.

◂◂ Meissen, cathédrale et Albrechtsburg
◂ Magdeburg, cathédrale, nef centrale
▾ Freiberg, cathédrale, Porte Dorée
Les cathédrales de Magdeburg et de Meissen sont le résultat des efforts entrepris par Othon le Grand pour renforcer la frontière orientale de son empire face aux Slaves. Il a donc fait fortifier ces places, construit des églises et fondé des évêchés. Les cathédrales sous leur forme actuelle ont été construites entre le 13ᵉ et le 15ᵉ siècle, de même que la cathédrale de Freiberg dont la Porte Dorée faisait partie de l'église romane édifiée vers 1240 et qui à l'origine était réellement dorée car Freiberg était, grâce à ses mines d'argent, une ville riche. Après l'incendie de 1486, la porte fut incorporée dans la nouvelle cathédrale achevée en 1512.

◂ Meissen, Cathedral and Albrechts Castle
▴ Magdeburg, Cathedral, central aisle
▸ Freiberg, Cathedral, Golden Portal
The Magdeburg and Meissen Cathedrals were both a result of Otto the Great's endeavours to strengthen the eastern frontier of his empire against the encroaches of the Slavs. To this end he had these places fortified, built churches, and founded episcopates. The cathedrals in their present form were built in the period between the 13th and 15th centuries. So was Freiberg Cathedral, whose Golden Portal, part of the Romanesque church built in about 1240, was originally actually gilded – for Freiberg was a rich town thanks to its silver mines. After a fire in 1486 the portal was incorporated in the new cathedral, which was finished in 1512.

▾ **Rathaus in Schwalenberg, Ostwestfalen**
»Minsche gedenke wat du betenges
den Lieck und Recht waret lengst
werstu as Schelm und Schenner unrecht handeln
so mustu thom lesten in de Helle wandern.«
Derlei Sprüche mehr stehen auf dem reich verzierten Fachwerk geschrieben. Dieses Rathaus gilt zu Recht als »Kleinod der Weserrenaissance« (erbaut 1579/1603).

▸ **Wahmbeck, Oberweser, Niedersachsen**
Und noch ein Spruch:
»Wo Werra sich und Fulda küssen,
sie ihren Namen büßen müssen.
Und hier (in Münden nämlich) entsteht durch diesen Kuß
deutsch bis ans Meer der Weserfluß.«
Ohne ihn kein Weserbergland und keine Weserrenaissance. Aber auch das friedliche Dorf, die Kühe auf den Uferweiden und die Fähre erweisen den Fluß als Lebensader.

▾ **Hôtel de ville à Schwalenberg, Westphalie occidentale**. Des colombages richement décorés et de nombreux aphorismes en bas allemand gravés sur les poutres font de cet édifice un «joyau de la Renaissance dans la région de la Weser». Il a été construit en 1603.

▸ **Wahmbeck, Weser supérieur, Basse-Saxe**. Cette idylle champêtre avec les vaches paisibles dans le pré et le bac sur le fleuve ne donne qu'une faible idée de l'importance culturelle et économique de cette artère.

▾ **The Town Hall in Schwalenberg, East Westphalia**. Richly decorated half-timbering and numerous aphorisms carved on the beams in Low German make this building into a "gem of the Renaissance in the Weser region". It was built in 1603.

▸ **Wahmbeck, Upper Weser, Lower Saxony**. This rural idyll, with cows and ferry, only modestly hints at the River Weser's importance as a cultural and economic artery. The hilly region round the Upper Weser rises in places to over 1600 ft.

◂ **Reinhardswald bei Kassel, Naturschutzgebiet »Urwald Sababurg«.** Kein natürlicher Urwald, sondern ehemaliger Hutewald, also Wald, der in früherer Zeit für die Beweidung freigegeben war. Maler erreichten, daß 1907 Teile des Reinhardswaldes unter Naturschutz gestellt wurden, das »Malerreservat«. Es stehen hier 500 bis 600 Jahre alte Huteeichen und über 400 Jahre alte Buchen, alles wächst jetzt, wie es will, Teile sterben ab, umgestürzte Baumriesen vermodern. – Und unversehens gelangt man in diesem verwunschenen Wald an eine Parkmauer mit einem Tor und schließlich zur Sababurg, wo – nach nicht bestätigten Meldungen – die Brüder Grimm einen Teil ihrer Märchen niedergeschrieben haben sollen.

▸ **Mühle auf dem Liesberg bei Enger, Ostwestfalen.** Dem Wind ausgesetzt, aber ihrer Aufgabe beraubt, verfallen die 1756 erbaute Mühle und die Fachwerkspeicherhäuser zusehends.
Lahme Flügel, frischer Wind,
bei Enger, der Stadt des Widukind.

◂ **Reinhardswald près de Kassel**. La parc naturel baptisé la forêt vierge de Salaburg était exploité jusqu'à la fin du siècle dernier. Aujourd'hui tout est laissé à l'état sauvage.

▸ **Moulin à vent sur le Liesberg près d'Enger, Westphalie orientale**. Privé de sa tâche mais toujours exposé au vent, le moulin construit en 1756 est de plus en plus délabré comme les hangars à colombage.

◂ **Reinhards Forest near Kassel**. The conservation area "Arwald Salaburg" is not a natural wilderness, for it was cultivated until the end of the last century. Now everything is left to "run wild".

▸ **Windmill on Liesberg hill near Enger, East Westphalia**. Robbed of its function, but still exposed to the elements, the mill, built in 1756, is visibly deteriorating; so are the half-timbered barns.

◂ **Fahle Heide bei Gifhorn, Niedersachsen.** Caroline Schlegel schreibt über ihre Reise mit schneller Extrapost von Braunschweig nach Harburg im Jahre 1801: »Die Eile war das Beste von der Reise, denn hilf Himmel welch ein Land! Ich wurde seekrank von dem einförmigen Anblick der Heide und des Himmels, dürre braune Heide, Sand, verkrüppelte Bäume mit Moos und Schimmel überzogen ...« Wie sich doch die Zeiten ändern! Wir sind empfindsam geworden für solche Einförmigkeit, für weite und noch unberührte Natur.

◂ **La lande de Fahle près de Gifhorn, Basse-Saxe**. Devant la destruction progressive de la nature, l'homme est aujourd'hui plus sensible aux paysages qui peuvent encore développer à perte de vue leurs beautés naturelles.

◂ **Fahle Heath near Gifhorn, Lower Saxony**. Today, now that we are more conscious of the progressive destruction of nature, we are becoming increasingly receptive for landscapes which, as far as the eye can see, are still allowed to develop as nature dictates.

▸ **Diesdorf, Altmark.** Niederdeutsches Bauernhaus von 1787, mit Backhaus und Speicher, heute Altmärkisches Bauernhausmuseum.
In der Altmark soll auch unser kurzer Streifzug durch die Mark Brandenburg beginnen, denn von hier aus versuchten die sächsischen Kaiser im 10. Jahrhundert, vor allem Otto der Große, die Grenzen des Reiches immer weiter nach Osten ins Gebiet der Slawen vorzuschieben. Die Feste der Heveller im Havelland, Brendanburg (das ist Brandenburg), wurde zwar eingenommen und ein Bistum eingerichtet, das aber nicht gehalten werden konnte. Erst nach dem Tod des Heveller-Fürsten Pribislaw gelang dem Askanier Albrecht dem Bären 1157 die endgültige Unterwerfung. Seit dieser Zeit nannte er sich Markgraf von Brandenburg.

▸ **Diesdorf, Altmark. Maison paysanne de l'Allemagne du Nord datant de 1787 avec fournil et grenier, aujourd'hui musée folklorique de l'Altmark.** Au 10e siècle, les empereurs saxons essayèrent de pénétrer de plus en plus à l'Est dans le territoire slave à partir de l'Altmark mais les Slaves leur opposèrent une résistance farouche. C'est seulement après la mort du prince wende Pribislaw qu'Albert l'Ours parvint en 1157 à s'emparer de la forteresse Brendanburg (Brandenburg-Brandebourg) et à asseoir son autorité entre l'Oder et l'Elbe.

▸ **Diesdorf, Altmark. North German farmhouse of 1787, with bakehouse and barn; now the Altmark Farmhouse Museum.** In the 10th century, the Saxon emperors endeavoured to expand further and further east into Slav territory from Altmark, but the Slavs resisted fiercely. It was not until 1157, after the death of the Wendish Prince Pribislaw, that Albrecht the Bear succeeded in taking the fortress Brendanburg (i.e., Brandenburg) and in establishing his authority between the Oder and Elbe rivers.

▾ **Brandenburg, St. Katharinen, Südkapelle.** Herz der Stadt Brandenburg war eine Insel zwischen Havelarmen, auf der die Burg der Slawen und später der Dombezirk lag. Im Nordwesten dieser Insel breitet sich die Altstadt und im Südwesten die 1170 gegründete Neustadt aus. Ihr Mittelpunkt ist die Katharinenkirche, gebaut im 15. Jahrhundert, die als ein Höhepunkt norddeutscher Backsteingotik gilt. Die Rolle Brandenburgs als Hauptstadt der Mark war ausgespielt, als die Nürnberger Burggrafen, die Hohenzollern, die Regierung übernahmen und 1470 die Doppelstadt an der Spree, Berlin-Cölln, zu ihrer Hauptresidenz machten.

▸ **Bei Ketzin, Havel.** Den Trebelsee, den die Havel unterhalb des Fleckens Ketzin bildet, haben der Sage nach Hünen ausgehoben – so muß es gewesen sein, denn er ist sehr tief. Die Erde trugen sie in Schürzen fort, und wieviel, kann man am Eikeberg bei Deetz sehen – das ist die Erde.

▾ **Brandebourg, Ste.-Catherine, chapelle Sud**. L'église Ste.-Catherine, le principal édifice de la «nouvelle ville» fondée en 1170, a été construite au 15e siècle et passe pour l'une des plus belles constructions gothiques en brique de l'Allemagne du Nord.

▸ **Près de Ketzin, Havel**. D'après la légende, ce sont des géants qui ont creusé le lac Trebel que forme la Havel audessous du hameau de Ketzin – et cela a bien dû être ainsi, car le lac est très profond. Les géants ont emporté la terre dans leurs tabliers et il ne s'agissait pas d'une petite quantité comme le prouve l'Eikerberg près de Deetz – car c'est cela la terre.

▴ **Brandenburg, St. Catherine's, south chapel**. St. Catherine's Church, the main building in the "new town" founded in 1170, was built in the 15th century, and is considered to be one of the finest North German brick-built Gothic buildings.

▸ **Near Ketzin, Havel**. Legend has it that Lake Trebel, which the River Havel forms near the hamlet Ketzin, was dug by giants – and that is the way it must have been, for Lake Trebel is very deep. They carried the earth away in their aprons; and how much it was can be seen at Eikeberg hill near Deetz – because that is the earth.

◂ **Berlin (Ost), Waisenstraße 14–16.** An die Reste der mittelalterlichen Stadtmauer gelehnt, stehen drei Häuser, das mittlere das Gasthaus »Zur letzten Instanz« (im Kern 16. Jahrhundert). In unmittelbarer Nähe das Stadtgericht.

▾ **Berlin (Ost), Breite Straße.** Die Spreearme, die Alt-Cölln umfließen, haben 1681 holländische Arbeiter kanalisiert. Am südlichen Teil, der Friedrichsgracht, steht das Ermeler-Haus (1760, drittletztes Haus). Es galt früher wegen seiner Innenausstattung als schönstes Bürgerhaus Berlins.

◂ **Berlin (Est), Waisenstraße**, restaurant «Zur Letzten Instanz» (Dernière Instance) construit contre les restes de l'enceinte médiévale à proximité du tribunal municipal.

▾ **Berlin (Est), Breitestraße**. Canal Friedrich dans le Alt-Cölln avec l'Ermeler-Haus (1760, troisième maison à partir de la droite).

◂ **Berlin (East), Waisenstrasse**. The inn called "Zur letzten Instanz" (Last Resort, or Last Court of Appeal), built against the remnants of the medieval town wall, near the Municipal Court.

▾ **Berlin (East), Breite Strasse.** Friedrich's Canal in Alt-Cölln, with Ermeler-Haus (1760, third house from end).

▸ **Waren an der Müritz, Mecklenburg.** Eine alte Stadt am Nordufer des Sees und seit Mitte des 19. Jahrhunderts eine bedeutende Bäder- und Kurstadt. Südlich erstreckt sich das Naturschutzgebiet Ostufer der Müritz, das größte Mitteldeutschlands, wo Falken, Kraniche und sogar noch Seeadler nisten.

▸ **Waren sur la Müritz, Mecklembourg**. Située sur la rive Nord du lac, Waren est une vieille ville qui depuis le 19e siècle a été une importante station balnéaire. Au Sud s'étend le parc naturel de la rive orientale de la Müritz, le plus grand d'Allemagne centrale où nichent des faucons, des grues et même des pygargues.

▸ **Waren on the Müritz, Mecklenburg**. An old town on the north shore of the lake, Waren has been an important health resort since the middle of the 19th century. On the south shore of the lake is a sanctuary, the largest in central Germany, where falcons, cranes, and even white-tailed eagles nest.

◂◂ **Schweriner See, Mecklenburg.** Bald wird die Nacht den See, Wälder und Kornfelder, dieses schöne Land, in tiefe Stille hüllen.

◂ **Bei Röbel an der Müritz, Mecklenburg.** Als sich die Eiszeitgletscher vor 16000 Jahren endgültig zurückzogen, hinterließen sie ausgehobelte Becken, Grundmoränen und Endmoränenwälle, eine Landschaft mit unzähligen Seen, kuppig, hügelig und wieder weit.
Die Müritz ist von allen Seen der größte und wird deshalb »kleines Meer« genannt. »Morsze« heißt slawisch Meer. Auf deutschem Boden übertrifft ihn nur noch der Bodensee an Größe.

▸ **Lüneburger Heide bei Egestorf.** Bis ins letzte Jahrhundert war die Heide als ödes Land verschrien und gemieden. Doch dann wurde die eigenartige Schönheit der Heide entdeckt, und gerade hundert Jahre später gelingt es dem Heidepastor Bode von Egestorf in letzter Minute, Geldgeber für den Kauf des bedrohten Totengrundes (1906) und des Wilseder Berges (1910) zu finden. Dadurch rettete er – mit Hilfe des Vereins Naturschutzpark – diesen Landstrich vor der Bebauung und Vermarktung.

◂◂ **Lac de Schwerin, Mecklembourg**. Bientôt la nuit enveloppera d'un manteau de silence le lac, les forêts et les champs de céréales et toute cette merveilleuse contrée.

◂ **Près de Röbel sur le lac de Müritz, Mecklembourg.** Lorsque les glaciers de la période glaciaire se sont définitivement retirés voici 16000 ans, ils ont laissé un paysage vallonné émaillé d'innombrables lacs et de vastes étendues. Le lac de Müritz est le plus grand de ces lacs.

▸ **Lande de Lunebourg près d'Egestorf**. Au siècle dernier encore la lande était considérée comme une région désertique à éviter jusqu'au jour où son charme particulier a été découvert et décrit par des voyageurs comme Hans Christian Andersen, l'auteur des célèbres contes.

◂◂ **Lake Schwerin, Mecklenburg**. Soon the sun will have set, and night will envelop the lake, the woods, the cornfields, and the whole of this lovely countryside, in silence.

◂ **Near Röbel on the Müritz, Mecklenburg**. When the Ice Age glaciers finally withdrew 16000 years ago, they left behind a hilly landscape interspersed with innumerable lakes and flat areas. Müritzsee is the largest of the lakes.

▸ **Lüneburg Heath near Egestorf**. Right into the last century the Heath was regarded as a wilderness to be avoided. Then its peculiar charm was discovered and written about by travellers like Hans Christian Andersen, the author of fairytales.

◂ **Hamburg, Krameramtshäuser am Krayenkamp und Michel.** Schwer zu beschreiben dieses Bild, wie der Michel in kupfergrüner Patina so weit in den blauen Windhimmel hinausragt und sich in seinem Schutze heimelige Fachwerkhäuser zusammendrängen. Die perfekte Illusion eines Alt-Hamburg; denn das ist das letzte Fleckchen, das von Katastrophen und Stadtsanierungen verschont geblieben ist und in der damaligen »Neustadt« lag. Die Häuser stammen aus dem ausgehenden 17. Jahrhundert, und der Michel ist rund hundert Jahre später entstanden.
Aber ein sehr schönes, liebenswertes Bild von Hamburg!

▸ **Bauernhaus im Alten Land bei Hamburg.** Vor den Toren Hamburgs am südlichen Elbufer liegt das Alte Land, ein Obstgarten mit fast drei Millionen Obstbäumen. Während der Blütezeit kommen sie in Scharen, das Blütenmeer zu sehen, und die Imker werden geholt – über 40 Mark kostet den Bauern ein einziges Bienenvolk –, damit die Bäume auch Früchte tragen. Eine immense Arbeit, dieses Befruchten – und nachher das Pflücken!
Der Obstanbau geht bis ins 14. Jahrhundert zurück. Wohlstand und Selbstbewußtsein sind an den herrlichen Fassaden der reetgedeckten Bauernhäuser abzulesen. Hier herrscht Vielfalt in den Klinkermustern, Schnitzereien und Verzierungen. Der Name der Landschaft stammt aus der Zeit, als noch nicht alle Marschen kultiviert waren, als es auch noch uneingedeichtes, »neues Land« gab.

◂ **Hambourg, Krameramtshäuser (maisons de la «Guilde des Merciers») au Krayenkamp et église St.-Michel**. Un des coins les plus charmants de Hambourg et unique car c'est la dernière cour dans la ville entourée de maisons à colombage. (Elle date du 17e siècle.) Au fond, l'église St.-Michel est le symbole de la ville.

▸ **Maison paysanne dans le «Altes Land» près de Hambourg.** Au printemps, lorsque les arbres fleurissent, cette région le long de la rive Sud de l'Elbe se transforme en une véritable mer de fleurs. Près de trois millions d'arbres fruitiers sont plantés dans cette région. Le nom du pays «Vieux Pays» date de l'époque où tous les polders, les Marschen, n'étaient pas encore cultivés et où il y avait du «Nouveau Pays» qui n'avait pas encore été endigué et asséché.

◂ **Hamburg, old courtyard on Krayenkamp, with St. Michael's Church**. One of Hamburg's most attractive corners, and unique, because it is the last courtyard in the city still surrounded by half-timbered houses. It was built at the end of the 17th century. St. Michael's Church in the background, is the symbol of Hamburg.

▸ **Farmhouse in "Altes Land" near Hamburg**. This area along the south bank of the Elbe is a mass of blossom in the spring, thanks to the nearly three million fruit trees planted here. Its name, "Old Land", dates back to the time when not all the marshes had been cultivated and there was still undrained "new land" in the region.

◂ **Leuchtturm »Hoheweg«, Nordsee.** Auf dem einsamen Wattrücken zwischen Butjadingen und der Insel Mellum, eine halbe Seemeile von der Hauptfahrrinne der Weser entfernt, liegt zwischen Sänden und Rinnen der Leuchtturm, rot, achteckig und aus Stein.

▸ **Bei Geversdorf an der Oste (Unterelbe).** Sie kommt aus der Lüneburger Heide, die Oste. Bei Bremervörde bekommt sie erstmals den Tidenhub zu spüren. Sie grenzt das Land Kehdingen und das Land Hadeln auseinander, bleibt sanft und ruhig unter weitem Himmel. Bald hat sie die rauhere Elbe erreicht und mündet in sie.

◂ **Phare de Hoheweg, mer du Nord**. Le phare rouge, octogonal, en pierre, se dresse solitaire sur un banc de sable dans les Watten entre Butjadingen et l'île de Mellum, à un demi-mille marin du principal chenal de la Weser.

▸ **Près de Geversdorf sur l'Oste**. L'Oste vient de la lande de Lunebourg. Près de Bremervörde, elle ressent pour la première fois les effets de la marée. Elle partage le pays de Kehdingen de celui de Hadeln et coule paisiblement sous un vaste ciel avant de se jeter dans l'Elbe plus tumultueuse.

◂ **Hoheweg Lighthouse, North Sea**. The red, octagonal, stone lighthouse, is situated on a lonely sandbank among the shallows between Butjadingen and the island of Mellum, half a mile from the mainstream of the Weser.

▸ **Near Geversdorf on the Oste**. The Oste originates in Lüneburg Heath, and becomes tidal near Bremervörde. It separates the two districts called Kehdingen and Hadeln, and flows gently along beneath a broad skyscape until it joins the rougher Elbe.

GEV. 1

◂ **Leuchtturm »Westerheversand«, Eiderstedt, Nordfriesland.** Der Leuchtturm steht seit 1907 auf einer Warft. Die Warft liegt auf dem Westerheversand. Dieser liegt vor dem Deich und ist rund drei Kilometer lang und einen Kilometer breit, über 200 Hektar meist begrüntes Land, auf dem im Sommer einige hundert Schafe weiden. Der »Sand«, früher nur eine kleine Insel, ist erst im letzten Jahrhundert an den Utholmkoog angewachsen. Utholm – noch sind wir der verästelten Geschichte dieses Fleckchens Erde nicht weit genug gefolgt – Utholm also war vor tausend Jahren wie die Landstriche der heutigen Halbinsel, Everschop und Eiderstedt, eine Insel. Um 1000 n. Chr. verbanden die Eiderfriesen Everschop und Eiderstedt durch Deiche und Dämme, um 1160 dann Utholm mit Everschop, und erst 1489 gelang die Verbindung zum Festland. Im Namen »Dreilande« mit den drei Schiffen im Wappen lebte diese Entstehungsgeschichte fort, bis im letzten Jahrhundert der Name »Eiderstedt« auf die ganze Halbinsel übertragen wurde.

▸ **Insel Föhr, Nordfriesland. Friesenhäuser in Klintum.** Das typisch uthländische Haus auf den Marschen und den Inseln Nordfrieslands hat Wohnung und Wirtschaft unter einem Dach, durch die Diele voneinander getrennt, einen Giebel in der Mitte der Längsseite und ein weit herabgezogenes Reetdach. Im Dachgebälk findet man noch manchen Masten von gestrandeten oder abgewrackten Schiffen.

◂ **Phare de Westerheversand, Eiderstedt, Frise septentrionale.** Le phare a été construit en 1907 sur une butte. La plus grande partie du «sable» recouvert d'herbe se trouve devant la digue et était à l'origine une petite île. Au 19e siècle celle-ci a rejoint la presqu'île d'Eiderstedt formée de trois îles. Au cours de quelque 500 ans, la population a réussi par la construction de digues à réunir les îles entre elles et finalement avec le continent.

▸ **L'île de Föhr, Frise septentrionale, maisons frisonnes à Klintum.** Les pittoresques maisons frisonnes avec leurs toits de chaume qui descendent bien bas, leurs pignons caractéristiques et leurs jardins de roses sont faits pour résister aux tempêtes de la mer du Nord.

◂ **Westerheversand Lighthouse, Eiderstedt, North Frisia.** The lighthouse was built in 1907 on an artificial hill. Most of the "sand", which is largely overgrown with grass, lies beyond the dyke, and was originally a small island. In the 19th century it merged with the peninsula of Eiderstedt, which, in turn, consisted of three islands. In the course of about 500 years the local population has succeeded, by the skilful use of dykes, in joining the islands to one another and then to the mainland.

▸ **The Island of Föhr, North Frisia. Houses in Klintum.** The North Frisian houses are designed to withstand the North Sea storms, but with their low, thatched roofs, typical gables, and pretty gardens, they are also most picturesque.

▸ **Wattenmeer bei der Insel Föhr, Nordfriesland.** Müde schon spielt sie noch mit dem Riffelsand, die Sonne. Das fühlt sich gut an. – Wir mögen das auch, barfuß übers Watt laufen und die Riffeln spüren.
Aber draußen am Horizont wartet schon die Nacht, und mit ihr steigen Träume herauf. Der Traum vom Mannigfual, dem Riesenschiff, das so groß ist, daß der Kapitän mit einem Pferd auf dem Deck herumreitet, um die Befehle zu erteilen. Dessen Takelwerk so hoch ist, daß die Matrosen, die jung hinaufklettern, alt und mit grauem Haar wieder herunterkommen.
Im ewigen Wechsel der Gezeiten, mit der Flut, kommt der Traum von der Überfahrt der Seelen. Wie Fischer Jan zur Zeit der Wintersonnwende bei Vollmond eine Ladung verstorbener Seelen zum weißen Aland hinüberbringt.
Und ganz fern und verschwommen der Traum vom Tempel des Gottes Fosite, wo heilige Tiere weiden und eine Quelle mit süßem Wasser sprudelt, aus der man nur schweigend schöpfen darf ...

▸ **Les Watten près de l'île de Föhr, Frise septentrionale**. Avant de se coucher, le soleil joue encore de ses reflets sur les ondes du sable. La nuit sera bientôt là avec ses rêves, peut-être le rêve du grand bâteau, le Mannigfual, du voyage des âmes mortes vers le blanc Aland et du temple du dieu Fosite où broutent les animaux sacrés et où jaillit une source d'eau douce dont on ne peut puiser qu'en silence.

▸ **The Shallows near Föhr Island, North Frisia**. The sinking sun reflects in the ripple marks in the sand before "the dreams of night descend", including, perhaps, dreams of the great ship Mannigfual, of the ferrying of dead souls to the white Aland, and of the temple dedicated to the god Forsete, where wild animals graze and a spring of sweet water bubbles from which men have to draw water in silence because of the sanctity of the place.

▸ **Kirche von Havetoft, Angeln, Schleswig-Holstein.** Name und Kirche des Ortes Havetoft führen uns ins 12. Jahrhundert zurück, als zahlreiche Orte entstanden mit den Endungen -torp, -toft, -büll und -by. Eine Zeit reger Bautätigkeit, auch für die Kirchen. Während für Wohnbauten fast ausschließlich Holz verwendet wurde, die Kirche als Wohnhaus Gottes mußte doch aus Stein sein. Und da gab es hier zwischen Eckernförde und Schlei nichts anderes als die großen und kleinen granitenen Feldsteine. Aus den großen Brocken schlugen die Werkleute Quader – damit haben auch die Bauern von Havetoft um 1200 bei ihrer Kirche begonnen, doch für das Schiff nahmen sie dann einfach unbehauene Feldsteine. Das Bearbeiten des harten Granits war äußerst mühsam und zeitraubend.
In einem solchen Land, dem alles in harter Arbeit abgerungen werden mußte, hielten die Bewohner am Althergebrachten fest. Und diesem Umstand ist es wohl mit zu verdanken, daß es noch heute in Schleswig-Holstein über 300 Feldsteinkirchen aus dem 12. und 13. Jahrhundert gibt. Der abseits stehende hölzerne Glockenturm stammt aus dem Jahre 1763.

▸ **Eglise d'Havetoft, Angeln, Schleswig-Holstein.** Cette petite église sans prétention est l'une des quelque 300 églises en mœllons qui ont été conservées dans le Schleswig-Holstein et qui datent des 12 et 13e siècles. La partie inférieure a été construite en blocs de granit, le reste en mœllons bruts. Le clocher en bois à l'extérieur a été édifié en 1763.

▸ **Church of Havetoft, Angeln, Schleswig-Holstein.** This small, unpretentious church is one of over 300 built of rubble masonry in Schleswig-Holstein surviving from the 12th and 13th centuries. The lower parts were built of granite blocks, the rest of unhewn rubble. The separate wooden belltower was built in 1763.

▾ **Küste bei Heiligenhafen, Graswarder, Schleswig-Holstein.** Auch die Ostsee verändert unablässig das Gesicht der Küste. Was sie am Steilufer westlich von Heiligenhafen abnagt, legt sie weiter ostwärts wieder ab. Es entstehen Nehrungsstreifen, die hier Warder genannt werden. Aus der Vogelperspektive ist der landwärts gerichtete Nehrungshaken deutlich zu erkennen. Ob das auch die Perspektive der unzähligen Möwen ist, die hier im Vogelschutzgebiet brüten, der Schwalben, Gänse, Enten, Mittelsäger und Austernfischer?

▸ **Mühle Charlotte mit Geltinger Birk, Halbinsel Beveroe, Schleswig-Holstein.** Meer und Mensch haben in Jahrhunderten eine Landschaft von eigentümlichem Reiz geformt. Der Name Beveroe, das bedeutet »Biber-Insel«, erzählt bereits die Geschichte, daß eine Insel durch Nehrungen ans Festland angewachsen ist, was die Gutsbesitzer von Gelting, deren Jagdrevier Beveroe war, durch Deichbau unterstützten. Endgültig gelang es im letzten Jahrhundert, und die Mühle diente zur Entwässerung der Niederungsgebiete. Auf den Salzwiesen und Dünen wachsen seltene Pflanzen, im Sommer blüht der blutrote Storchschnabel, und zahlreiche Vögel finden an der Birk Nahrung und Rastplatz.

▾ **Vue à vol d'oiseau de la côte près de Heiligenhafen, Graswarder, Schleswig-Holstein.** Ce que la mer arrache de la falaise, elle le dépose ici. Ainsi se forment des nehrung. Cette partie de Graswarder est un refuge pour les oiseaux.

▸ **Le moulin «Charlotte», presqu'île de Beveroe, Schleswig-Holstein.** Beveroe était autrefois une île mais a été rattachée peu à peu au continent par des nehrung. Les hommes ont construit des digues et abaissé le niveau d'eau en pompant avec l'aide du moulin à vent. Des plantes rares poussent ici et c'est un refuge pour de nombreux oiseaux.

▾ **Bird's-eye view of the coast near Heiligenhafen, Graswarder, Schleswig-Holstein.** The sea erodes the nearby cliffs and deposits the material to form spits of new land. The part of Graswarder shown here is a bird sanctuary.

▸ **Windmill called "Charlotte", Beveroe Peninsula.** Beveroe, once an island, has since merged with the mainland to form a peninsula. Ground was reclaimed by building dykes and pumping the flats dry with the aid of the windmill. Beveroe is a haven for rare plants and birds.

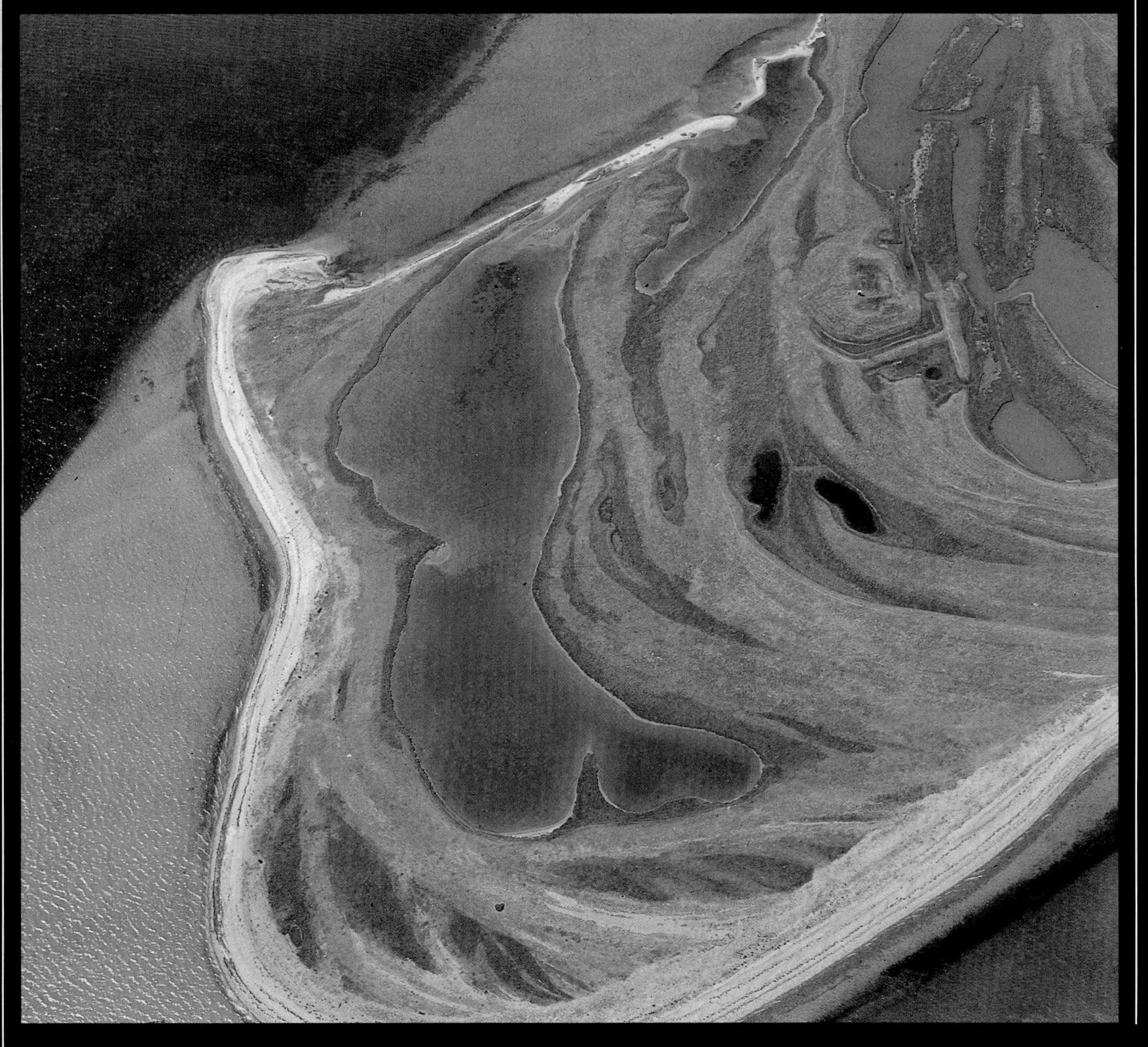

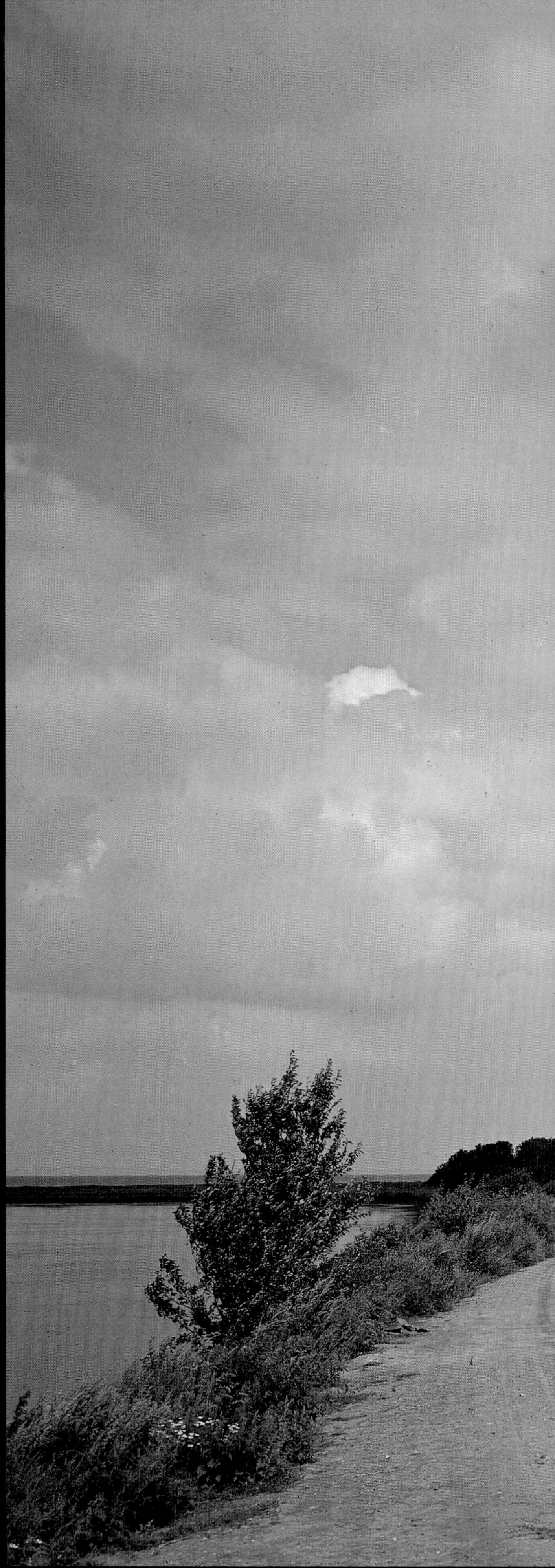

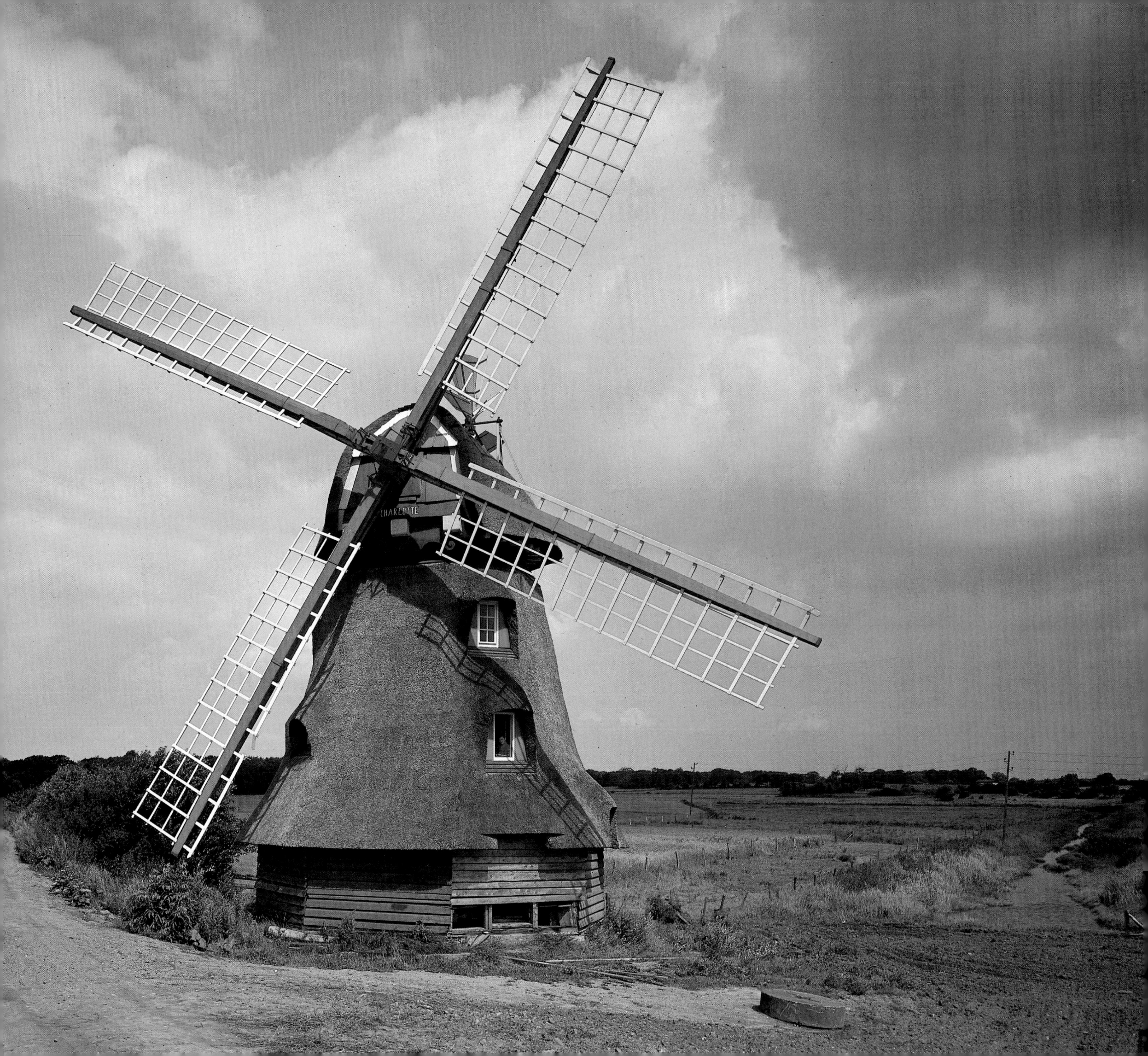
CHARLOTTE

Annäherung auf Umwegen

Deutsche Landschaft – ich muß ja nur einen Fuß vor die Haustür setzen, schon stoße ich mit der Nase darauf. Maler und Dichter entfernen sich möglichst aus der realen Welt, durchdringen sie mit ihrer Phantasie, um sich auf Umwegen näher an sie heranzutasten. Bettina Brentano bekennt: »Wer sich nach der schönen Natur sehnt, der wird sie am besten beschreiben, der wird nichts vergessen, keinen Sonnenstrahl, der sich durch die Felsritze stiehlt, keinen Windvogel, der die Wellen streift, kein Kraut, kein Mückchen, keine Blume am einsamen Ort. Wer aber mitten drinnen ist und mit glühendem Gesicht oben ankommt, der schläft wie ich gern auf dem grünen Rasen ein, denkt weiter nicht viel.«

Die »Landschafts-Vision« ihres Zeitgenossen Ludwig Tieck beginnt im Nebel: »Eigentlich, meine Freunde, ist dies, was wir hier nicht sehen, und indem wir nichts sehen, der erhabenste Anblick der Natur. Dies ist ein Bild vom alten uranfänglichen Chaos, welches der wundersame Großvater aller Formen und Gestaltungen war. Wir übereilen uns, wenn wir uns das Nichts als Nichts denken wollen: was sich weder denken noch

◂ **Ostseeküste bei Altbülk, Schleswig-Holstein.** Kilometerlang führt der Europäische Fernwanderweg Ostsee–Adria unmittelbar an dieser herrlichen Küste zwischen der Eckernförder Bucht und Kiel entlang. Das stellenweise bis zu 30 Meter hohe Steilufer ist bewaldet und säumt den Dänischen Wohld ab. Jährlich weicht die Küste 20 bis 25 cm zurück, nicht durch Brandung, sondern der Mergel saugt sich mit Wasser voll und fließt ab.

Une approche indirecte

Le paysage allemand – je n'ai qu'à mettre le pied devant la porte de ma maison pour le rencontrer. Les peintres et les poètes eux s'éloignent du paysage réel pour mieux s'en approcher par leur imagination. Bettina Brentano, un écrivain allemand du siècle dernier, écrit: «Celui qui est privé des beautés de la nature, celui-là saura le mieux les décrire; il n'omettra rien, aucun rayon de soleil qui se faufile à travers la fente d'un rocher, aucun oiseau qui effleure les vagues, aucun brin d'herbe, aucun moucheron, aucune fleur dans un endroit solitaire. Mais celui qui est en pleine nature et qui arrive en haut d'une colline avec un visage brûlant, celui-là s'endort volontiers comme moi sur l'herbe verte et ne réfléchit pas plus.» La «vision d'un paysage» de son contemporain Ludwig Tieck commence un jour de brouillard:

«En fait, mes amis, ce que nous ne voyons pas ici et que nous ne pouvons pas voir est le spectacle le plus sublime de la nature. C'est l'image du chaos primitif qui a été le singulier ancêtre de toute forme et création. Nous sommes trop hâtifs lorsque nous voulons imaginer le Néant comme Néant: ce qui ne

◂ **Côte de la mer Baltique près d'Altbülk, Schleswig-Holstein.** Le sentier pédestre européen de la Baltique à l'Adriatique longe sur des kilomètres cette merveilleuse côte entre la baie d'Eckernförde et Kiel. La falaise boisée a par endroits 30 mètres de hauteur.

Indirect approaches

German landscape – I only have to step outside my house to encounter it. Painters and poets, however, withdraw from the real landscape and approach it indirectly, yet more closely, via their imaginations. Bettina Brentano, the German essayist of early last century, writes: "The best descriptions of nature come from those temporarily deprived of its beauties. They remember every detail: the ray of sunlight stealing through a crack in the rock, the gull skimming the surface of the water, the plants, even the gnats, or the flowers growing in a secluded spot. Those who are surrounded by nature, who arrive at the top of a hill with glowing face, fall asleep as I do on the green grass with scarcely a further thought."

The "vision of a landscape" of her contemporary, Ludwig Tieck, begins on a misty day: "In fact, friends, what we cannot see here, and in which we cannot see, is nature's most noble sight. This is a scene of ancient, primordial chaos, which was the wondrous forefather of all forms and shapes. We are too hasty if we think that here Nothing is simply Nothingness – which is something that can be grasped neither by the intellect

◂ **Baltic coast near Altbülk, Schleswig-Holstein.** The European footpath from the Baltic to the Adria runs for miles directly along this splendid coastline between Eckernförde Bay and Kiel. The wooded cliffs are over 90 ft high in places.

vorstellen läßt. Nein, so wie wir es hier vor uns sehen, ist das Nichts beschaffen. Alles, so weit man sieht und denkt, ein unreifer Brei, eine angehende Milch, ein blöder Lehrling für ein Sein. Wie Silhouetten-Gespenster dort die Bäume und Sträucher, eben nur zu erraten, Finsternis in diesem bleichen Dunkel, dort ebenso die Wand der Kirche. Alles nur Rätsel: steht da, wie Aberglauben im Meer der Unvernunft. Wenden wir nun einmal dies eingebräute Gleichnis vor uns auf unsre eigne Köpfe an, so …
Hier versagte dem Schwatzenden das Wort im Munde, denn einem Wunder gleich riß sich eine große breite Spalte in dem dichtgewundenen Nebel, und grünes Land, sonnenbeglänzter Wald lag unten, gegenüber funkelnde Berge im wachsenden Lichte. Kaum entdeckt, brachen links und rechts neue Klüfte im weißen Nebelmeer auf, und wie selige Inseln zeigten sich von allen Seiten Gebirg und Flur im spielenden Glanz des flutenden Sonnenscheins, indessen dazwischen noch wie Wände oder Säulen die ineinander geflochtenen Wolken alle Aussicht deckten. Nun entstand ein Kampf zwischen Licht und Dunkel: alles wallte und zog hin und wieder. Die Wolken löseten sich in Streifen, die leichter und wolliger zerflossen und sich endlich in den Glanz verloren und untertauchten. So wurden von unsichtbarer Hand allgemach die Vorhänge weggehoben, und das ganze Gebirge mit seinen schönen Formen lag weit ausgebreitet in allen Abstufungen des vollen und gemilderten Lichtes vor den Augen der entzückten

peut se concevoir ni s'imaginer. Non, le Néant est ce que nous voyons ici devant nous. Aussi loin qu'on puisse voir et concevoir, tout est une bouillie immature, un lait qui monte, un apprenti stupide pour un Etre. Les arbres et les buissons comme des silhouettes fantomatiques que l'on devine à peine, sombres dans cette obscurité blafarde, de même le mur de l'église. Tout est énigme: comme des superstitions dans un océan de déraison. Si nous appliquons cet apologue concentré que nous voyons devant nous à nous-mêmes, alors …
Là, le bavard se tut car, comme par miracle, le brouillard épais se déchira et une terre verdoyante, une forêt éclaircie par le soleil apparut au-dessous de nous, en face de montagnes étincelantes dans un crescendo de lumière. Ceci à peine découvert, de nouvelles déchirures se firent à gauche et à droite dans la mer de brouillard blanc et, telles des îles bienheureuses, les montagnes et les champs se montrèrent de tous côtés dans l'éclat chatoyant des rayons du soleil cependant que des murs ou des colonnes de nuages dissimulaient la vue entre eux. Commença alors un combat entre la lumière et l'obscurité: tout ondula et s'étira à nouveau. Les nuages se détachèrent en bandes, les plus légers et laineux se fondirent, se perdirent finalement dans la lumière et disparurent. Ainsi doucement les rideaux furent tirés par une main invisible et la montagne s'offrit dans toutes les nuances de la lumière adoucie aux regards des spectateurs charmés … J'ai fait bien souvent ce voyage, dit Walther, mais je

nor the imagination. No, Nothingness is what we now see before us. Everything, as far as eye can see or thought can fly is like an unrisen dough, incipient milk, an immature apprentice for Being. The trees and bushes over there are ghostly silhouettes, divined rather than seen, obscure in this pale darkness, like the wall of the church. Everything is a riddle: like superstition in a sea of unreason. If we apply this concentrated parable we see before us to our own selves, then …
At this point words failed the chatterbox, because, with what seemed like a miraculous intervention, a great, broad swath was cut in the swirling mist, and below us green countryside emerged, and sun-drenched woodland appeared against glittering mountains bathed in a crescendo of light. This had scarcely happened before new chasms yawned in the white misty sea, and hills and dales rose like blissful isles in the bright flood of sunlight, while the walls or pillars of misty cloud still obscured the view between them. Now a battle began between light and darkness: the fronts rolled back and forth. The clouds broke up into strips which, little by little, dispersed, and finally disappeared, absorbed in the brightness. Thus were the curtains drawn back gradually by an invisible hand, and the whole varied mountain range lay spread out in subtle variations of light before the eyes of the delighted onlookers …
Although I have often been on this journey, said Walther, I have never experienced such unexpected delight as today. How wonderful it would be if the River Elbe were flowing

Beschauer ... Wie oft ich auch diese Reise machte, sagte Walther, so habe ich doch niemals dieses überraschende Entzücken genossen, welches mich heute ergriffen hat. Wie herrlich wäre es, wenn der Elbstrom durch dieses Tal flösse, denn nur Wasser fehlt dieser lieblichen Natur.
Sprechen wir nur nicht so, rief Wachtel aus ... Ihr waret ja eben noch entzückt, Freunde, und schon fangt ihr an, Mangel zu empfinden, zu kritteln und zu kritisieren. Wie schön der Anblick eines gewundenen Stromes auch sei, wenn er wie ein belebender Geist hin durch die Landschaft glänze, so paßt er doch nicht in jede Naturszene hinein. Hier, wo alles so lieblich, so anklingend ist, würde er mich nur stören: er höbe das Gefühl dieser behaglichen Einsamkeit gewissermaßen auf. Rhein, Nekkar, Mosel und der schöne Teil der Elbe beherrschen die Gegend, durch welche sie strömen, prägen ihr den Flußcharakter auf; hier aber führen die schönen Gebirge unmittelbar selbst das Wort. Stören kann oft ... ein nackter Hügel, dem man die Waldung geraubt, eine wüste Sandfläche, die sich totenbleich und krank zwischen lustiges, lebensvolles Grün der Fluren wirft, aber hier, Freunde, ist alles so ganz und voll, daß euch nichts mangeln sollte.«
Alles ist so ganz und voll! Tieck empfindet Landschaft als etwas In-sich-Geschlossenes. Obwohl der imaginäre Freund Walther in seinem Phantasiespiel den Entwurf des lieben Gottes ja nur zum Vorteil hatte bereichern wollen, weist er schon den Gedanken an einen ihre Eigengesetzlichkeit und natürliche

n'ai jamais joui de ce ravissement surprenant qui s'est emparé de moi aujourd'hui. Combien ce serait merveilleux si l'Elbe coulait dans cette vallée car seule l'eau manque à cette charmante nature.
Ne parlons pas ainsi, s'écria Wachtel ... Amis, vous étiez à l'instant ravis et déjà vous commencez à critiquer. Aussi beau que soit le spectacle d'un fleuve sinueux lorsqu'il brille comme un esprit animé à travers le paysage, il ne sied pourtant pas à toutes les scènes de la nature. Ici, où tout est charmant, si harmonieux, il ne ferait que gêner: il détruirait en quelque sorte l'impression d'agréable solitude. Le Rhin, le Neckar, la Moselle et la belle partie de l'Elbe dominent la contrée qu'ils traversent, lui impriment leur caractère; mais ici les belles montagnes donnent le ton. Une colline dénudée que l'on a privée de forêt, une étendue sablonneuse inculte qui, livide et malade, se jette entre des champs riants et verdoyants ... peuvent souvent gêner, mais ici, amis, il y a une telle plénitude que rien ne devrait vous manquer.»
Il y a une telle plénitude! Tieck ressent le paysage comme quelque chose de total en soi. Bien que Walther, l'ami imaginaire, n'ait voulu par sa proposition qu'améliorer la nature, Tieck repousse l'idée de toute ingérence qui compromettrait ses lois et son harmonie. Un appel poétique à la protection des sites rédigé en 1833. Nous pouvons nous éloigner encore plus du paysage en remontant le cours du temps. Commençons donc par Adam et Eve ou même encore un peu avant. «Au commencement Dieu créa les cieux et la

through this valley, for this enchanting countryside lacks only water.
Let us not speak in such tones, called Wachtel ... A moment ago you were all still enraptured, friends, and now you are already beginning to find fault. No matter how beautiful the sight of a gleaming river winding through the countryside like an animating spirit may be, it does not fit into every landscape. Here, where everything is so charming, so attractive, a river would only disturb: it would, as it were, cancel out this feeling of cosy seclusion. The Rhine, Neckar, Moselle, and the fairer part of the Elbe dominate the regions through which they flow, impose their character; here, on the other hand, the spendour of the mountains reigns supreme. There are often elements that disturb ... a naked hill, robbed of its woodland cover, a dry patch of sand, deathly pale between the cheerful, vivacious green of the meadows, but here, friends, everything is so complete and whole, that you should not feel that anything is lacking."
Everything is so complete and whole! Tieck considers a landscape to be something complete in itself. Although the imaginary friend Walther is only trying to improve on nature with his suggestion, Tieck brusquely rejects the idea of any interference that would endager nature's inherent laws and harmony: a literary appeal for nature conservation, written in the year 1833!
We can get right away from our present landscape by turning the clock back, starting with Adam and Eve, or even a little earlier. "In

Harmonie gefährdenden Eingriff ungehalten zurück. Ein poetischer Appell an den Landschaftsschutz aus dem Jahre 1833.
Noch weiter können wir uns von der Landschaft entfernen, indem wir die Zeit zurückdrehen. Fangen wir also wieder mal bei Adam und Eva an oder noch ein bißchen davor. »Am Anfang schuf Gott Himmel und Erde«, so lesen wir im ersten Buch Mose. »Und die Erde war wüst und leer, und es war finster auf der Tiefe, und der Geist Gottes schwebte auf dem Wasser.« Wir wissen, wie Gott diese Wüstenei in sechs Tagen verwandelt hat. Als er mit seiner Schöpfung fertig war, fand er sie sehr gut. Er hatte Licht gemacht, den Himmel als »Feste zwischen den Wassern« errichtet, das Festland vom Meer geschieden, hatte Gras, Kraut und fruchtbare Bäume aufgehen, das Wasser sich mit webenden und lebenden Tieren erregen, Gevögel fliegen lassen unter der Feste des Himmels. Hatte mit Vieh, Gewürm und allerlei Tieren, ein jegliches nach seiner Art, die Erde bevölkert. Hatte schließlich den Menschen »ihm zum Bilde« geschaffen, aus einem Erdenkloß, dem er den lebenden Odem in seine Nase blies. Und dann pflanzte Gott einen Garten Eden gen Morgen, ließ aufwachsen aus der Erde allerlei Bäume, »lustig anzusehen und gut zu essen«, und den Baum des Lebens mitten im Garten und den Baum der Erkenntnis des Guten und Bösen. Und er setzte den Menschen in den Garten Eden, daß er ihn baute und bewahrte, und baute ein Weib aus seiner Rippe, damit er nicht allein sei.
Der Ausgang der Geschichte von Adam und

terre» lisons-nous au premier chapitre de la Genèse. Et «La terre était déserte et vide. Il y avait des ténèbres au-dessus de l'Abîme et l'esprit de Dieu planait au-dessus des eaux». Nous savons comment Dieu a transformé ce désert en six jours. Lorsqu'il eût terminé son œuvre, il la trouva très bien. Il avait créé la lumière et le «firmament au milieu des eaux», séparé la terre des mers, fait pousser du gazon, de l'herbe et des arbres fruitiers, fait foisonner les eaux «d'une foison d'animaux vivants» et fait voler des volatiles «au-dessus de la terre, à la surface du firmament des cieux». Avait peuplé la terre de bestiaux, reptiles et toutes sortes d'animaux. Avait finalement formé l'homme à son image, «poussière provenant du sol» et avait «insufflé en ses narines une haleine de vie et l'homme devint âme vivante». Dieu planta alors un jardin en Eden, à l'Orient, et «fit germer du sol tout arbre agréable à voir et bon à manger, ainsi que l'arbre de vie au milieu du jardin et l'arbre de la science du bien et du mal». Et il installa l'homme dans le jardin d'Eden pour le cultiver et le garder et lui bâtit une femme d'une de ses côtes afin qu'il ne soit pas seul.
Nous connaissons la suite de l'histoire d'Adam et Eve: dans le jardin du Paradis qui lui était confié, l'homme a failli pour la première fois, il ne s'est pas montré à la hauteur de sa tâche.
Il y a plusieurs moyens détournés d'approcher le paysage. Le temps et l'espace donnent du recul. Faisons encore une fois un petit crochet dans l'espace car l'horizon de clocher appartient au passé, plus exactement il devrait

the beginning God created the heaven and the earth", we read in Genesis. "And the earth was without form and void; and darkness was upon the face of the deep. And the Spirit of God moved upon the face of the waters." We know how God transfigured this desert in six days. When he was finished with his creation he saw that it was good. He had created light, and heaven as a "firmament in the midst of the waters"; He had divided the dry land from the waters, had caused the earth to bring forth grass, the herb, and the fruit tree, had filled the waters with moving creatures, had created fowl, to fly above the earth, and had populated the earth with creeping things, cattle, and beasts of every kind. Finally, He created man "in his own image" out of dust, and breathed into his nostrils the breath of life. And then God planted a garden eastward in Eden, and out of the ground He made to grow "every tree that is pleasant to the sight and good for food" and also "the tree of life in the midst of the garden and the tree of knowledge of good and evil". And He put man in the garden of Eden "to dress and to keep it", and He formed a woman out of man's rib so that he should not be alone.
The end of the story of Adam and Eve is well-known: in the Garden of Eden, which had been entrusted to their care, the first human beings failed miserably, proved unequal to the task they had been given.
There are various ways of approaching a landscape. Time and space lend objectivity to the view, so let us take a short excursion beyond the earth's atmosphere – for the mere

Eva ist bekannt: Im Paradiesgärtlein, das seiner Pflege anvertraut war, hat der Mensch zum ersten Mal versagt, zeigte er sich der ihm zugewiesenen Aufgabe nicht gewachsen.
Es gibt verschiedene Umwege, über die man sich an die Landschaft heranpirschen kann. Distanz gewähren Zeit und Raum. Machen wir noch einen kleinen Abstecher ins Weltall, denn der Kirchturmhorizont gehört der Vergangenheit an, genauer – er sollte ihr angehören in einem Zeitalter, in dem es möglich ist, die Erde vom Weltraum aus unter die Lupe zu nehmen. Die Bildausbeute der Satelliten, die über unseren guten alten Planeten hochfliegende Betrachtungen anstellen, hat unser Wissen über die Erdoberfläche in ungeahntem Ausmaß bereichert. Die Satellitenbilder der Wetterberichte sind uns vom Fernsehen geläufig, geben keine großen Rätsel auf. Andere Weltraumbilder sind für den Laien schwer entzifferbar, ob ihrer Farbigkeit, den fein ziselierten graphischen Strukturen und nicht zuletzt ob ihrer ziemlich unirdischen Herkunft dennoch von hohem Reiz. Den Wissenschaftler begeistern ihre exakten Aussagen über verschiedenste Bereiche. Denn da geht es ja nicht nur um die Wolken über Mitteleuropa. Die Augen im All erspähen verborgene Raketenstellungen, geheime Mohnfelder der Drogenlieferanten, sie spüren eine herannahende Dürrekatastrophe oder den Beginn einer Heuschreckenplage auf. Komplizierte Weltraumbilder vermitteln eine Überfülle detailgenauer Auskünfte über Landwirtschaft, Umweltverschmutzung, Fischfanggebiete, Bodenschätze.

lui appartenir à une époque où il est possible d'examiner à la loupe la terre de l'espace sidéral. Le butin d'images récolté par les satellites, qui se livrent à des observations au-dessus de notre bonne vieille planète, a enrichi de façon imprévue nos connaissances sur la surface de la terre. La télévision nous a familiarisés avec les photos transmises par satellite pour les prévisions météorologiques et celles-ci ne constituent pas une grande énigme pour nous. D'autres images prises dans l'espace sont difficilement déchiffrables pour le profane mais leurs coloris, leur structure graphique finement ciselée et leur origine presque extra-terrestre leur donnent beaucoup d'attrait. Les renseignements précis qu'elles fournissent sur les domaines les plus divers enthousiasment les savants. Car il ne s'agit pas seulement ici des nuages au-dessus de l'Europe centrale. Les caméras de l'espace repèrent les fusées camouflées, les cultures secrètes de pavots qui alimentent le marché de la drogue, détectent l'approche d'une sécheresse catastrophique ou l'arrivée d'une nuée de sauterelles. Des photos compliquées prises de l'espace fournissent une multitude de renseignements précis sur l'agriculture, la pollution de l'environnement, les zones de pêche, les richesses naturelles du sous-sol.
A la fin des années soixante-dix, il y a eu soudain une telle masse d'informations sur les régions riches en matières premières, en particulier sur des gisements pétrolifères inconnus jusque-là que, pour des raisons économiques, on ne les a communiquées qu'au compte-gouttes.

bird's eye view belongs to the past in an age in which it is possible to study the earth from far greater distances. Photographic analysis of the earth's surface, made possible by "high-flying" satellites has vastly extended our knowledge in this sector. The satellite photos used in weather reports are familiar to everyone from television, and are not so difficult to interpret. Other pictures taken from space, however, are difficult for the layman to decipher, although, because of their colourfulness, their finely-etched patterns, and their quasi-celestial origin, they are often of considerable charm. Scientists are delighted by the accuracy of the information they provide on a wide variety of subjects. For it is not simply a question of the cloud formations over Central Europe: the all-seeing eyes in space pick out camouflaged missile-launching pads, secret poppy-fields supplying the drug-market, signs of an approaching drought or plague of locusts. Complicated space photographs provide a mass of detailed information on agriculture, environmental pollution, fishing areas, and mineral deposits. Towards the end of the 1970's there was such a sudden flood of new information on mineral deposits, especially the presence of hitherto unknown sources of oil, that, for economic reasons, it was only publicized piecemeal.
It is a truly apocalyptic thought that, since man was expelled from paradise, he has advanced so wonderfully far that he is now in a position to destroy the whole earth by means of nuclear fission in a tiny fraction of

Ende der siebziger Jahre gab es plötzlich eine solche Flut neuer Informationen über rohstoffreiche Gebiete, insbesondere über vorher unbekannte Erdölvorkommen, daß man sie wegen wirtschaftspolitischer Bedenken nur scheibchenweise bekanntgab.
Eine wahrhaft apokalyptische Vorstellung: Seit seiner fristlosen Entlassung als Paradiesgärtner hat der Mensch es so herrlich weit gebracht, daß er die Erde mittels der Kernspaltung in einem winzigen Bruchteil der Zeit zerstören kann, in der Gott sie erschaffen hat. Der Mensch sieht, daß das nicht gut ist. Wenn er sich jetzt nicht sputet, wird die Erde eines nahen Tages wieder wüst und leer sein. Dann bricht die Landschaftsdämmerung an. Dann wird die Ortsveränderung so eklatant sein, daß unsere Enkel heile Landschaften wie die in diesem Bilderbuch versammelten nur noch in Reproduktionen bewundern können.

Une vision vraiment apocalyptique: depuis son renvoi sans préavis du jardin d'Eden, l'homme a fait tant et si bien qu'il peut maintenant, par la fission nucléaire, détruire la terre dans une fraction du temps qu'il a fallu à Dieu pour la créer. Nous savons que cela n'est pas bien et que si nous ne prenons pas des mesures, la terre redeviendra bientôt une étendue désertique. Ce sera le crépuscule du paysage et les transformations seront telles que nos petits-enfants ne pourront plus admirer des paysages intacts que sur des reproductions comme celles réunies dans cet ouvrage.

the time it took God to create it. We have now accepted that this is not a good thing, and that if counter-measures are not taken the earth will soon degenerate into a wilderness again. Then the "twilight of the landscape" will dawn, and the surface of the earth will change so radically that our grandchildren will only know healthy landscapes from reproductions such as those in this book.

Kreuz und quer durch deutsche Lande

Steht eine Reise bevor, so sag ich mir allemal: Wie töricht, dieses paradiesische Fleckchen im Schwäbischen Wald zu verlassen – ausgerechnet jetzt, da die Schneeglöckchen wiedergekehrt sind und die Krokusse mit einem strahlenden Akkord in Gelb, Weiß und Lila das lang ersehnte Ende des Winters ausposaunen; oder jetzt, wo die Sonne das Blütenkleid der Apfelbäume streichelt; etwas später, wenn es endlich so hochsommerlich warm ist, daß man des Abends mit den Glühwürmchen unterm Himmelszelt tafeln und die Sternschnuppen zählen kann; in diesen verklärten Spätsommertagen, wo die Krause Glucke und die Totentrompeten aus dem Boden schießen und der Herbst sich anschickt, den Wald vor der Haustür purpurn und gülden einzufärben. Am fernen Ziel, eingetaucht in fremde Welten, bin ich auch schon vom Gegenteil überzeugt: Wäre es nicht schön dumm gewesen, jetzt daheim zu hocken, anstatt wieder einmal in einem unbekannten Erdenwinkel herumzuschnuppern?

Aber man muß ja nicht immer bis ans andere Ende der Welt fahren. Man sollte öfter eine kleine Reise machen, als globetrottender Kurzstreckenläufer nach Neuem Ausschau halten.

Kreuz und quer durch deutsche Lande. Nach Ulm ist es nur ein Katzensprung. Das Ulmer Münster. Mörike nannte es »einen Koloß, der so tyrannisch alles um sich verkleinert«. Wir betrachteten die Chörchenfenster der Besserer-Kapelle, die Gesichter der Philosophen und Sibyllen, die Jörg Syrlin der Ältere

A travers l'Allemagne

Avant chaque voyage, je me dis toujours: quelle folie de quitter ce petit coin de paradis dans la Forêt Souabe – précisément maintenant que les perce-neige sont revenues et que les crocus claironnent avec une harmonie étincelante de jaune, de blanc et de mauve la fin tant attendue de l'hiver; ou bien maintenant que le soleil caresse la robe fleurie des pommiers; un peu plus tard, lorsqu'il fait enfin si chaud que l'on peut dîner dehors le soir en compagnie des vers luisants et compter les étoiles filantes; ou pendant ces journées radieuses de la fin de l'été lorsque les trompettes de la mort abondent dans le bois et que l'automne commence à colorier les arbres de pourpre et d'or. Une fois arrivée au but de mon voyage, plongée dans un monde inconnu, me voilà également convaincue du contraire: n'aurait-ce pas été bien bête de rester à la maison au lieu de goûter les plaisirs de la découverte d'un autre coin du monde? Mais il n'est pas toujours nécessaire d'aller à l'autre bout du monde. Les petits voyages ont aussi leur charme et offrent plein d'expériences intéressantes.

Ainsi, à travers l'Allemagne. Ulm n'est qu'à deux pas, Ulm et sa cathédrale. «Un colosse qui miniaturise de façon tyrannique tout ce qui l'entoure» disait d'elle le poète allemand Edouard Mörike. Nous avons contemplé les fenêtres du petit chœur de la chapelle de Besserer, les visages des philosophes et des sybilles que Joerg Syrlin l'Ancien a sculptés pour les stalles; et surtout les figures des miséricordes, toute une foule suspecte et indigne de monstres, cobolds, démons, de

The length and breadth of Germany

When I am about to set off on a trip I always say to myself: how foolish to leave this lovely patch of earth in the Swabian Forest – now, when the snowdrops are out, and the crocuses, with their brilliant triad of colours, yellow, white, and violet, are announcing the end of winter; or now, when the sun is warming the apple-blossom; or somewhat later, when it is finally so warm that one can dine in the open with glow-worms as company, and count the falling stars; or during those radiant late-summer days when edible fungi abound in the woods, and autumn begins to stain the trees purple and gold. Once I have arrived at the other end, however, I am convinced of the opposite: it would surely have been foolish to have stayed at home and to have missed the delight of discovering a new, exotic corner of the world. But then it is not always necessary to go to the ends of the earth: shorter trips also have their charms, and there are plenty of discoveries to be made and new experiences to be had at shorter range.

The length and breadth of Germany – well, to start with, it is only a stone's throw to Ulm, to Ulm Minster, which the German poet Eduard Mörike called a "colossus which dwarfs all around it". We looked at the windows in the Besserer Chapel, the faces of the philosophers and sibyls which Jörg Syrlin the Elder carved for the choirstalls, and, in particular, at the contrasting figures on the misericords, that unworthy community of suspicious characters, freaks, goblins, demons, face-pullers, and grotesques who should never have been

für das Chorgestühl geschnitzt hat; vor allem aber die Kontrastfiguren unter den Misericordien, jene Kommune ziemlich verdächtiger, ganz und gar unwürdiger Freaks, Kobolde, Dämonen, Grimassenschneider, Scheurepurzler, denen man beizeiten den Zutritt ins Gotteshaus hätte verwehren sollen. Bald hatten wir die vespernden Engel entdeckt, und das reizte unseren Appetit. Wir stopften uns mit Zwiebelkuchen voll, dachten an den Ulmer Schneider, den Großvater der Drachenflieger, und fuhren weiter zum Blautopf, dem Buen Retiro der schönen Lau.
Den Alltag hinter sich lassen. Allein oder besser in fröhlicher Gesellschaft Städtchen entdecken wie Sögel – nie zuvor hatte ich den Namen gehört – mit dem so eleganten Jagdschlößchen Clemenswerth; Mölln, die Stadt Till Eulenspiegels mit den verwinkelten Gäßchen am See; Murrhardt mit seiner kleinen Walterichskapelle, einem Musterbeispiel stilreiner Romanik, und seiner »Sonne-Post«, deren kulinarische Angebote von den schwäbischen Maultaschen bis zum malaiischen Huhn eine Wallfahrt wert sind; oder in dem unweit versteckten Dörfchen Grab im »Rössle« eine überraschende Fülle von Wildspezialitäten genießen; die Vorfreude auf Bajuwarisches auskosten, wenn sich nahe der Autobahn bald nach Augsburg vor dem himmlischen Crescendo in Weißblau die ersten Zwiebeltürmchen als Vorposten melden. Im April am menschenleeren Strand von Sylt spazieren oder im wundersam verwaisten Totengrund in der Lüneburger Heide, wo später im Jahr Herden von Omnibussen die

personnages grimaçants auxquels on aurait dû interdire l'entrée de la maison de Dieu. Nous avons découvert les anges en train de goûter et cela nous a ouvert l'appétit. Dehors, nous nous sommes régalés de tarte à l'oignon en songeant au légendaire tailleur d'Ulm qui avait essayé de voler – l'ancêtre des pilotes de deltaplane – et avons poursuivi notre route jusqu'au Blautopf, le domaine d'une ondine, la belle Lau.
En voyage, il est agréable d'oublier le quotidien, seul ou avec des amis. On découvre des petites villes comme Sögel, dont je n'avais jamais entendu parler auparavant, avec l'élégant pavillon de chasse de Clemenswerth; Mölln, la ville de Till Eulenspiegel avec ses ruelles tortueuses au bord du lac; Murrhardt avec la petite chapelle de Walterich, un échantillon du pur style roman, et son hôtel «Sonne-Post» qui offre une carte variée allant des spécialités souabes au poulet malais; et caché non loin de là le petit village de Grab où le voyageur peut se régaler de gibier au «Rössle». Sur l'autoroute après Augsbourg, on savoure à l'avance le plaisir d'être bientôt en Bavière en apercevant les premières tours bulbeuses qui se dessinent sur le ciel. En avril, c'est merveilleux de se promener sur la plage solitaire de Sylt ou dans la lande de Lunebourg déserte à cette époque de l'année mais où un peu plus tard des caravanes d'autobus déverseront leur cargaison de touristes; de s'arrêter chez le boucher de la place pour acheter un «Heidschnuckenbraten», un rôti de mouton de la lande; de flâner dans les ruelles de Celle avec ses jolies

admitted into the Minster in the first place. Outside again, stimulated by a representation in the Minster of picnicking cherubs, we refreshed ourselves with onion flan while thinking about the legendary Tailor of Ulm, who attempted to fly – the "grandfather of the modern hang-gliders" – and then set off into the hills near Blaubeuren to the little lake called "Blautopf", the home of a water-nymph called Lau.
It is good to leave the everyday world behind, to go on voyages of discovery alone or with friends. You come across little towns like Sögel – of which I had never even heard before – with its elegant hunting-lodge called Clemenswerth; or Mölln, Till Eulenspielgel's town, with its quaint lakeside lanes; Murrhardt, with its tiny Walterich Chapel, a Renaissance pearl, and its "Sonne-Post" inn, which offers culinary delights ranging from local specialities to Malayan Chicken, and, hidden not far away, the hamlet of Grab, where travellers can enjoy a large selection of game dishes. Then there is the anticipation of Bavarian pleasures as one drives down the motorway past Augsburg and the first "onion topped" spires rise against the sky. It is pure delight to take a walk along the empty beaches of the North Sea island of Sylt in April, or on Lüneberg Heath, now deserted, although later in the year coaches disgorge hordes of tourists here, and to stop at a country butcher's for a joint of local mutton, or to wander through the streets of Celle, with its beautifully preserved half-timbered houses, almost matched in antiquity by the attitudes

Massen ausspeien; beim ländlichen Metzger einen Heidschnuckenbraten kaufen; durch die Gäßchen von Celle flanieren mit ihren alten Fachwerkhäusern, eines schöner herausgeputzt als das andere, während so manchen Bewohnern eine Renovation ihrer kaum weniger bejahrten Ansichten anscheinend nie in den Sinn kommt. In Ahlen, bislang nur durch das Ahlener Programm bekannt, Töttchen entdecken, eine würzige Fleischsuppe, Spezialität der dortigen Metzger.
Festspiele sammeln: auf dem Grünen Hügel in Bayreuth; zu Füßen der mächtigen Treppe der St.-Michaels-Kirche in Schwäbisch Hall, wo in der Nachfolge »Jedermanns« nun auch Mackie Messer das Rampenlicht nicht mehr scheut; im graziösen Schwetzinger Rokoko-Theater des pfälzischen Kurfürsten Karl Theodor, wo man erlesene Kunstgenüsse mit einem Spargelessen einzuleiten pflegt; im schleswig-holsteinischen Bad Segeberg auf den Spuren Winnetous; in Jagsthausen am authentischen Tatort Götz von Berlichingens; bei den Tagen neuer Musik in Donaueschingen, wo sich im Park des Fürsten von Fürstenberg die Schwarzwaldbäche Brigach und Breg zur Donau vereinen.
Oder vor der Stiftsruine in Bad Hersfeld. Ihre gewaltigen Mauern sind Überreste der vom Bonifatius-Schüler Lullus, dem Schutzpatron des Städtchens, im Jahre 736 begründeten und später von Karl dem Großen geförderten Reichsabtei der Benediktiner. Die in verschiedenen Bauabschnitten entstandene größte romanische Basilika auf deutschem Boden

maisons à colombage; de découvrir à Ahlen, le «Töttchen», un bouillon de viande relevé, spécialité des bouchers du coin. On peut aussi collectionner les festivals: sur la Colline Verte à Bayreuth; aux pieds du monumental escalier de l'église Saint-Michel à Schwäbisch Hall; dans le gracieux théâtre rococo du prince électeur palatin Karl Theodor à Bruchsal où l'on a coutume de conjuguer les plaisirs artistiques avec les délices d'un dîner d'asperges; dans le Schleswig-Holstein, à Bad Segeberg, sur les traces de Winnetou; à Jagsthausen où est né Götz von Berlichingen; au festival de musique contemporaine à Donaueschingen où dans le parc des princes de Fürstenberg le Danube naît de l'union de deux ruisseaux de la Forêt-Noire, la Brigach et la Breg. Ou devant les ruines de l'église collégiale à Bad Hersfeld. Ses murs imposants sont des vestiges de l'abbaye bénédictine fondée par Lullus, disciple de St. Boniface, le patron de la ville, en 736. La plus grande basilique romane sur le sol allemand a été édifiée en plusieurs étapes. Incendiée pour la première fois en 1038, reconstruite au cours des cent années suivantes, elle fut à nouveau la proie des flammes pendant la guerre de Sept Ans. C'est vraiment un grand moment théâtral que d'y assister à la représentation d'«Othello», lorsque les murs de 25 mètres de haut du transept semblent symboliser des barrières fatales, insurmontables; ou d'y voir «L'homme de la Manche» se battre contre les moulins à vent sous les arches de pierre tendues dans le ciel nocturne. La région montagneuse du Nord de la Hesse avec ses

of some of its inhabitants. In Ahlen, previously known to us only because of a political manifesto drawn up there in the post-war years, you can taste *Töttchen*, a spicy meat soup speciality made by the local butchers.
Collecting festivals is another way of getting to know Germany: on the "Green Hill" at the Wagner Festival in Bayreuth; at the foot of the mighty staircase of St. Michael's Church in Schwäbisch Hall, where Mackie Messer now brushes shoulders with Everyman; in the charming Rococo theatre built by the Palatinate Elector Karl Theodor in Bruchsal, where delightful performances can be complemented by the delights of local asparagus for supper; in Bad Segeberg, Schleswig-Holstein, where you can get on the trail of Winnetou; in Jagsthausen, the birthplace of Götz von Berlichingen, at the contemporary music festival in Donaueschingen, where, in the park of the Prince of Fürstenberg, the Danube is born out of a union of the Brigach and Breg rivers.Then there is the festival in Bad Hersfeld, in Hesse, staged in front of the ruins of a Benedictine abbey founded in 736 by St. Lull, a companion of the great St. Boniface, and patron saint of the little town. The great church, built in various stages, became the largest Romanesque basilica on German soil. It was destroyed by fire in 1038 and rebuilt in the next hundred years, only to be burnt down again during the Seven Years' War. It is a thrilling theatrical experience to see "Othello" played there, for example, when the 80 ft high wall of the transept seems to

wurde 1038 erstmals durch Feuer zerstört, in den folgenden rund hundert Jahren wieder aufgebaut, im Siebenjährigen Krieg abermals ein Opfer der Flammen. Es ist schon ein besonderes Theatererlebnis, wenn das 25 Meter hohe, strenge Gemäuer der Querhauswand nun für »Othello« schicksalhafte Ausweglosigkeit, unüberwindliche Seelenhürden symbolisiert, wenn der »Mann von La Mancha« unter den weit in den Nachthimmel gespannten Steinbögen gegen Windmühlenflügel ankämpft.
Zu Ausflügen ins nordhessische Bergland verlocken üppig bewaldete Hügelchen, die sich als Knüllgebirge ausgeben, oder die Burg Waldeck mit dem prachtvollen Rundblick über die Edertalsperre und den buchtenreichen Stausee. Von viel zu vielen sehenswerten hessischen Städtchen sei Fritzlar genannt mit seinen so recht gemütlich wirkenden Wehrtürmchen, dem romanischen St.-Petri-Dom, dem ältesten deutschen Rathaus, den gotischen Steinhäusern, dem Marktplatz mit seinen total verzogenen, aller Statik hohnlächelnden Fachwerkhäuschen. Hier hat Bonifatius anno dazumal vor den staunenden Germanen die Donar-Eiche gefällt. Und dann ab nach Kassel. Vielleicht findet gerade wieder die Documenta statt, die weltweit größte Ausstellung moderner Kunst, in der sich alle vier bis fünf Jahre Hunderttausende von Besuchern informieren, mopsen, ärgern, berauschen, für dumm verkauft oder erbaut fühlen von den Kreationen längst etablierter oder neuer Wilder. Mal hierhin, mal dorthin.

collines très boisées incite aux excursions; il y a le château de Waldeck avec son vaste panorama sur le barrage de l'Eder et le lac artificiel. L'une des petites villes remarquables de Hesse est Fritzlar avec ses tours fortifiées, sa cathédrale romane, le plus ancien hôtel de ville d'Allemagne, ses maisons gothiques en pierre, la place du Marché aves ses maisons à colombage tout à fait de guingois défiant toutes les lois de la statique moderne. C'est ici que St. Boniface aurait abattu en l'an 723 le chêne sacré de Wotan. Et en route pour Kassel qui accueille peut-être justement la Documenta, la plus grande exposition d'art moderne où tous les quatre à cinq ans des centaines de milliers de visiteurs s'enthousiasment ou se récrient à la vue des créations d'artistes d'avant-garde.

symbolize hopelessness, insurmountable spiritual barriers; or to see "The Man from La Mancha" tilting against windmills under the huge stone arches soaring into the nocturnal sky.
The hilly, thickly-wooded region of North Hesse is well worth an excursion, as is Waldeck Castle, with the splendid panoramic view it provides across the Edertal Reservoir. One of the numerous fascinating little towns of Hesse is Fritzlar, with its romantic-looking round towers, its Romanesque cathedral, Germany's oldest town hall, Gothic stone houses, and a market square with picturesquely out-of-joint half-timbered houses which seem to laugh in the face of modern statics. It was here that St. Boniface astonished the heathen Germans by felling an oak-tree dedicated to the god of thunder, Donar. And so to Kassel, where the Documenta might be running: the world's largest exhibition of modern art which attracts hundreds of thousands of visitors every four or five years to delight in, or be horrified by, the creations of the long-established or up-and-coming avant-garde. There is always some festival or other to suit a whim or fulfill a wish.

Zwischen Buxheim und Buxtehude

Heute hier, morgen dort. In Baden-Baden Schnecken essen im »Hotel am Markt« und dann im Spielcasino einen Flirt mit Fortuna vom Zaun brechen. In Kiel an der Förde entlangfahren, die bei den Einheimischen Hafen heißt. Perlmuttlicht, schneeige Segel, das Fußvolk der Surfer. Weiter nordwärts nach Dänisch-Nienhof, wo der aussichtsreiche Waldweg über dem Strand verrät, wie rasch diese Steilküste abbröckelt. Riesige Parasolpilze fand ich an einem Sonntagnachmittag unmittelbar am Wegesrand. Ich trug sie wie einen Blumenstrauß vor mir her und erregte damit das Interesse der zahlreichen Spaziergänger, die sie mit einer Mischung aus Entzücken und Argwohn beäugten.
Wie schön ist es am Niederrhein. Wasserburgen in weiten Parklandschaften; der mit Schiffen beladene Rhein bei Emmerich; der figurenwimmelnde Schnitzaltar in Kalkar; der Viktordom in Xanten, wo schon die Römer Theater spielten und Siegfried seine verhängnisvolle Fahrt ins ferne Reich der Burgunder angetreten haben soll.
Schnappschüsse aus deutschen Landen. Ins Land der Franken fahren, vallerie, vallera. Die kapriziösen Silberschleifen des Mains nachziehen, Traminer kosten. Weiter in die Fränkische Schweiz, wo schmale Felsnadeln grauschwarz in den Himmel stechen und manche Dörfer aussehen, als seien sie von den Hochflächen in die überfüllten Täler gerutscht. Das muntere Gewürfel der Häuser schart sich um die elegant geschwungenen Linien barocker Gotteshäuser. Die Kirche in Gößweinstein ist weniger bekannt als Vier-

Entre Buxheim et Buxtehude

Au gré des voyages, aujourd'hui ici, demain là. A Baden-Baden, on va manger des escargots, on fait un tour au marché; et on tente sa chance au casino. A Kiel, on longe la Kieler Förde. Une lumière nacrée, des voiles blanches, des surfers intrépides. Plus au Nord se trouve Dänish Nienhof où le sentier forestier très pittoresque au-dessus de la plage révèle la rapidité avec laquelle cette falaise s'effrite. Un dimanche après-midi, j'ai trouvé au bord du chemin d'immenses champignons parasols. Je les ai portés comme un bouquet de fleurs suscitant l'intérêt de nombreux promeneurs qui les lorgnaient avec un mélange de ravissement et de défiance.
Comme le paysage est beau sur le cours inférieur du Rhin. Des castels d'eau dans de vastes parcs; le Rhin chargé de bateaux près d'Emmerich; les retables richement sculptés de l'église Saint-Nicolas à Kalkar; la cathédrale Saint-Victor, les vestiges d'un amphithéâtre et d'un camp romain à Xanten d'où Siegfried serait parti pour son funeste voyage au royaume lointain des Burgondes.
Instantanés des contrées allemandes. Partir pour la Franconie, tra-la-li, tra-la-la. Suivre les boucles argentées du Main, goûter le Traminer. Et plus loin, la Suisse franconienne où les aiguilles rocheuses gris noir semblent piquer le ciel, où certains villages ont l'air d'avoir glissé des collines dans les vallées, où les maisons en damier paraissent se bousculer pour une place près des élégantes églises baroques. L'église à Gössweinstein est moins connue que l'église de Vierzehnheiligen mais, comme elle, elle a été construite par le

Between Buxheim and Buxtehude

And festivals are not the only way of doing this. Enjoy a dish of snails in Baden-Baden, or tempt fortune in the Casino. Walk along the harbour wall in Kiel: mother-of-pearl light, snow-white sails, hardy surfers. Further north is Dänisch Nienhof, where the wooded path above the beach demonstrates how quickly this line of cliffs is crumbling. I once picked some huge parasol mushrooms there, directly next to the path, and carried them with me like a bouquet. They excited a mixture of envy and suspicion among the other ramblers.
It is fine to be by the wide and winding Lower Rhine, as Byron nearly said. Moated castles in spacious grounds; the river near Emmerich, bustling with boats; the great carved altar in Kalkar; the cathedral and Roman amphitheatre in Xanten, from where Siegfried is said to have started off on his fateful journey to far-away Burgundy.
Snapshots of Germany. Off to Franconia, tra la li, tra la la. Follow the silver serpentines of the Main, try a drop of Traminer. On to Franconian Switzerland, where rocks like grey needles stab the sky, and some villages look as if they have been washed down into the overcrowded valleys from the surrounding hills, the chequered houses jostling for a place near the elegant Baroque churches. The church in Gössweinstein is less well-known than that at Vierzehnheiligen, but was also built by Balthasar Neumann, engineer, artillerist, and supreme architect of his period; his compositions in stone possess a radiance reminiscent of Mozart's music. Inside, the church is a tumultuous mixture of white and gold.

zehnheiligen, aber wie sie erbaut von dem Artilleriehauptmann in fürstbischöflichen Diensten Balthasar Neumann, dessen bauliche Kompositionen in ihrer tiefsinnigen Heiterkeit an Mozart erinnern. Ihr Inneres ist ein unerhörter Tumult in Weiß und Gold.
Warum in die Ferne schweifen, wo der Schwäbische Wald so nahe liegt? Er erstreckt sich weithin über das Ländle, umfaßt eine Vielfalt von Hügeln, Mischwäldern, Tälern, Feldern, Weinbergen, Burgen und Schlössern, hat sich als Blume an den Hut das Hohenlohische gesteckt, wird dort von einem munteren Gespann Neptuns, den Flußgeschwistern Kocher und Jagst, parallel durchmessen. Lieblich ist er, anmutig, heimelig und idyllisch, wie sich die Straße nennt, die sein südliches Gebiet umkreist. Ein sanftes Fleckchen Erde, in dem es weithin maielet und blühelet und köchelet und weinelet.
Kreuz und quer durch Oberschwaben, wo die Steine musizieren und die Heiligen tanzen. Nach Wangen im Allgäu, auf dessen Marktplatz Gotik, Renaissance und Barock ein architektonisches Trio spielen, wo es nach Käse, Weihrauch, Gewürzen und Heu riecht. Zum Bodensee, der aus der Vogelperspektive wie ein Hase aussieht. Zur Insel Reichenau, die mit ihren drei romanischen Kirchen zusammen mit dem Kloster St. Gallen die Wiege des mitteleuropäischen Christentums bildete. Und zur Blüteninsel Mainau, die vom Frühling vier Wochen früher beglückt wird als norddeutsche Lande.
In Unterjoch frische Allgäuer Luft schnappen und sich vergewissern, ob auf dem Einstein,

capitaine d'artillerie au service des princes évêques, Balthasar Neumann dont les compositions architecturales ont la sérénité mélancolique des œuvres de Mozart. A l'intérieur, l'église est un mélange fabuleux de blanc et d'or. Mais pourquoi courir au loin lorsque la Forêt Souabe est si proche? Très étendue, elle comprend une multitude de collines, forêts mixtes, vallées, champs, vignobles, châteaux et est divisée par deux rivières presque parallèles, la Kocher et la Jagst. Elle est aimable, gracieuse, idyllique. Un paisible coin de terre où la chère est bonne et le vin plaisant.
A travers la Haute-Souabe où les pierres sont musiciennes et les saints dansent. Vers Wangen en Allgaü où sur la place du Marché le gothique, le renaissance et le baroque jouent un trio architectonique, où l'on sent l'odeur du fromage, de l'encens, des épices et du foin. Vers le lac de Constance qui, à vol d'oiseau, ressemble à un lièvre. Vers l'île de Reichenau qui avec ses trois églises romanes a été, avec le couvent de St. Gall, le berceau du christianisme en Europe centrale. Et vers l'île fleurie de Mainau où le printemps arrive un mois plus tôt que dans le Nord de l'Allemagne.
A Unterjoch, humer l'air frais de l'Allgaü et s'assurer sur le Mont Einstein que tout va pour le mieux dans le meilleur des mondes. En plein mois de juin, les chamois et les bouquetins y gambadent au milieu des soldanelles et des primevères, des auricules, des alchémilles, des lycopodes, des vératres, des edelweiss, des daphnées, des orchis et des

But I need not travel so far when the Swabian Forest is so near: a great expanse of hills, mixed woodland, valleys, fields, vineyards, castles, and palaces, divided by the lively parallel lines of the twin rivers Kocher and Jagst. It is attractive, pastoral, homely, idyllic countryside. A fertile corner of the globe brimming with blossom, good food, and wine.
Come to Upper Swabia, where the stones make music and the saints dance! To Wangen in Allgäu, on whose market square Gothic, Renaissance, and Baroque play an architectural trio, where it smells of cheese, incense, spices, and hay. To Lake Constance, which from a bird's eye view is shaped like a hare. To Reichenau Island, with its three Romanesque churches, which together with St. Gall monastery, formed the cradle of central European Christianity. And to Mainau, the island of flowers, where spring arrives a month earlier than in north Germany.
Catch a breath of fresh Allgäu air in Unterjoch, and, on Mt. Einstein, see whether the world is in order – up here it is. In the middle of June you can see chamois and ibex ambling among the flowers: mountain soldanellas and primulas, auricles, lady's mantles, club moss, spurge-laurel, wild lilies, edelweiss, and wild orchids. On the way back you can stop to pick a few architectural flowers from the garden of Upper Swabian Baroque: the monastery church in Ochsenhausen; the church in Rot on the Rot, and the nearby bucolic cemetery church from whose ceiling frescos the cherubs appear to dive downwards as if determined to crash-land in the aisle.

der mit dem gleichnamigen Berliner Café so viel zu tun hat wie mit der Relativitätstheorie, die Welt noch in Ordnung sei. Diese jahreszeitlich verrutschte Welt, in der die Gemsen und Steinböcke mitten im Juni zwischen Soldanellen und Schlüsselblumen, Aurikeln, Frauenmantel, Bärlapp, Schusternagel, Seidelbast, Germer, Edelweiß, Knabenkraut, Kugelblümchen und Mehlprimeln lustwandeln. Auf der Rückfahrt am Wegesrand noch ein paar Blüten des oberschwäbischen Barock pflücken: die Klosterkirche in Ochsenhausen; die Kirche in Rot an der Rot, wo wir den siebzigsten Geburtstag HAP Grieshabers gefeiert haben, dessen Figuren die weichen Konturen der Alb widerspiegeln; die nahe gelegene bäuerliche Friedhofskirche, in der die Engel aus den Deckenfresken heraus zu halsbrecherischen Bauchlandungen ansetzen.
Seltsam, wie wenig bekannt die Kartause von Buxheim ist. Das ehemalige Kloster bei Memmingen, 1402 gegründet und von 1548 bis 1803 einzige Reichskartause, ist zwar als gotische Anlage noch erkennbar, präsentiert sich aber heute als eine hinreißende Galavorstellung von Barock und Rokoko in einer Anmut und Heiterkeit, daß dem Eintretenden das Herz aufgeht, er sich ein paar Zentimeter über den Boden gelupft fühlt. Solches Wunder ist den Brüdern Dominikus, Schöpfer der Wies, und Johann Baptist Zimmermann zu danken. Vor allem in der kleinen Annakapelle haben sie wahrhaft himmlischer Eleganz Einlaß verschafft.
Alphabetisch gesehen ginge es von Buxheim

globulaires. Sur le chemin du retour, cueillir encore quelques fleurs architecturales dans le jardin du baroque de Haute-Souabe: l'abbatiale à Ochsenhausen; l'église à Rot an der Rot; l'église du cimetière bucolique tout proche où les anges des fresques du plafond semblent vouloir s'élancer pour des atterrissages périlleux sur le ventre.
Il est curieux que la chartreuse de Buxheim près de Memmingen soit si peu connue. Fondée en 1402, elle a été l'unique chartreuse impériale de 1548 à 1803. On discerne encore les plans gothiques de l'édifice mais il offre aujourd'hui une telle débauche de baroque et de rococo que le visiteur en a le souffle coupé en y entrant et se sent littéralement transporté. Cette merveille est l'œuvre des frères Dominikus, architecte de l'église de la Wies, et Jean-Baptiste Zimmermann. C'est surtout à la petite chapelle Sainte-Anne qu'ils ont véritablement donné une élégance céleste.
Si nous avions voulu respecter l'ordre alphabétique, nous aurions dû aller de Buxheim à Buxtehude, une charmante ville au Sud-Ouest de Hambourg. Mais alors il nous aurait fallu commencer par Aix-la-Chapelle et jamais nous ne serions arrivés à Zwiesel dans la Forêt Bavaroise. Nous nous étions une fois promis de voir le plus possible du monde et de visiter par la suite en toute tranquillité les endroits qui nous auraient particulièrement fascinés. Mais une vie ne suffit même pas pour bien connaître les régions allemandes. L'éventail est trop grand à moins que l'on ne se contente de regarder des façades détachées de leur contexte historique et culturel, ce qui serait un plaisir bien fade.

It is strange how little-known the Carthusian monastery of Buxheim, near Memmingen, is. It was founded in 1402, and its Gothic layout is still discernible, but today it presents a gala mixture of Baroque and Rococo of such vivacity that your heart takes a leap as you enter, and you feel that you are floating an inch or two above the ground. This architectural miracle was wrought by the brothers Dominikus and Johann Baptist Zimmermann. In St. Anne's Chapel, in particular, they brought off a masterpiece of truly heavenly elegance.
Alphabetically, we were on our way from Buxheim to the pleasant town of Buxtehude, to the south-west of Hamburg, but if we were going to travel alphabetically, then we would have had to start in Aachen, and would never arrive in Zwiesel in the Bavarian Forest. At one time we thought it was a good plan to look around the world as much as possible in order to return to selected places later – places that we had found particularly fascinating – in order to get to know them at leisure. But the truth is that life is not long enough even to get to know Germany intimately. The palette is too varied, the material too rich – unless one is satisfied with looking at mere facades divorced from their historical and cultural backgrounds; that would be a shallow pleasure indeed.

ab nach Buxtehude, einem Städtchen südwestlich von Hamburg, das auch entschieden mehr hält, als der geflügelte Imperativ befürchten läßt. Aber dann hätten wir mit Aachen beginnen müssen und kämen doch nie und nimmer bis Zwiesel in den Bayerischen Wald. Einst hatten wir uns vorgenommen, möglichst viel in der Welt herumzuschnuppern, um später ausgewählte Ziele anzusteuern, jene Stätten, die uns besonders fasziniert haben würden, in aller Muße zu erforschen. Aber ach, das Leben reicht ja nicht einmal aus, mit deutschen Landen intim bekannt zu werden. Zu reich ist das Angebot der Bilder, sofern man sich nicht mit den Fassaden begnügt, losgelöst von ihrem historischen und kulturgeschichtlichen Hintergrund. Das wäre freilich ein schales Vergnügen.

Die Erde häutet sich langsam

Nichts in der Natur währet ewiglich. Doch sehen wir einmal von Katastrophen wie Vulkanausbrüchen, Taifunen, Sturmfluten oder Bergstürzen ab, so vollziehen sich ihre umwälzenden Veränderungen in solchem Schneckentempo, daß sie im Vergleich zu anderen geschichtlichen Abläufen Stabilität vorspiegeln. Daß sich das Bild unserer Landschaft ohne Eingreifen des Menschen in den letzten rund siebentausend Jahren kaum verändert hätte, unterstreicht diesen Eindruck. Aber es ist ja erwiesen, daß die Erdoberfläche in vorangegangenen erdgeschichtlichen Perioden ganz anders ausgesehen hat: Weite Meere bedeckten heutiges Festland; wo jetzt waldreiche Moränenrücken die Seen einfassen, türmten sich noch während der letzten Eiszeit gewaltige Gletscher; wo früher Seen den Himmel widerspiegelten, haben sich nun Moore und Auenwälder breitgemacht.
Ist der Mensch auch nur einer unter vielen Faktoren, dic seit Urzeiten die Landschaft umgestalten, so hat er doch den Prozeß des permanenten Wandels im wahrsten Sinne des Wortes ungeheuer beschleunigt: durch Abholzen der Wälder und die daraus resultierende Bodenerosion; durch Austrocknen der Sümpfe und Regulieren der Gewässer; durch Entmineralisierung des Bodens, chemische Düngung, Ungeziefervernichtungsmittel, Monokulturen, Verunreinigung der Luft, der Flüsse und Meere und was derlei Eingriffe mehr sind, mit denen er glaubte, die Natur ungestraft manipulieren zu dürfen. Freilich – ein bißchen Manipulation sollte

La terre se dépouille lentement

Rien dans la nature ne dure éternellement. Mais si l'on fait abstraction des catastrophes telles qu'éruptions volcaniques, typhons, raz-de-marée ou éboulements, ses transformations bouleversantes s'effectuent si lentement qu'en comparaison d'autres processus historiques, elles donnent l'illusion de stabilité. Le fait que, sans l'intervention de l'homme, notre paysage n'aurait guère changé au cours des derniers sept mille ans souligne cette impression. Mais il est prouvé que la surface de la terre avait un tout autre aspect dans les périodes géologiques précédentes: de vastes étendues de mer recouvraient les terres actuelles; de puissants glaciers s'entassaient encore pendant la dernière période glaciaire là où aujourd'hui la crête boisée des moraines enserre les lacs; d'anciens lacs ont été remplacés par des marais et des prairies.
Si l'homme n'est qu'un des nombreux facteurs qui, depuis la préhistoire, façonnent le paysage, il a néanmoins terriblement accéléré le processus de sa transformation permanente: en coupant les forêts et par l'érosion du sol qui en est résultée; par l'assèchement des marais et la régularisation des cours d'eau; par la déminéralisation du sol, les engrais chimiques, les insecticides, les monocultures, la pollution de l'air, des fleuves et des mers, et toutes les interventions avec lesquelles il pensait pouvoir manipuler impunément la nature. Certes, un petit peu de manipulation ne pouvait pas faire de mal. Car le paysage primitif glorifié aujourd'hui avec nostalgie par certains apôtres de la nature n'était certainement guère accueillant avec ses marécages et

The earth slowly casts its slough

Nothing is permanent in nature. But if we ignore such catastrophes as volcano eruptions, typhoons, tidal waves, or rock slides, the processes of change take place at such a slow speed that, compared with other historical developments, they give the impression of stability. The fact that, apart from changes wrought by man, our countryside has scarcely altered in the last seven thousand years underlines this impression. But it is known that in previous geological periods the surface of the earth looked quite different: some of the present land masses were once covered by vast oceans; immense glaciers towered during the last Ice Age where we now have lake systems interspersed with wooded moraines; former lakes have been replaced by bogland and water-meadows.
Although man is only one of many factors responsible for changing the landscape, he has nevertheless greatly speeded up the process of permanent transformation: by cutting down the forests, with the resultant soil erosion; by draining swamps and regulating rivers; by exhausting the soil, by the use of chemical fertilizers and pesticides, by establishing monocultures, by polluting the air, the rivers and the oceans, and by similar manipulations of nature which he believed he could indulge in with impunity. Of course – a certain amount of manipulation was at first necessary, for the primeval landscape of which some nature-lovers dream today consisted of bogs and impenetrable forests forming a rather inhospitable environment of a kind that was considered to be extremely

zunächst wohl sein. Denn die heute von manchem Naturapostel nostalgisch verklärte Urlandschaft, bestehend aus Sümpfen und undurchdringlichen Urwäldern, war gewiß recht unwirtlich, galt selbst im 18. Jahrhundert, das von einem Zurück-zur-Natur träumte, als ausgesprochen häßlich. Was frühere Generationen dieser Wildnis im Schweiße ihres Angesichts abgetrotzt hatten, das verwandelten sie ja zumeist in fruchtbares Ackerland, in gepflegte Wälder, Gärten und Parklandschaften, in denen sie ihre Dörfer und Städte ansiedelten, Burgen und Pfalzen, Brücken und Mühlen, Klöster, Kirchen und Schlösser erbauten, die unser Landschaftsbild als Blickpunkt und Augenweide noch heute weithin bestimmen.
Begonnen hat der Mensch diese über Jahrtausende hin segensreiche Tätigkeit, nachdem er das Leben eines zwischen Wäldern und Mooren, Dünen und Heiden frei umherschweifenden Jägers und Sammlers aufgegeben und sich zum seßhaften Bauern gemausert hatte. Seit der sogenannten neolithischen Revolution, in der jüngeren Steinzeit also, schickte er sich an, brennend und rodend das Land urbar zu machen, zuerst in den warmen und trockenen Tälern der Mittelgebirge. Mit Sichel und Sense schuf er die Wiesenflur. War ein Feld nach der Ernte ausgelaugt, so ließ er es brach liegen, rodete ein neues Waldstück oder legte den nächsten Sumpf trocken, wie es noch immer in vielen Regionen der Dritten Welt Brauch ist. In Norddeutschland vergrößerte weidendes Vieh die Heiden. Weiteres Ackerland eroberte

ses forêts vierges impénétrables et passait pour franchement laid même au 18e siècle qui rêvait d'un retour à la nature. Ce que les générations précédentes avaient arraché à la sueur de leur front à cette nature inculte fut en effet transformé en terres arables et fertiles, en forêts, jardins et parcs soignés où s'implantèrent villes et villages. Des châteaux et des palais, des ponts et des moulins, des couvents et des églises furent construits qui aujourd'hui encore sont un plaisir pour les yeux.
L'homme a commencé cette activité féconde, qui s'est étendue sur des millénaires, après avoir abandonné la vie de chasseur et de cueilleur errant dans les forêts et les marais, les dunes et les landes, et s'être installé pour travailler la terre. Depuis la révolution néolithique, c'est-à-dire depuis la période la plus récente de l'âge de pierre, il s'est employé en brûlant et en défrichant la terre à la rendre cultivable, à commencer par les vallées subalpines chaudes et sèches. Avec la faucille et la faux, il a instauré la praticulture. Un champ était-il épuisé après la récolte, il essartait une autre partie de la forêt ou asséchait le prochain marécage comme c'est encore l'usage dans de nombreuses régions du tiers monde. En Allemagne du Nord, les bêtes en paissant agrandirent les landes. L'homme conquit de nouvelles terres arables lorsque les pâturages se formèrent sur le sol des forêts brûlées. Les alpages se sont certainement formés à l'âge du fer.
Près de deux mille ans se sont écoulés depuis que les premières tribus celtes, qui ont jadis cultivé nos terres de cette manière, ont été

ugly even by the back-to-nature idealists of the 18th century. The areas that earlier generations wrested from the wilderness were converted by them into fertile land, well-tended woodland, gardens and parks, in which they built their villages and towns, castles and fortresses, bridges and mills, monasteries, churches, and palaces – and it is their work that still largely determines the form of our landscape and lends it its beauty.
Man began this work, which was to pursue a benevolent course for millenia, after he had relinquished his way of life as a hunter and gleaner roving the woods and marshes, dunes and moors, and settled down to work the land. From the so-called Neolithic revolution onwards, he began to make the soil fertile by the slash and burn method – beginning in the warm and dry sub-alpine upland valleys. With sickle and scythe he created meadowland. If a field was exhausted after the harvest he let it lie fallow, cleared a new piece of forest, or drained a new patch of marshland – just as he still does in many areas of the Third World. In north Germany, grazing animals extended the heathland. Further agricultural land was acquired in the Bronze Age, when the first mountain pastures were probably formed on the soil of burned forestland. Such mountain pastures were certainly formed during the Iron Age.
About two thousand years have passed since the older Celtic tribes, who once cultivated our country with such methods, were ousted by the Germanic peoples spreading across the whole of central Europe from the Baltic

sich der Mensch in der Bronzezeit, in der auf dem Boden verbrannter Wälder auch die ersten Almen erblüht sein dürften. Ganz sicher fanden solche Almrodungen in der Eisenzeit statt.
Rund zweitausend Jahre sind vergangen, seit die älteren keltischen Stämme, die einst unsere Lande auf solche Weise bestellten, durch die von der Ostsee her über ganz Mitteleuropa sich ausbreitenden Germanen verdrängt wurden. Die neuen Siedler verfuhren nach gleichem Muster mit der Natur. Anders die Römer, von denen sie am Limes zwischen Donau und Rhein noch eine Zeitlang aufgehalten wurden. Denn die römischen Besatzer waren unseren Vorfahren um etliche Nasenlängen voraus. In den von ihnen okkupierten Gebieten hatten sie das Entstehen einer Kulturlandschaft bereits kräftig vorangetrieben. Aus ihren Siedlungen erwuchsen die ältesten deutschen Städte, darunter Trier und Aachen, Köln und Mainz, Regensburg und Augsburg. Sie errichteten die ersten Bauwerke aus Stein, legten sorgfältig gepflasterte oder geschotterte Straßen an. Da Naturlandschaft nur indirekt geschichtliche Prozesse in Gang zu setzen vermag, erst dann nämlich, wenn sie sich vom Menschen in eine besiedelte, von Verkehrsadern durchzogene Kulturlandschaft hat umwandeln lassen, hatte die von römischen Ingenieuren geschaffene Infrastruktur erheblichen Einfluß auf künftige Entwicklungen. Überdies brachten die Römer neue Kulturpflanzen ins Land, die Walnuß zum Beispiel. Mit dem Rebstock, den sie nicht nur an den sonnigen Hängen über dem

repoussées par les Germains qui se sont répandus dans toute l'Europe centrale à partir de la mer Baltique. Les nouveaux colons agirent avec la nature selon le même principe. Mais les Romains qui les arrêtèrent encore un certain temps au limes entre le Danube et le Rhin avaient des techniques plus élaborées. Dans les région qu'ils occupaient, ils s'étaient activement employés à civiliser le paysage. Leurs colonies ont donné naissance aux premières villes allemandes dont Trêves et Aix-la-Chapelle, Cologne et Mayence, Ratisbonne et Augsbourg. Ils ont édifié les premières constructions en pierre, construit avec beaucoup de soin des route pavées ou empierrées. Le paysage naturel ne pouvant déclencher des processus historiques qu'indirectement, c'est-à-dire seulement lorsqu'il s'est laissé transformer par l'homme en un paysage civilisé, habité, traversé d'artères, l'infrastructure créée par les ingénieurs romains a eu une influence considérable sur les développements futurs. En outre, les Romains introduisirent dans le pays de nouvelles plantes, le noyer par exemple, et certainement pour le plus grand plaisir de nos ancêtres la vigne qu'ils plantèrent sur les versants ensoleillés du Rhin et dans de nombreuses autres régions.
Entretemps les peuples s'étaient mis en mouvement. Des influences politiques gagnées à la faveur d'occupation de terres, par les tribus et les guerres de conquête abrogèrent de plus en plus les frontières naturelles. Les Romains se retirèrent à nouveau derrière les Alpes. Tandis que

region. The new settlers used the same methods to come to terms with nature. The Romans, who succeeded for a while in stemming the forward thrust from the north along their line of defence called the *limes* between the Danube and the Rhine, were more sophisticated in their techniques. They had already gone'a long way towards establishing "cultural landscapes" in the occupied regions. It was from their settlements that the oldest German cities developed: Trier and Aachen, Cologne and Mainz, Regensburg and Augsburg, for example. They erected the first stone buildings, and constructed the first paved or rubble roads. A natural landscape can only indirectly set historical processes in motion once it has been converted into a cultural landscape by settlement and road construction, as was the case when Roman engineers created an infrastructure that had a considerable influence on future developments. Furthermore, the Romans introduced new plants to the country – the walnut, for example, and, no doubt to the delight of our forebears, also the vine, which they planted on the sunny slopes above the Rhine and in many other areas.
By this time, the migration of the peoples had started. Political factors resulting from the seizure or conquest of land by tribal chiefs increasingly reduced the importance of natural boundaries. The Romans withdrew to behind the Alps again. While Charlemagne united the West German tribes in his Frankish empire, the Slavs began to advance into the regions east of the Elbe. The population

wunderschönen deutschen Rhein ansiedelten, dürften sie sich bei unseren Vorfahren besonders beliebt gemacht haben.
Unterdessen waren die Völker in Bewegung geraten. Politische Einflüsse durch Besitznahme, durch Stammesherrschaften und Eroberungskämpfe setzten natürliche Landschaftsgrenzen zunehmend außer Kraft. Die Römer zogen sich wieder hinter die Alpen zurück. Während Karl der Große die westdeutschen Stämme in sein Frankenreich einbinden konnte, stießen in den ostelbischen Gebieten die Slawen vor. Die Menschen vermehrten sich, also brauchten sie immer mehr Weiden und fruchtbares Ackerland. Seit dem 8. Jahrhundert drangen sie brennend und rodend nun auch in die unwegsamen Gebiete der Mittelgebirge vor, Ortsnamen auf -rode, -rath, -reuth, -wald oder -hagen geben heute noch Zeugnis davon. Regen Anteil an der Urbarmachung des Landes nahmen die Klöster. Über Jahrhunderte bewährten sich die Mönche als Pioniere eines vorbildlichen Acker- und Gartenbaus. Sie führten neue Pflanzen ein, kultivierten Weinberge, veredelten Obstsorten, waren erfolgreiche Haustierzüchter und säumten auch nicht, solche Kenntnisse an die Bauern weiterzugeben.
Schon im Mittelalter steigerten sich die Eingriffe in die Landschaft mitunter bis an die Grenzen des Raubbaus. Die Menschen jener Epoche konnten das freilich nicht ahnen, ganz abgesehen davon, daß sie zur Natur ein gebrochenes Verhältnis hatten. Einerseits empfanden sie eine innige Verbundenheit mit ihr – sie spiegelt sich in der damaligen

Charlemagne absorbait les tribus germaniques occidentales dans son empire franc, les Slaves pénétraient dans les régions à l'Est de l'Elbe. Les populations s'accrurent et eurent donc besoin de plus grandes étendues de prairies et de terres fertiles. A partir du 8e siècle, brûlant et déboisant, elles avancèrent également dans les régions subalpines et les noms de localité qui se terminent en rode, rath, reuth (du mot allemand roden = déboiser) ou wald et hagen (= forêt) rappellent cette époque. Les couvents prirent une part active au défrichement des terres. Pendant des siècles, les moines s'affirmèrent comme les pionniers d'une agriculture et d'une horticulture exemplaires. Ils introduisirent de nouvelles plantes, élevèrent avec succès des animaux domestiques et ne manquèrent également pas de transmettre leur savoir aux paysans. Dès le Moyen Age, les interventions de l'homme dans la nature frisent parfois l'exploitation abusive. Les hommes de cette époque ne pouvaient évidemment pas s'en rendre compte d'autant plus qu'ils avaient des rapports mitigés avec la nature. D'une part, ils se sentaient en étroite communion avec elle – la littérature de l'époque l'atteste, ainsi par exemple les Carmina burana de la poésie goliarde ou les poèmes de Walter von der Vogelweide qui qualifiait les prairies et les pâturages de demi-royaume céleste. D'un autre côté, les Alpes par exemple passaient pour être quelque chose de terrible, de menaçant; de fortes chutes de neige dans la montagne pouvaient en effet entraîner une catastrophe en coupant les hommes du

increased, so that more and more pasture and arable land was needed. From the 8th century they moved into the sub-alpine regions, burning and clearing the forests: place-names ending in -rode, rath, -reuth, (derived from the German word *roden* = to clear), or -wald and -hagen (= wood) recall this period. The monasteries played an important part in this process of creating arable land. For centuries, the monks were pioneers in the fields of agriculture and horticulture. They introduced new plants, cultivated vineyards, bred improved varieties of fruit, were good husbandmen, and passed their knowledge on to the peasants. By the Middle Ages, manipulation of nature was already approaching the level of ruthless exploitation in some places. The people of that period, however, were not conscious of the potential danger of what they were doing, quite apart from the fact that they in any case had a dual relationship with nature. On the one hand, they were still very much integrated in their environment – this is reflected, for example, in the literature of the period, in the Goliardic Carmina burana or in Walter von der Vogelweide's verse, in which he, in one place, describes meadows and greens as "half a kingdom of heaven". On the other hand, the Alps, for example, were regarded as something terrible, threatening; a violent snowstorm in the mountains could, after all, cause a catastrophe if it cut communities off from the outside world, or prevented them from fetching the wood for their life-giving fires. It is said that even in 1760, the German

Literatur, etwa in den Carmina burana der Vagantendichtung oder bei Walther von der Vogelweide, der Au und Anger »halb ein Himmelreich« genannt. Anderseits galten beispielsweise die Alpen als etwas Schreckliches, Bedrohliches; konnte doch schon ein heftiger Schneefall im Gebirge eine Katastrophe auslösen, wenn er die Menschen von ihrer Umwelt abschnitt, sie gar daran hinderte, Holz für das lebenswichtige Feuer zu holen. Ja noch im Jahre 1760 soll Winckelmann auf dem Wege nach Rom erschrocken die Gardinchen in seiner Reisekutsche zugezogen haben, als vor seinen Augen die gewaltige Kulisse des St. Gotthard auftauchte. Der Wald spielte in der Literatur lange Zeit die Rolle, die er im Märchen innehat: Er war ein Topos für unkalkulierbare Gefahren, für Begegnungen mit Elfen und Zwergen, aber auch mit Hexen und bösen Zauberern, mit mancherlei spukhaftem Gelichter, das dem Wanderer im schummrigen Hinterhalt auflauert; ein unheimlicher Ort, den man fürchtet und meidet.
Im 12. Jahrhundert setzte die rund zweihundert Jahre währende Kolonisation der ostelbischen Gebiete ein, vorangetrieben von weltlichen und geistlichen Herren, von Ordensrittern und Ordensbrüdern. Zumal der Deutsche Orden gründete Städte und baute jene Kloster- und schloßähnlichen Ordensburgen, die zu den schönsten Denkmälern der norddeutschen Backsteingotik zählen. Zum Christentum bekehrte Slawenfürsten förderten die Kolonisation. Auch in dieser Region wurden nun immer mehr Sümpfe ausgetrock-

monde extérieur, en les empêchant de chercher du bois pour le feu vital pour eux. En l'an 1760, sur le chemin de Rome, l'archéologue allemand J. J. Winckelmann aurait même tiré avec effroi les rideaux de sa voiture en voyant apparaître la silhouette massive du St. Gothard. Pendant longtemps la forêt a joué dans la littérature le rôle qu'elle possède dans les contes: c'était le cadre de dangers incalculables, de rencontres avec des elfes et des nains mais aussi avec des sorcières et de méchants magiciens, avec toutes sortes d'êtres fantomatiques qui attiraient le promeneur dans une sombre embuscade; un lieu sinistre que l'on craignait et évitait.
Au 12e siècle commença la colonisation, qui allait durer quelque deux cents ans, des régions à l'Est de l'Elbe, activée par les seigneurs séculiers et les chefs religieux, les chevaliers et les ordres monastiques. L'Ordre Teutonique surtout fonda des villes et construisit ces abbayes et ces châteaux qui comptent parmi les plus beaux monuments de l'architecture gothique de briques de l'Allemagne du Nord. Les princes slaves convertis au christianisme encouragèrent la colonisation. Dans cette région également de plus en plus de marais furent asséchés et de forêts déboisées. De ces terres fraîchement conquises sortirent les villages-rues. Composés de deux rangées de maisons se faisant face de chaque côté d'une rue large et droite, les maisons alignées comme des soldats dans la cour d'une caserne, ils paraissent évidemment bien monotones comparés aux villages-tas plus anciens d'Allemagne occidentale. Tout

archaeologist J. J. Winckelmann, when on his way to Rome, drew the curtains in his carriage in horror when the tremendous St. Gotthard range loomed up before him. For a long time, the forest preserved its fairytale role in literature: it was depicted as a place of incalculable dangers, of encounters with elves and gnomes, witches and magicians and ghostly lights that would lure harmless travellers into hidden dangers; it was a mysterious, frightening place to be feared and avoided.
In the 12th century, the colonization of the regions to the east of the River Elbe began; it was to last for two hundred years, organized by secular and religious leaders, by knightly and monastic orders. The Teutonic Order, in particular, founded towns and erected those monastic and palace-like castles which are among the finest brick-built Gothic monuments in north Germany. Slav princes, converted to Christianity, encouraged colonization. In this region, too, an increasing amount of drainage and forest clearance was carried out. 'Street-villages' sprung up on the newly gained ground: consisting of a single row of houses strung along either side of a broad, straight road, like soldiers drawn up on the parade ground, they seem very monotonous compared with the older 'cluster villages' in west Germany, just as do the towns founded in that period and laid out in a grid-iron pattern, compared with the older, organically-developed ones with their labyrinth of picturesque streets and alleys. The western agricultural units, too, still seem

net, Wälder abgeholzt. Aus dem frisch gewonnenen Boden wurden die sogenannten Straßendörfer gestampft. Bestehend aus zwei einander gegenüberliegenden Häuserzeilen entlang einer breiten, linealgeraden Straße, die Häuser in Reih und Glied angetreten wie auf dem Kasernenhof, wirken sie im Vergleich zu den älteren westdeutschen Haufendörfern freilich arg eintönig. Nicht anders die schachbrettartig angelegten neuen Städte gegenüber den natürlich gewachsenen älteren mit ihrem verwinkelten Gassengewirr. Selbst die ländlichen Strukturen, im Osten traditionell bestimmt durch den Großgrundbesitz, der heute durch kollektive Wirtschaftsformen abgelöst ist, nehmen sich vergleichsweise im Westen noch immer sympathisch kleinkariert aus. So gibt das Landschaftsbild auch außerhalb der Ortschaften manches historische Datum preis. Viele unserer Wege folgen geschichtlichen Spuren, ziehen längst verwehte Grenzen nach, verbinden Kirchen und Dörfer, über die die Zeit hinweggeschritten ist. Auch Flurnamen, an alte Gräber, vorrömische Herrensitze oder bronzezeitliche Siedlungen erinnernd, sind für den Historiker wertvolle Informanten.

comme les nouvelles villes disposées en échiquier comparées aux anciennes qui ont grandi de façon naturelle avec leur dédale de rues. Les structures rurales occidentales ont également des dimensions sympathiques comparées à celles de l'Est traditionnellement organisées en grosses propriétés foncières et qui ont été remplacées aujourd'hui par des entreprises collectives. Ainsi, à l'extérieur des localités, le paysage reflète-t-il le cours de l'histoire. Un grand nombre de nos routes suivent des traces historiques, des frontières depuis longtemps effacées, relient des églises et des villages sur lesquels le temps a passé. Les noms des champs qui rappellent parfois d'anciennes tombes, des palais d'avant les Romains ou des colonies de l'âge de bronze sont pour l'historien autant d'informations précieuses.

pleasantly small and appealing compared with those in the east, which were traditionally organized as large estates, and which have now been taken over by collectives. Thus, the landscape outside the built-up areas also reflects the course of history. Many of our roads follow historical trails, betray the existence of long-forgotten boundaries, connect churches and villages long buried by time and further development. Even the names of fields and pastures, which sometimes recall old graves, pre-Roman palaces, or Bronze Age settlements, provide valuable information for the historian.

▸ **Bei Suppingen, Schwäbische Alb.** Er ist zu sehen, der Herbst: die Bäume verfärben sich – zu fühlen: die Morgen sind frisch, die Mittagsstunden warm – zu riechen: die frisch aufgewühlte Erde der Felder, das Kraut und die Kartoffelfeuer und im Keller der starke Duft von Äpfeln.

▸ **Près de Suppingen, Jura Souabe.** L'automne, on le voit: les arbres changent de couleur – on le sent: les matins sont frais, l'air est chaud à midi – on le respire: la terre des champs fraîchement retournée, l'odeur du chou et des pommes de terre dans l'air et dans la cave le parfum insistant des pommes.

▸ **Near Suppingen, Swabian Uplands.** Autumn can be seen: the trees are changing their colour – can be felt: the air is chilly in the morning, warm by midday – can be smelled: freshly-cultivated earth, cabbage, and burning potato plants, and, in the cellar, the rich smell of apples.

◂ **Schopflocher Moor, Schwäbische Alb.** Ein Moor auf der Schwäbischen Alb, die doch »überall leck ist wie ein rinnendes Faß«! Das einzige Hochmoor auf der Alb, und so ist es aufgrund der Untersuchungen entstanden: Ein Vulkanschlot füllte sich mit wasserstauendem Basalttuff, und in der tellerförmigen Wanne bildete sich ein abflußloser See, an dessen Rändern in der mittleren Steinzeit Menschen lebten. Allmählich verlandete der See aber, aus den Ablagerungen baute sich ein Hochmoor auf, das, in der Mitte leicht gewölbt, zum Rand hin leicht abfiel und dort einen flachen, ringförmigen, immer feuchten Graben formte. In einer Zeit, als es noch keine Pollenanalysen und Bohrungen gab, heftete sich an diese eigentümliche Erscheinung des kreisrunden Grabens die Sage von einer versunkenen Stadt.
Das Hochmoor, das mit der Zeit zur Heidelandschaft wurde und ein Wäldchen auf sich trug, finden wir erstmals erwähnt im Zusammenhang mit dem württembergischen Baumeister Heinrich Schickhard. Er ließ 1625 im Moor bohren, zu einer Ausbeutung kam es aber nicht. Erst rund 150 Jahre später, 1784, holt sich der Kirchheimer Kaufmann Glöckler beim herzoglichen Rentamt in Stuttgart die Erlaubnis zum Torfstich im Schopflocher Moor, »zur Ersparung von Holz«. Das Moor »sei eine bloße Wüsten« und käme als Ödland »der Herzoglichen Durchlaucht allein zu«. Er bekommt die Erlaubnis, da sich der Betrieb aber nicht lohnt, verkauft er seinen Besitz 1797 schon wieder. Allein, der Anfang war gemacht, und durch den Torfabbau im 19. Jahrhundert blieben von dem an die fünf Meter hohen Hochmoor gerade noch zwei kleine, von Büschen und Bäumen bestandene Hügel übrig.
1931 begann nun der Schwäbische Albverein mit Unterstützung der württembergischen Naturschutzstelle das Gebiet aufzukaufen und sich selbst zu überlassen. Seit 1942 steht es unter Naturschutz.
Das Schicksal des Schopflocher Moores, »durch seinen hohen biologischen und vegetationsgeschichtlichen Wert eines der wertvollsten Naturschutzgebiete im Regierungsbezirk Stuttgart«, weist einige Parallelen z. B. zum Schwenninger Moos und zur Lüneburger Heide auf und zeigt deutlich, daß nicht nur die Zerstörung der Natur in erschreckendem Ausmaß zugenommen hat, sondern läßt auch das wachsende Bewußtsein der heutigen Menschen von der Notwendigkeit des Naturschutzes erkennen.

◂ **Tourbière de Schopfloch, Jura Souabe.** Une tourbière dans le Jura souabe alors que sa surface est généralement sèche du fait du calcaire qui le compose? L'explication de ce phénomène. La cheminée d'un volcan s'est remplie de tuf balsaltique imperméable et dans cette cuvette s'est formé un lac sans écoulement sur les bords duquel ont vécu des hommes à l'âge de la pierre. Peu à peu le lac s'est envasé constituant une tourbière avec un centre légèrement surélevé entouré d'un fossé humide. Autefois – avant l'invention de l'analyse des pollens – la forme ronde de ce fossé avait alimenté la légende d'une ville engloutie.
Comme la tourbière de Schwenning, la tourbière de Schopfloch a beaucoup souffert de l'exploitation de la tourbe au 19e siècle. En 1931, l'Association du Jura Souabe a commencé à acheter petit à petit la région et depuis 1942 c'est un site classé. Elle renferme une extraordinaire variété de mousses, d'herbes et de plantes rares.

◂ **Schopfloch Moor, Swabian Uplands.** A moor in the Swabian Uplands, whose surface, thanks to the limestone of which they are composed, is generally as dry as a bone? – Remarkable, but true. It was formed as follows: the shallow crater of an extinct volcano, lined with impermeable basalt tuff gradually filled with water, forming a lake with no drainage on whose shores there were human settlements in the Stone Age. In the course of time the lake silted up, forming a moor with a slightly raised centre surrounded by a ring-shaped, damp ditch. In earlier times, before the invention of pollen analysis, the peculiar shape of this moor inspired a legend of a sunken city. Like Schwenning Moor, the Schopfloch Moor suffered badly from the exploitation of its peat in the 18th century. In 1931, the Swabian Alpine Club began to purchase the area piece by piece, and it has been a protected landscape since 1942. It contains an extraordinarily wide variety of mosses, grasses, and rare plants.

◂ **»Neckarursprung«, Schwenninger Moos, Baar.** Unsicher wa[illegible]e der sumpfige Boden des Moores –, welches der zahlreichen Moorwässer und Rinnen denn wirklich der Ursprung des Neckars sei. Seit rund 50 Jahren ist er laut Beschluß des Stadtrates von Schwenningen hier zu suchen.
Unsicher wie der sumpfige Boden des Moores war auch, ob die auf knapp 100 Hektar zusammengeschrumpfte intakte Mooslandschaft nicht letzten Endes doch dem Torfstich oder der Abfallbeseitigung zum Opfer fällt. 1939 wurde sie unter Naturschutz gestellt.

▸ **Ruine Hohenrechberg, Schwäbische Alb.** »Er ist der größte Wüterich gewesen, als bei unserem Bedenken einer in Deutschland war, er hatte allweg Krieg ... auch unsäglich viel Menschen umgebracht und Mörderei gestiftet mit Städteeinnahmen.« Gemeint ist das schwarze Schaf der Rechberger, Hans, der im 15. Jahrhundert von dieser Burg aus zu seinen Raubzügen aufbrach. Denn im übrigen hat dieses den Staufern nahestehende Geschlecht bedeutende Persönlichkeiten hervorgebracht. Als die Burg 1865 durch ein Wintergewitter ausbrannte, zogen die Grafen nach Donz[illegible] wo deren Nachkommen noch heute das Schloß bewohnen.

◂ **Source du Neckar, tourbière de Schwenning, Baar**. Pendant longtemps on n'a pas su lequel des nombreux cours d'eau qui sillonnent la tourbière était la véritable source du Neckar, mais, il y a 50 ans, le conseil municipal de Schwenningen a adopté une résolution aux termes de laquelle celle-ci se trouve à cet endroit. Pendant longtemps également on n'a pas su si ce paysage intact de tourbière réduit à 100 hectares résisterait à l'exploitation de la tourbe ou deviendrait un dépôt d'ordures, mais en 1939 il a été placé sous la protection des sites.

▸ **Ruines du Hohenrechberg, Jura Souabe**. L'arbre généalogique de la famille des Rechberg remonte au Moyen-Age. Son château n'a pas été détruit par un acte de guerre mais par la foudre en 1865.

◂ **Source of the Neckar, Schwenning Moos, Baar**. For a long time it was uncertain which of the many streams and watercourses in the moor was actually the source of the River Neckar, but about 50 years ago the town council of Schwenningen passed a resolution stating that it was here. It was uncertain for a long time whether this intact moor, which had been reduced to some 100 hectares, would survive its exploitation for peat and as a depository for rubbish, but in 1939 it was declared a nature reserve.

▸ **Hohenrechberg Castle ruins, Swabian Uplands**. The Rechberg family can trace its origins back to the Middle Ages. Their castle was not destroyed by an act of war, but by lightning in 1865.

▸ **Schloß Hohenzollern, Südwürttemberg.** So ganz anders sind *diese* Terrassen, sanft geschwungen in die Himmelslinien übergehend.
Ich denke an Friedrich den Großen, der – falls er in Berlin oder Potsdam sterben sollte – beim Schein der Laterne nach Sanssouci gebracht und um Mitternacht auf der obersten Terrasse des Weinberges beigesetzt werden wollte. Man erfüllte seinen Wunsch nicht. Doch 1952 endete die Irrfahrt seines Sarkophages nach Kriegsende schließlich auf dem Stammsitz seines Geschlechtes.
So ganz anders sind *diese* Terrassen, ist *dieses* Schloß ...

▸ **Château des Hohenzollern, Sud-Wurtemberg**. C'est la résidence de famille des rois de Prusse. Deux d'entre eux, Frédéric Guillaume Ier, le «roi soldat» et Frédéric le Grand y ont finalement trouvé leur dernière demeure après la longue odyssée de leurs sarcophages après la dernière guerre mondiale.

▸ **Hohenzollern Castle, South Württemberg**. The seat of the Prussian kings. Two of them, Friedrich Wilhelm I, the "Soldier King", and Frederick the Great found their last resting place here after their sarcophagi had been shipped hither and thither in the confusion following the last world war.

▸ **Schloß Mochental bei Ehingen, Schwäbische Alb.** Angeblich hat Papst Leo IX. 1052 die dem heiligen Nikolaus geweihte Kapelle zu Mochental mit eigener Hand geweiht. Sie gehörte zum Kloster Zwiefalten. Räuber plünderten 1251 die Kirche und zerstörten sie. Wer den Wiederaufbau unterstützte, bekam einen vierzigtägigen Ablaß. Zweihundert Jahre später war Mochental nachweislich Propstei, »Recreationsort« der Herren von Zwiefalten im Sommer, und nach der Säkularisation 1803 Ruhesitz des letzten Zwiefaltener Abtes. Hier ließ sich gut jagen auf der bewaldeten Hochfläche, die Landgericht heißt, weil sie in früherer Zeit einmal als Gerichtsstätte diente, und anschließend im Hubertussaal speisen, wie es ein Blick an die Decke des Saales zeigt. Dieses Gemälde, ein orientalisches Festmahl darstellend, und die Stuckvögel und Götterbüsten im Hubertussaal ließ sich der Abt 660 Gulden kosten, als im 18. Jahrhundert die Anlage neu aufgeführt wurde.
Nach dem Tod des letzten Abtes war Mochental württembergischer Behördensitz, von einem Förster bewohnt, von 1953 bis 1975 diente es als Schule, die aber wegen zu hoher Betriebskosten wieder aufgegeben wurde.

▸ **Château de Mochental près d'Ehingen, Jura Souabe**. A cet endroit entouré de forêts et de prés, l'abbaye de Zwiefalten possédait d'abord une chapelle à laquelle fut ajouté au 15e siècle un prieuré pour accueillir quelques moines. Au 18e siècle un nouveau prieuré fut construit à grands frais comme retraite d'été pour les abbés de Zwiefalten. Ceux-ci payèrent 260 florins pour le tableau dans la grande salle représentant un festin oriental et 400 florins pour les cartouches, oiseaux et bustes de dieux. Le dernier des abbés de Zwiefalten mourut à Mochental où on l'avait envoyé après la sécularisation.

▸ **Mochental Palace near Ehingen, Swabian Uplands**. This was once the site of a chapel, belonging to the Abbey of Zwiefalten, to which a priory housing a few monks was added in the 15th century. The priory was rebuilt in the 18th century at considerable expense as a summer retreat for the Abbots of Zwiefalten. They paid 260 guilders for the painting in the great hall representing an oriental feast, and 400 guilders for the cartouches, birds, and busts of gods. The last of the Zwiefalten abbots died in Mochental where he had been sent in retirement after the Secularization.

◂ **Blick vom Belchen auf Rheintal und Alpen, Südschwarzwald.** Wenn sich die samtüberzogenen Kuppen so ins Nebelmeer wellen, wenn das Braungold und das Herbstblau schon verglühen, dann ist es Zeit, noch etwas von den warmen, sanften Farben mitzunehmen. Der Winter ist lang, blank und weiß.

◂ **Vue du mont Belchen sur la vallée du Rhin et les Alpes, Sud de la Forêt-Noire**. Lorsque les sommets à la robe de velours ondulent ainsi dans une mer de brouillard, lorsque le brun or et le bleu automnal s'estompent, alors il est temps de faire provision dans ses souvenirs de couleurs chaudes et douces. Car l'hiver est long, brillant et blanc.

◂ **View from Mt. Belchen of the Rhine Valley and the Alps, South Black Forest**. "Look thy last on all things lovely, / Every hour ..." was Walter de la Mare's advice, and it is very much to be taken seriously when the autumn shades begin to fade and the mist creeps into the valleys, and the long, bleak, white winter is on its way.

▸ **Sturmtag am Bodensee bei Wasserburg.** Der liebliche Bodensee so in Aufruhr! Hat vielleicht jemand gerufen
»Mantje Mantje Timpe Te,
Buttje Buttje in der See ...«
und hat noch dazu ein böses Weib zu Hause?
Schon manch einer, der die Sturmwarnungen in den Wind schlug und sich auf den See hinausgewagt hat, ist nicht mehr zurückgekehrt. Hier wie im Märchen wird es böse enden, wenn der Mensch sich überschätzt und die Naturgewalten herausfordert.

▸ **Journée orageuse sur le lac de Constance près de Wasserburg**. Ce lac si paisible peut être traître à ses heures et plus d'un qui n'a pas écouté les avertissements les jours de tempête n'est plus jamais rentré au port.

▸ **Stormy day on Lake Constance near Wasserburg**. Hard to believe that gentle Lake Constance could ever look like a setting for "King Lear"! But, in fact, it has happened on a number of occasions that people have set out in boats in defiance of the storm warnings and have never returned.

◂ **Killenweiher bei Salem, Linzgau.** Abseits der großen Straßen tut sich hier ganz unvermutet eine stille Welt auf: der Weiher, die hohen Bäume und Büsche, alles versunken ins Spiegelspiel.
Kaum einer weiß, daß auf der Halbinsel Killenberg der berühmte Stukkateur Joseph Anton Feuchtmayer seinen Wohnsitz nahm und jahrzehntelang, bis zu seinem Tode, hier lebte. Nachdem er die Werkstatt seines Vaters im nahegelegenen Mimmenhausen übernommen hatte, konnte er 1721 vom Kloster Salem einen Gutshof auf Killenberg erwerben. Johann Georg Dirr, ein Schüler Feuchtmayers, meißelte auf die Grabplatte folgenden Lebenslauf seines Meisters:
»An diesem Ort ruht Herr Joseph Anton Feuchtmayer/ In Linz geboren/ In Schongau aufgewachsen/ In Salem ausgebildet/ Vater von sieben Kindern/ die ihm alle/ im Kleid der Unschuld glänzend/ oder durch feierliche Gelübde Gott geweiht/ zum Himmel vorausgegangen sind/ ein ausgezeichneter Bildhauer/ der die Kirchen von Salem, Einsiedeln, Birnau und St. Gallen mit Altären und Statuen geschmückt hat/ im Jahre des Heils 1770 ging er im Alter von 74 Jahren den Weg alles Fleisches/ er lebe mit den Seinen in Gott.«

◂ **L'étang de Killen près de Salem, Linzgau**. Un coin paisible à l'écart des grandes routes: l'étang bordé de hauts arbres et de buissons qui se reflètent dans ses eaux tranquilles. Josef Anton Feuchtmayer, le célèbre sculpteur et stucateur a vécu plus de cinquante ans, jusqu'à sa mort en 1770, dans la presqu'île de Killenberg qui s'avance dans l'étang.

◂ **Lake Killen near Salem, Linzgau**. Get away from the main roads, and you enter another world here: the lake, the tall trees, and bushes, all engaged in reflection. Another surprise is the fact that the famous sculptor and stuccoer Joseph Anton Feuchtmayer lived on the peninsula Killenberg, which projects into the lake, for more than 50 years until his death in 1770.

◂ **Pfronten-Berg, Allgäu, mit Pfarrkirche St. Nikolaus.** Ein Suchbild. Es ist braun und schnell und nur zu sehen, weil es noch stiller Morgen ist. Ein guter Rat: der Kirchturm mit der Glockenblumenhaube lenkt nur ab – von den beiden Rehen im Rauhreifgras.
Ad frontes Alpium, an der Grenze der Alpen, verlief eine Römerstraße. Heute umfaßt der Name Pfronten nicht weniger als 13 Ortschaften.

▸ **Zugspitze von Nordosten, Oberbayern.** Lange wachte der Zuggeist in Gestalt eines riesigen Geiers über die Unberührtheit des Zugspitzes, so daß es als Vermessenheit galt, ihn zu besteigen. Die erste Landvermessung im Auftrag des »Königlich bairischen Topographischen Bureaus« war 1820 der Anlaß für die erste Besteigung des Zugspitzes. Die Menschen vertrieben den Zuggeist und nannten den Berg nun *die* Zugspitze (1836). »Zug« bedeutet alemannisch „Lawinenbahn".

◂ **Pfronten-Berg, Allgäu, avec l'église paroissiale St.-Nicolas.** Une voie romaine passait autrefois ici *ad frontes Alpinum,* le long des Alpes d'où le nom de Pfronten-Berg qui n'englobe pas moins de treize localités. En cherchant un peu sur la photo, vous découvrirez deux chevreuils en train de petit-déjeuner sur l'herbe givrée en bordure des maisons et de l'église dont le clocher a la forme d'une campanule.

▸ **La Zugspitze vue du Nord-Ouest, Haute-Bavière**. Jusqu'au début du 19e siècle, le massif de la Zugspitze était un territoire vierge et passait pour un endroit dangereux habité par un esprit malin incarné dans un vautour. La première ascension du massif eut lieu en 1820 dans le cadre d'un arpentage.

◂ **Pfronten-Berg, Allgäu, with the parish church of St. Nicholas**. Puzzle picture: it is brown, quick, and only to be seen here because it is an early morning scene. Hint: the church tower with the harebell-shaped spire distracts attention – from the two deer breakfasting in the frosty grass. A Roman road once ran past here *ad frontes Alpinum*, along the borders of the Alps, and this was the origin of Pfronten-Berg's name and of others in the area.

▸ **The Zugspitze from the north-east**. The Zugspitze Massif was virgin territory, and was considered to be a dangerous place inhabited by an evil spirit in the form of a vulture, until the beginning of the 19th century. It was first climbed during a land survey in 1820.

▸ **Alpsee mit Schloß Hohenschwangau, Allgäu.** Wer als Kind nicht »auf dem Spiegel des Alpsees« die Nibelungensage las, wer nicht täglich die Bilder des Schwanenritters Lohengrin im Haus seines Vaters in sich aufgenommen hat (Gemälde mit Alpsee und Hohenschwangau als Kulisse), wer nicht als Kind auf dem Weg zu seinem in Marmorfelsen gesprengten Bade von der Wendeltreppe aus Hertha den Frühlingsgott empfangen sah und auch keinen Felsblock als Türe zu bewegen brauchte und auch keine Aussicht hat, König von Bayern zu werden, kann der anders, als in den Äußerungen Ludwigs II. die eines Wahnsinnigen zu sehen? Auch als König residierte er den größten Teil des Jahres im Schloß Hohenschwangau, das sein Vater romantisch-schwärmerisch hatte umbauen lassen. 1869, sieben Jahre vor dem mysteriösen Tod des Märchenkönigs, begannen die Bauarbeiten an dem später Neuschwanstein genannten Schloß. So wie der Bildbetrachter konnte er in die Landschaft schauen, und seinem Maschinenmeister Brand befahl er, für Fahrten über den Alpsee eine Flugmaschine zu bauen.

▸ **Alpsee avec le château de Hohenschwangau, Allgäu.** Le roi Louis II de Bavière pouvait jouir de la même vue de son château, le Neuschwanstein et contempler le château de son père, le Hohenschwangau où il passa la plus grande partie de sa jeunesse entouré dans ses rêves des personnages de la légende des Nibelungen.

▸ **Lake Alp with Hohenschwangau Castle, Allgäu.** King Ludwig II could enjoy this same view from his castle, called Neuschwanstein, and look down on Hohenschwangau, his father's castle, where he spent the greater part of his youth surrounded, in his imagination, by the characters of the Nibelungen saga.

Worin liegt die Faszination des Sees? Er ist ein Sehnsuchtsbild der Seele. Eingefaßt wie ein Juwel, klar und tief, und die Bilder von draußen können seine Ruhe nicht stören. Der See spiegelt sie, kräuselt das Sonnenlicht, verwandelt sich in den Himmel und kehrt wieder in sich zurück.
◂ Stallauer Weiher bei Bad Tölz, Oberbayern
▾ Geroldsee gegen Karwendelgebirge, Oberbayern

Lacs fascinants, chantés par les poètes. Sertis comme des diamants, clairs et profonds, rien ne semble devoir troubler leur calme. Caressés par le soleil, azurés par le ciel, ils sont comme un désir de l'âme.
◂ Etang de Stallau, près de Bad Tölz, Haute-Bavière
▾ Le Geroldsee avec au fond la chaîne du Karwendel

What is it about lakes that is so fascinating? They are like a Shangri-La of the soul, set like gems, clear and deep, their tranquillity undisturbed by the outer world. The lake reflects it; ruffles the sunlight; mirrors the sky; and then returns to its own life of introspection.
◂ Lake Stallau near Bad Tölz, Upper Bavaria
▾ Lake Gerold with the Karwendel Range in background

▾ Ehemalige Klosterkirche in Diessen am Ammersee, Oberbayern. Zahlreich wie die Seen, die Perlen der Landschaft, sind die Perlen des Barock in den Kirchen und Klöstern Oberbayerns. Kulissenartig führen die Säulen in der von Johann Michael Fischer entworfenen Kirche (1732–1739) zum Hauptaltar, und dieser *ist* Kulisse: Je nach Festtag kann das Altarbild gewechselt werden.

▸ Kirchsee mit Kloster Reutberg bei Bad Tölz, Oberbayern. Mit den Birken im Einklang thront auf einer Wölbung über zartblauem See das Kloster, dahinter die Berge als prächtige Kulisse – ein Bild der Ruhe und Einstimmung auf die Andacht vor dem Gnadenbild der Muttergottes.

▾ Ancienne abbatiale à Diessen sur l'Ammersee, Haute-Bavière. Cette merveilleuse église construite de 1732 à 1739 est l'œuvre de Johann Michael Fischer. Comme dans un théâtre les décors dirigent le regard vers le fond de la scène, les piliers dirigent ici l'attention vers le maître-autel. Et le maître-autel lui-même est un élément de décor: ses tableaux peuvent être changés selon la fête que l'on célèbre.

▸ Kirchsee et abbaye de Reutberg près de Bad Tölz, Haute-Bavière. S'harmonisant avec les bouleaux, l'abbaye trône sur un tertre au-dessus du lac d'un bleu tendre sur un merveilleux fond de montagnes – un tableau paisible en parfaite harmonie avec l'aura de paix qui entoure l'image miraculeuse de la Vierge à l'intérieur de l'abbaye.

▾ Former Monastery Church in Diessen on Lake Ammer, Upper Bavaria. The pillars direct the attention to the high altar as the wings in a theatre direct the gaze to the back of the stage. And the high altar itself is like a piece of décor: the painting can be changed to match the feast day being celebrated. This splendid church was designed by Johann Michael Fischer and was built between 1732 and 1739.

▸ Lake Kirch with Reutberg Monastery near Bad Tölz, Upper Bavaria. In tune with the beech trees, the monastery is enthroned on a knoll over the delicately blue lake, with the mountains forming a magnificent backdrop – a picture of peace matching the aura of peace that emanates from the miraculous image of the Madonna inside.

▸ **Simssee mit Kampenwand, Chiemgau, Oberbayern.** Es ist, als käme erst im Spiegelbild dieses klaren und noch ruhigen Sees die ganze Harmonie der Landschaft zum Vorschein.

▸ **Le Simssee avec le Kampenwand, Chiemgau, Haute-Bavière**. C'est comme si l'harmonie de ce paysage atteignait à la perfection en se reflétant dans les eaux tranquilles du lac.

▸ **Lake Sims with the Kampenwand Range, Chiemgau, Upper Bavaria**. It is almost as if the harmony of the landscape only reaches its fulfilment in its mirror-image in the lake.

◂ **Osterseen gegen Seeshaupt und Starnberger See, Oberbayern.** Im Flug werden die Osterseen ihrer stillen Schönheit beraubt und in ihrer Struktur bloßgelegt: untereinander verbundene Pfützen mit braunen Rändern; am Südende des Starnberger Sees; am Rand eines weiten Moorgebietes.

▸ **Bayerischer Wald bei Kleinloitzenried.** Das Waldgebirge, eine schier unzugängliche Wildnis, wurde vor rund 700 Jahren für die Glaserzeugung erschlossen. Jetzt sind die schönen Flußperlen der Wildbäche aufgebraucht, für Rosenkränze und für Spanien, den Sklavenhandel zu finanzieren. Und um die Alchimisten, die die Schmelztiegel von Graphit aus dem Bayerischen Wald so schätzten, ist es still geworden.
Aber immer noch scheinen die Wiesen wie das grüne Waldglas, die Äcker wie Flußspat, Himmel und Bergrücken und Nebel wie Quarz mit Glimmer.

◂ **Les lacs Oster avec Seeshaupt et le lac de Starnberg, Haute-Bavière**. A vol d'oiseau, les lacs Oster perdent leur quiète beauté et font l'effet de mares reliées entre elles et frangées de brun. Ils sont situés en bordure d'une vaste tourbière.

▸ **Forêt Bavaroise près de Kleinloitzenried**. Au Moyen Age, ces montagnes boisées étaient une région inaccessible. Mais elles renfermaient tout ce qui était nécessaire à la fabrication du verre: du quartz, des perles d'eau douce et du bois. Aujourd'hui encore la Forêt Bavaroise est une Mecque pour les collectionneurs de minéraux et demeure en grande partie une région intacte.

◂ **The Oster Lakes, with Seeshaupt and Lake Starnberg, Upper Bavaria**. The quiet beauty of the Oster Lakes is lost when they are viewed from the air, and they look like mere interconnected brown-rimmed puddles: they are situated at the edge of an extensive moor.

▸ **Bavarian Forest near Kleinloitzenried.** In the Middle Ages, these forest-clad mountains were an inaccessible wilderness. But they contained everything needed for the manufacture of glass: quartz, sweet-water pearls, and wood, and the establishment of glass works led to the opening-up of the region. The Bavarian Forest is still a Mecca for collectors of mineral specimens, and is still largely unspoilt.

◂ **Burg Prunn im Altmühltal, Oberpfalz.** »Das ist das Buch Chriemhilden«, las Wiguleus Hundt (1570), und ihm gingen die Augen dabei über: Er hatte einen Teil des verlorengegangenen Nibelungenliedes wiedergefunden, in Schweinsleder gebunden, im Archiv der Burg Prunn!
Anderen Ruhm erwarb sich rund 150 Jahre früher der Burgherr Hans der Fraunberger, mit der weißen Gurre, einem Schimmel im Wappen, als Turnierreiter. Man erzählt von ihm, daß er den Speer achtzig Meter weit werfen konnte, daß die Scheide seines Schwertes mit Menschenhaut überzogen gewesen sei und daß er nicht nur Mitglied im Lindwurmorden, sondern auch im brandenburgischen Schwanenritterorden, im aragonischen Kannenorden und im dänischen Drachenorden war. Soviel Mut und Verwegenheit wachsen wohl eher in einer so kühn gelegenen Burg als anderswo.

◂ **Château de Prunn dans la vallée de l'Altmühl, Haut-Palatinat**. Hans der Frauenberger (15e siècle) a dû être aussi audacieux et téméraire que la situation de son château sur un rocher calcaire escarpé. Ce fut un des chevaliers de tournoi les plus célèbres et on disait de lui qu'il pouvait lancer sa lance à quatre-vingt mètres. Il portait dans ses armes un cheval blanc et faisait partie de quatre différents ordres de chevalerie. 150 ans plus tard, un historien bavarois faisait une découverte sensationnelle dans les archives du château: il découvrait une partie de la chanson des Nibelungen que l'on croyait perdue.

◂ **Prunn Castle in the Altmühl Valley, Upper Palatinate**. Hans der Fraunberger (15th century) must have been as cool and bold as the position of his castle on the steep limestone cliff above the Altmühl. He was one of the best-known tournament champions and is said to have been capable of throwing his lance eighty metres. His coat of arms displayed a white horse, and he belonged to four different orders of chivalry. About 150 years after his period, a Bavarian historian made a sensational find in the castle's archives: he discovered a part of the lost "Nibelungenlied".

▸ **Veste Coburg, Oberfranken.** Einer Krone gleich ziert die Veste den Burgberg, umringt von den Höhen des Fichtelgebirges, der Rhön und des Thüringer Waldes. Bodenfunde zeigen, daß an diesem exponierten Platz, lange schon bevor er in Urkunden greifbar wird, Menschen waren, hierher flohen, sich verschanzten, die Talstraße überwachten. Aber als Veste gewachsen, wie sie heute ins Land blickt, ist sie vor allem in der langen Zeit der wettinischen Herrschaft von 1353 bis Anfang unseres Jahrhunderts, als Coburg Hauptstadt der wettinischen »Ortslande in Franken« war. Jede Zeit hat das Ihre dazugetan, Altes beseitigt oder umgeformt. Der letzte Herzog von Sachsen-Coburg und Gotha, Carl Eduard, wollte durch die umfassende und historisch getreue Wiederherstellung in den Jahren 1906 bis 1924 die Burg seiner Väter zum Kultur- und Nationaldenkmal machen. Und ein Gang durch die weitläufige Anlage mit den ständig wechselnden Bildern und durch die Kunstsammlungen, die die Coburger Herzöge in den Jahrhunderten ihrer Herrschaft zusammengetragen hatten, kann tatsächlich zu einem Gang durch die Geschichte nicht nur der Veste selber, sondern weit in den europäischen Raum werden.

▸ **La forteresse de Coburg, Haute-Franconie**. L'histoire de la «Veste Coburg», posée comme une couronne sur la colline qui domine la ville, est fort longue; elle va de l'époque des migrations des populations où elle servi de refuge à la population locale jusqu'au début de notre siècle où elle a été complètement restaurée. Ce sont les Wettin – les seigneurs de ce château pendant plusieurs siècles à partir de 1353 – qui lui ont donné les principaux éléments de la forme qu'elle a encore aujourd'hui. Coburg fut la capitale de leurs possessions en Franconie. Au 19e siècle, la ville est entrée dans l'histoire européenne à la suite du mariage de la reine Victoria d'Angleterre avec Albert von Coburg.

▸ **Coburg Castle, Upper Franconia**. The history of this castle, poised on the castle hill like a crown, is a long one, ranging from its beginnings during the migration of the peoples, when it served as a refuge for the local population, to the beginning of our century, when it underwent a complete restoration. The largest contribution to its present shape was made by the Wettin family, who were lords of the castle for centuries from 1353, Coburg being the capital of their possessions in Franconia. The town entered the pages of European history in the 19th century as a result of the marriage of Albert von Coburg to Queen Victoria of England.

◂ **Schönbusch bei Aschaffenburg, Unterfranken.** Duftiger Herbstblätterzauber nach Kahnfahrt in blaugrünem Wasser, im Schlepptau schon Nebelkühle, im Licht schon ein Hauch von Vergänglichkeit.
Klassizistisches Schlößchen, 1778–1779 für den Erzbischof und Kurfürsten von Mainz erbaut, inmitten eines englischen Gartens.

▸ **Die Nahe am Rheingrafenstein, Rheinland-Pfalz.** Amethyst aus den Metaphyr-Mandelsteinen des Nahegebietes – den »Unberauschten«, den Stein der Enthaltsamkeit – bauten schon die Römer hier ab. Im letzten Jahrhundert waren die Vorräte erschöpft. Mit Glück kann man einzelne Steine noch finden – oder einen so stillen, durchtauten, von Feuchtigkeit satten Tag.

◂ **Schönbusch près d'Aschaffenburg, Basse-Franconie**. Un château classique construit en 1778–1779 dans un jardin de style anglais. Les parfums de l'automne sont dans l'air, un soupçon de brouillard, une idée d'éphémère.

▸ **La Nahe à Rheingrafenstein, Rhénanie-Palatinat**. Les Romains exploitaient déjà la roche locale pour trouver de l'améthyste «la pierre qui préserve de l'ivresse». Au 19e siècle, les gisements ont été épuisés mais avec un peu de chance on peut encore trouver quelques pierres ou une belle journée calme, humide, imprégnée de douceur comme celle qu'a découverte notre photographe.

◂ **Schönbusch near Aschaffenburg, Lower Franconia**. A Classicist palace built 1778–1779 in an English-style garden. The smell of autumn is in the air, a touch of mist, a suggestion of mortality.

▸ **The Nahe River at Rheingrafenstein, Rhineland-Palatinate**. The Romans already exploited the local rock for amethyst – a stone supposed by the ancients to prevent intoxication. The deposits were exhausted in the 19th century, but, with luck, it is still possible to find individual stones – or a "soft, damp day" of the kind our photographer found.

▾ **Der Rhein mit Burg Katz bei St. Goar.** Der Rhein! Ein »fürtrefflicher Ströme-Printz«! Alles, was zur rechten Rheinromantik gehört, ist bei St. Goar versammelt, der Strom, die Burgen, die Loreley. Aber das Rheingold hat sich wohl in goldenes Herbstlicht verflüchtigt, es schweigt die Loreley, und der Nibelungenschatz ist verborgener denn je.

▸ **Ruine Rheinfels bei St. Goar.** »Welch ein Stoff für den Landschaftsmaler!« schreibt Abbate Bertola über den Rhein bei St. Goar, den er, einer der ersten Rheintouristen, im Jahre 1787 gesehen hat.
Und wie ein Landschaftsmaler romantischer Art taucht die Novembersonne alles in ein diffuses Licht, läßt Schwermut und Sehnsucht ins Bild treten.

▾ **Le Rhin avec l'ancien château fort de Katz près de St.-Goar.** Le Rhin! Tout ce qui fait son romantisme se trouve réuni près de St.-Goar, le fleuve, les châteaux, la Lorelei. Mais l'Or du Rhin s'est fondu dans les tons dorés de l'automne, la Lorelei se tait et le trésor des Nibelungen est plus caché que jamais.

▸ **Les ruines de la forteresse de Rheinfels près de St.-Goar.** «Quelle matière pour un paysagiste!» écrit Abbate Bertola à propos du Rhin près de St.-Goar qu'il a vu en 1787. Et comme un paysagiste romantique, le soleil automnal plonge toute chose dans une lumière diffuse créant ainsi une atmosphère mélancolique et nostalgique.

▾ **The River Rhine with Katz Castle near St. Goar.** The Rhine! All the attributes of Rhenish Romanticism can be found near St. Goar: the castles, the Lorelei, the river itself. But the Rhinegold has merged into the golden tones of autumn, the sirens are silent, and the Nibelungen treasure is as elusive as ever.

▸ **Rheinfels Castle ruins near St. Goar.** "What material for a landscape painter!" wrote Abbate Bertola about the Rhine near St. Goar, which he – one of the first Rhine tourists – saw in 1787. And, like a Romantic landscape painter, the November sun dips everything in a diffuse light, invoking an atmosphere full of melancholy and nostalgia.

◂ **Limburg an der Lahn, Hessen.** Die Burg wächst in die Erde, naiv und hutzlig, aber doch unbewußt kühn. Dagegen der Dom wächst in den Himmel, bewußt, durchdacht und kristallisiert eine Form nach der anderen aus sich heraus: der berühmte Limburger Dom. Und schließlich das ganze Steinensemble – ein Kontrapunkt zum Fluß.

▸ **Einruhr am Rurstausee, Nordeifel.** Der Herbst ist ein Zauberer. Wie anders käme das Wasser zu einem solchen Blau! Wo sonst sollte der Pastellschleier herkommen, der alles überzieht und aus allem eine friedliche Idylle macht! Einruhr liegt am oberen Ende der 1934 bis 1936 gebauten Talsperre.

◂ **Limburg sur la Lahn, Hesse**. Le château paraît s'enfoncer dans la terre, naïf, ratatiné, mais avec une audace inconsciente tandis que la cathédrale s'élève dans le ciel, consciente, réfléchie presque cristalline dans sa structure. Et l'ensemble de roches et de pierres contraste avec la vitalité du fleuve.

▸ **Einruhr sur le lac artificiel de la Rur, Eifel septentrional**. L'automne est un magicien. Car comment l'eau pourrait-elle être d'un tel bleu? D'où viendrait ce voile pastel qui recouvre tout pour en faire une idylle paisible? Einruhr est situé à l'extrêmité supérieure du barrage construit entre 1934 et 1936.

◂ **Limburg an der Lahn, Hesse**. The castle seems to grow downwards into the rock, naive, wizened, and yet defiant, while the cathedral reaches for the heavens, self-confident, almost crystalline in structure. And the whole ensemble of rock and masonry forms a counterpoint to the movement and vitality of the river.

▸ **Einruhr on the Rur Reservoir, North Eifel**. Autumn is a magician. How else could water turn such a wonderful blue? How else could the pastel, tranquil veil that is cast over everything be conjured up? Einruhr lies at the top end of the reservoir, which was constructed between 1934 and 1936.

»Die Blätter fallen, fallen wie von weit,
als welkten in den Himmeln ferne Gärten ...« (Rilke)
Ein schwebender Zauber, feine Sphärenklänge, aber schwer ist der Übergang über das große Wasser, über die Brücke in ferne Gärten.
◂ **Ülfetal bei Radevormwald, Bergisches Land**

▾ **Schloß Badinghagen bei Meinerzhagen, Bergisches Land.** Ein putziges, fachwerkgemütliches Renaissanceschlößchen im Bergischen, buckligen Land, mit Giebeln und Schindeln. Vor lauter Blattbergen sieht man das Wasser nicht mehr. Es ist ja ein Wasserschloß. Hier war der Stammsitz der Ritter von Badinghagen. So 1663 erbaut und 1902 noch einmal erweitert.

«Les feuilles tombent, tombent comme venant de loin,
comme si elles se fanaient dans le lointain jardin du ciel ...» (Rilke)
Aérienne est la magie, éthérés sont les sons mais difficile est le passage sur l'eau immense, sur le pont vers le lointain jardin.
◂ **Vallée de l'Ülfe près de Radevormwald**

▾ **Castel d'eau de Badinghagen près de Meinerzhagen, Bergisches Land**. Un petit château Renaissance pittoresque à colombage et à pignons et bardeaux dans le pays montueux appelé Bergisches Land. Ce fut le siège de la famille des Badinghagen. Il a été construit au 17e siècle et agrandi en 1902.

"The leaves fall, fall as if from far,
as if they'd withered in some heavenly, distant garden ..." (Rilke)
Suspended magic, ethereal, gossamer sounds; but the passage across the great water, over the bridge into the distant garden is arduous.
◂ **Ülfe Valley near Radevormwald, Bergisches Land**

▾ **Badinghagen Palace near Meinerzhagen, Bergisches Land**. A quaint, half-timbered little palace with gables and shingles in the hilly region called Bergisches Land. The house is moated, but the fallen leaves have concealed the water. It was the seat of the Badinghagen family, was built in the 17th century, extended in 1902.

»Nachtmahr, du lälek Dier,
komm van dese Nacht nit hier;
alle Waters sollt gej waaije,
alle Boome söllt gej blaaije,
alle Spille Gras söj telle,
komm mej vanne Nacht nit kwelle.«
Es ist gut, im Umkreis der Nacht einen solchen Nachtmahrbann zu kennen, wie ihn die Alten am Niederrhein sprachen, wenn sich die Geister der Dunkelheit mit Angst und Beklemmung ankündigten.
◂ **Nebel bei Geldern, Niederrhein**

Dès que le jour clair est enveloppé de brouillard et d'obscurité, l'imagination galoppe, inventant fantômes, animaux fantastiques tels que le fantôme du Rhin-Inférieur.
◂ **Paysage brumeux près de Geldern, Rhin-Inférieur**

As soon as the bright daytime world is blanketed in fog the imagination goes to work, inventing ghosts and terrible creatures such as the night-hag of the Lower-Rhine.
◂ **Foggy landscape near Geldern, Lower Rhine**

▸ **Niederrhein bei Rees.** Ganz betäubt, fast erstickt wacht dennoch in den Kolken, in den alten Armen des Rheins die Erinnerung an Auwälder und Silberweiden, an Salmzüge, die den klaren Strom hinaufwanderten, an das regellose, träge Dahinfließen durch das weite Land, ohne feste Grenzen. Und die Hoffnung wacht, wieder Landschaft sein zu können.

▸ **Rhin-Inférieur près de Rees**. Dans le anciens bras du Rhin, de pâles souvenirs subsistent, souvenirs des prairies d'autrefois et des saules argentés, des saumons remontant le fleuve clair, du fleuve coulant en liberté à travers le pays; et l'espoir s'éveille de redevenir un paysage réel, naturel.

▸ **Lower Rhine near Rees**. In the pools formed by the old arms of the Rhine, faint memories still survive of the original water meadows and white willows, of salmon passing upriver, of the freedom to flow uncontrolled through the countryside; and the hope of becoming a real, natural landscape again is still not quite dead.

◂ **Externsteine, Teutoburger Wald.** Nichts deutet in dieser stillen Herbstlandschaft darauf hin, daß es hier Tage mit mehreren tausend Besuchern gibt, die sich Bienenschwärmen gleich an diese Sandsteinfelsen heften. Und nichts deutet darauf hin, daß sich wie selten an einem solchen Ort in Deutschland die Phantasie und der Streit von Wissenschaftlern entzündet hat und noch immer entzündet.
Doch zunächst die »Sehenswürdigkeiten«: ein übermannshohes Steinrelief, einzigartig dastehend in der frühmittelalterlichen Plastik. Es stellt die Abnahme Jesu vom Kreuz dar; eine Grotte, ein Sargstein und eine Kapelle, Sacellum genannt, in luftiger Höhe im zweiten Felsen.
Eine Weihinschrift in der Grotte vermeldet, daß im Jahre 1115 Bischof Heinrich von Paderborn die Externsteine als Wallfahrtsstätte eingeweiht hat. Dem vorauf ging, so die einen, der Ausbau bereits vorhandener Höhlen zu Nachbildungen der Heiligen Stätten in Jerusalem. Der Steinsarg als Grab Christi, die Grotte als der Ort, wo Helena die drei Kreuze auffand, und das Sacellum als Golgathakapelle. Für diese Partei erschöpft sich darin die Bedeutung der Externsteine. Alles andere lasse sich nicht wissenschaftlich nachweisen.
Die anderen bestreiten die christliche Bedeutung der Steine als Wallfahrtsstätte nicht, behaupten aber, daß die Externsteine das Zentralheiligtum der Germanen waren und daß die durch Karl den Großen 772 zerstörte Irminsul nur hier gestanden haben kann. Hier seien die Priesterweisen eingeweiht worden in die Wotansmysterien – einer davon auch Arminius, der im Jahre 9 n. Chr. der Sage nach von der sogenannten Rednerkanzel vor dem dritten Felsen die Germanen zum Kampf gegen Varus aufgerufen haben soll. Und das Sacellum sei zusammen mit der Irminsul die Sternwarte der alten Germanen gewesen.
Wir können den Streit nicht entscheiden, und die Auswüchse der Germanenbegeisterung im letzten Jahrhundert sowie im Dritten Reich wird kein vernünftig denkender Mensch zur Wahrheit erheben wollen. Doch zu bedenken ist, daß durch das ängstliche Festklammern an dem, was ohnehin offenkundig ist, die großen Entdeckungen der Wissenschaften nicht möglich gewesen wären.

▸ **Goslar, Harz. Blick vom Georgenberg.** Goslar, die schöne, die Kaiserstadt, die Silberstadt an der Gose. Von der für die spätere Bedeutung der Stadt so entscheidenden Entdeckung der Silberadern im Rammelsberg berichtet die Sage: »Kaiser Otto hatte im Jahre 972 auf dem Schlosse Harzburg sein Hoflager genommen. Kaiser Otto hatte einen Jäger, der hieß Ramm, der ritt im Winter auf die Jagd aus. Wie er an den Berg kam, der jetzt der Rammelsberg heißt, stieg er von seinem Pferd und band es an einen Baum, um seinen Weg über den steilen Berg zu Fuß besser fortzusetzen. Das Pferd stampfte ungeduldig und scharrte mit den Füßen den Rasen des Berges weg. Wie nun der Jäger Ramm zurückkam, sah er verwundert, wo sein Gaul die Erde aufgescharrt hatte, reiche, blinkende Erzstufen. Da berichtete er dem Kaiser seine Entdeckung, und Otto ließ geschickte Bergleute aus dem Frankenland nach Goslar berufen, die mußten am Rammelsberg Schächte bauen und den Bergbau hier einrichten. Nach und nach sammelten sich immer mehr Bergleute aus dem Frankenland um Goslar, und die Stadt vergrößerte sich seitdem sehr. Dem Jäger Ramm zu Ehren ließ Kaiser Otto den Berg, wo er seine Entdeckung gemacht, den Rammelsberg nennen.« Soweit die Sage. Geschichtlich ist diese Entdeckung Ende des 10. Jahrhunderts zu datieren. Eine Kaiserpfalz wurde errichtet und die Stadt in der Folgezeit wegen des außerordentlichen Silberreichtums geliebt und umkämpft. Spuren dieser Geschichte sind allerorten noch zahlreich zu finden.

◂ **Externsteine, Teutoburger Wald.** Aussi paisible que paraisse ce tableau automnal, il est des jours où des milliers de visiteurs viennent voir ce groupe de cinq roches de grès dit «Externsteine» (roches externes), l'immense relief dans le premier rocher de la Descente de la Croix – un exemple unique de sculpture du début du Moyen Age – le sarcophage de pierre et la chapelle tout en haut dans le deuxième rocher. La question de l'utilisation originale de ces roches est depuis des générations matière à controverse entre les savants et n'a pas encore été résolue définitivement. On admet généralement toutefois que les grottes et les installations existantes ont été converties en un lieu de pélerinage chrétien au 12e siècle. Mais tandis que certains se contentent de cette conclusion, rejetant toutes les autres hypothèses, d'autres croient voir ici le sanctuaire central des Germains et l'emplacement d'Irminsul, une idole germanique en forme de colonne faite d'un tronc d'arbre que Charlemagne détruisit en 772.

▸ **Goslar, Harz. Vue du Georgenberg**. La découverte d'un filon d'argent dans le Rammelsberg à la fin du 10e siècle a été décisive pour le rôle important qu'allait jouer la ville au cours de l'histoire. Goslar devint la résidence favorite des empereurs saliens et de nombreux édifices témoignent de cet illustre passé.

◂ **The Extern Rocks, Teutoburg Forest.** Peaceful though this autumn scene appears, there are days on which thousands of visitors come to these sandstone rocks to see the huge reliefs cut in the first rockface (with a depiction of the Deposition from the Cross, a unique example of early medieval sculpture) or to go to the grotto, the stone sarcophagus, and the chapel hewn high up in the second rock. The question of the original use to which these rocks were put has caused controversy among generations of scholars, and is still not definitively settled. It is generally agreed, however, that already existing caves and facilities were converted into a Christian place of pilgrimage in the 12th century. But while some scholars limit themselves to this conclusion, rejecting everything else as mere speculation, others maintain that this was the central shrine of the Germanic peoples and the site of the Irminsul, a shrine containing a sacred wooden pillar, destroyed by Charlemagne in 772. There is a legend that Arminius, chief of the Cherusci, held a speech to the German tribes from the platform on the second rock before the battle against the Romans, led by Varus, in A.D. 9.

▸ **Goslar, Harz Mountains. View from Georgenberg**. The foundation for the important role that this town was to play in the course of history was laid by the discovery of silver in Mt. Rammelsberg at the end of the 10th century. Goslar became the favourite residence of the Salic emperors, and many fine buildings survive as reminders of an illustrious past.

◂ **Leuchtenburg bei Kahla, Thüringen.** Leicht, aber stetig ansteigend führt der Weg in das Buschwerk der Kuppe zur Leuchtenburg. Und von dort schweift der Blick weit über das Land. Die Burg, die »Perle des mittleren Saaletales«, hat von ihrer mittelalterlichen Gestalt nur den Bergfried und einen Teil des Berings bewahrt, die übrigen Gebäude entstanden vor hundert Jahren.

▸ **Dornburger Schlösser bei Jena, Thüringen.** Gleich drei Schloßperlen aneinandergereiht, aus Renaissance, Rokoko und Spätgotik: die Dornburger Schlösser, hoch über dem Saaletal. Im südlichen, dem Renaissanceschloß, hielt sich Goethe des öfteren auf; es gehörte seinem Freund und Landesherrn, dem Herzog Karl August von Weimar.

◂ **Leuchtenburg près de Kahla, Thuringe**. Pour parvenir au château fort de Leuchtenburg, il faut gravir un long chemin qui monte continuellement. Mais, une fois arrivé, le visiteur est récompensé par un vaste panorama. La seule partie qui date du Moyen Age est le donjon; le reste du château – la «perle de la vallée de la Saale» a été construit il y a cent ans.

▸ **Les châteaux de Dornburg près de Jéna, Thuringe**. Trois joyaux de l'architecture situés l'un à côté de l'autre sur le même rocher au-dessus de la vallée de la Saale, les châteaux de Dornburg datant l'un de la Renaissance, l'autre de l'époque rococo et le troisième du gothique flamboyant. Goethe a souvent résidé dans le château méridional, le château Renaissance, propriété de son ami et souverain, le duc Charles-Auguste de Weimar.

◂ **Leuchtenburg near Kahla, Thuringia**. After a long, steady, but not particularly hard climb up the path to Leuchtenberg Castle, the visitor is rewarded by an extensive, panoramic view of the surrounding countryside. The main part surviving from the Middle Ages is the keep; the rest of the castle, "the pearl of the Saale Valley", was built a hundred years ago.

▸ **The Dornburg Castles near Jena, Thuringia**. Three architectural gems strung out along the same cliff-top above the Saale valley: Renaissance, Rococo, and Late Gothic. Goethe often stayed in the Renaissance palace – it belonged to his friend, Duke Karl August of Weimar.

◂ **Geising, Erzgebirge.** Wie eine Glucke schart die stämmige Stadtkirche des Zinnbergbau-Ortes Geising die schiefergedeckten Häuser um sich und bleibt auch mit ihrer Glockenhaube in Erdnähe. Mit der Eröffnung der Müglitztalbahn im Jahre 1890 hatten die Dresdner eine direkte Verbindung zu dem in einem Hochtal gelegenen Geising. Es wurde zur Wiege des Wintersports im Osterzgebirge.

▸ **Dresden, Zwingerteich und Kronentor.** Wie anders die Krone aus Sandstein, die weiten Rampen, Gewässer und Bauten der Residenzstadt Dresden! Einst Ort der Sumpfwaldleute, was das sorbische »Drezdzany« bedeutet, schuf sich August der Starke im 18. Jahrhundert mit seinem Architekten Daniel Pöppelmann einen großartigen Rahmen für das barocke Gepränge seines Hofes, die rauschenden Feste, die Repräsentation des absolutistischen Herrschertums.

◂ **Geising, Erzgebirge**. Les maisons aux toits d'ardoise de Geising, une petite ville où l'on exploite l'étain, se rassemblent autour de la massive église paroissiale comme des poussins autour d'une poule. L'ouverture de la ligne de chemin de fer de la vallée de la Müglitz entre Dresde et Geising en 1890 a également introduit les sports d'hiver dans cette vallée de l'Erzgebirge.

▸ **Dresde, l'étang du Zwinger et la Porte de la Couronne**. La couronne de grès, les bassins riants, les vastes perspectives et les édifices de Dresde, la «Florence allemande» semblent faire partie d'un autre monde que celui de Geising (photo précédente). Auguste le Fort et son architecte Daniel Pöppelmann ont créé ici un cadre magnifique pour les fastes baroques de la cour au 18ᵉ siècle.

◂ **Geising, Erzgebirge**. The houses of this tin-mining town huddle round the sturdy parish church like chicks round a hen. The opening of the Müglitz Valley railway line between Dresden and Geising in 1890 also opened up this valley high in the Erzgebirge for winter sports.

▸ **Dresden, Zwinger Lake and "Crown Gate"**. The sandstone crown, the broad vistas, expanses of water, and buildings of Dresden, the "German Florence", seem to belong to a different world to that of Geising (previous photograph). Here, August the Strong and his architect Daniel Pöppelmann created a magnificent framework for the Baroque pageantry of his court in the 18th century.

◂ **Sächsische Schweiz bei Schmilka, Sachsen. Teufel, Zirkelstein und Kaiserkrone.** Der Werkstoff ist derselbe wie beim Dresdner Zwinger: Elbsandstein. Doch hier hat sich die Natur selber, die Elbe, eine Kulisse von unvergleichlicher Schönheit herausgewaschen und sich in zartestes Erdbraun, Grün und Gelb gehüllt.

▾ **Schloßpark Bad Muskau, Niederlausitz.** »Der höchste Grad der landschaftlichen Gartenkunst ist nur da erreicht, wo sie wieder freie Natur, jedoch in ihrer edelsten Form zu sein scheint.« Fast vierzig Jahre lang formte der, der diese Worte sagte, Fürst Pückler-Muskau, und verwirklichte sich und seine Ideen in Landschaft, bis er wegen drückender Schulden 1845 seine Herrschaft Muskau verkaufen mußte. Seiner Leidenschaft lebte er freilich auch in Branitz bei Cottbus, wohin er von Muskau zog und wo er 1871 auf seinem von Rosenbüschen umgebenen Krankenlager starb.

◂ **La «Suisse saxonne» près de Schmilka, Saxe. Le «Diable», la «Pierre circulaire» et la «Couronne de l'Empereur».** La matière est la même que celle utilisée pour le Zwinger à Dresde: du grès de l'Elbe. Mais cette scène d'une incomparable beauté a été créée par la nature elle-même grâce à son agent, l'Elbe, et recouverte ensuite des teintes les plus délicates, du brun, du gris et du jaune.

▾ **Parc du château à Bad Muskau, Niederlausitz**. Pendant près de quarante ans, le prince Pückler-Muskau, le «parcomane» a façonné le paysage de sa vaste propriété jusqu'au jour où, criblé de dettes, il a dû la vendre (en 1845).

◂ **"Saxon Switzerland" near Schmilka, Saxony. "Devil", "Circle Stone" and "Emperor's Crown"**. The material is the same as used for the Zwinger in Dresden: Elbe sandstone. But this scene of incomparable beauty was created by nature herself through her agent the River Elbe, and afterwards overlaid with the most delicate tones of earthy brown, green and yellow.

▾ **Palace Gardens at Bad Muskau, Niederlausitz**. Prince Pückler-Muskau, the "parkomaniac", spent nearly forty years landscaping his extensive grounds here until he finally had run up such immense debts that he was forced, in 1845, to sell the property.

◂ **Neuzelle, Niederlausitz. Klosteranlage.** Ganz weit östlich süddeutscher Barock, toskanische Bogenhallen, so nahe der Oder. Denn katholisch hat dieses Zisterzienserkloster die Reformation überstanden und im Barock noch eine reiche künstlerische Blüte entfaltet. Von zisterziensischer Einfachheit ist aber nichts mehr zu spüren in der von prunkvollen Altären und gewichtigem Stuck überladenen Kirche.

▸ **Klosterruine Chorin, Uckermark. Westfassade.** Auch ein Zisterzienserkloster, das aber mit der Reformation aufhörte zu existieren, im 17. Jahrhundert als Steinbruch diente, bis es dann in Teilen vor dem endgültigen Verfall bewahrt wurde. Die Sage erzählt, daß das Kloster auf ewige Zeiten verwünscht sei und die Unterirdischen dort hausten, mit grauen Röcken und dreieckigen Hüten bekleidet, sichtbar nur für Sonntagskinder. In dieser großartigen Fassade drängt alles nach oben und gibt dem zisterziensischen Bestreben sinnfälligen Ausdruck, zurückgezogen von der Welt, in Gebet und Kontemplation das Heil zu suchen.

◂ **Neuzelle, Niederlausitz. L'église de l'ancien monastère**. Il n'y a plus trace de l'austérité cistercienne dans l'église richement décorée avec de somptueux autels et des ornements en stuc. Le monastère est resté catholique au moment de la Réformation et à l'époque du baroque a encore connu un âge d'or.

▸ **Ruines du monastère de Chorin, Uckermark. Façade occidentale**. Toutes les lignes de cette splendide façade s'élancent vers le haut, exprimant le désir des cisterciens de chercher le salut dans la retraite, la contemplation et la prière. Le monastère est tombé en ruine après sa dissolution pendant la Réformation.

◂ **Neuzelle, Niederlausitz. The Monastery grounds**. There is no trace any more of Cisterican austerity inside the church, with its rich furnishings, altars, and stuccowork. The monastery survived the Reformation as Catholic and experienced a golden age during the Baroque period.

▸ **Chorin Monastery ruins, Uckermark. West end**. All the lines of this splendid facade strive upwards, giving expression to the Cistercian desire to seek salvation in seclusion, contemplation and prayer. The monastery fell to ruin after its dissolution during the Reformation.

▾ Potsdam, Schloß Sanssouci, Konzertzimmer Friedrichs des Großen
▸ Park von Sanssouci, Chinesisches Teehaus
Als »kühnen Seitensprung der strengen preußischen Seele« erweist sich Potsdam gerade durch dieses Lieblingsschloß Friedrichs des Großen (erbaut 1745 bis 1753). Auf unbeschwerte Sinnlichkeit, auf Götterliebschaften in heiterer Natur blickte der König beim Flötenspiel und mag sich gefühlt haben wie Pan, der aus dem Schilfrohr, in das sich die Nymphe Syrinx vor seinen Nachstellungen verwandelte, die erste Flöte schnitzte.
Das 1754 gebaute Chinesische Teehaus im Park nannte der König nur »Affenhaus«; denn während in den Vorhallen goldene Chinesen lagern und goldene Drachenschlangen sich um das Dach winden, wimmelt es drinnen im Rundsaal von Affen – gemalt und in Stuck –, und in der Kuppel schwirren bunte Vögel. Hier speiste er manchmal bei schönem Wetter zu Mittag, ein Fest vor allem für seine Lieblingshunde Alkmene, Diane und Biche: Sie bekamen an solchen Tagen 8 Pfund Fleisch extra. Des Königs Lieblingsspeisen sollen aber auch nicht unerwähnt bleiben: Polenta, Aalpasteten, scharf gewürzte Brühen und Soßen, den Kaffee liebte er mit weißem Senf.

▾ Potsdam, château de Sanssouci, salle de concert de Frédéric Ier
▸ Parc de Sanssouci, pavillon chinois
Sanssouci révèle l'un des aspects de ce grand roi prussien plein de contradictions qui jouait de la flûte au milieu d'un environnement serein fait de sensualité légère et de mythologie classique et déjeunait dans le pavillon chinois au milieu de peintures de singes et d'oiseaux avec des figures chinoises dans les antichambres et des dragons dorés s'enroulant autour du toit.

▾ Potsdam, Sanssouci Palace, Frederick I's concert room
▸ Sanssouci Park, Chinese pavilion
Sanssouci reveals the one side of this great and contradictory Prussian king: flute playing in delightful surroundings redolent of light-hearted sensuality and Classical mythology; lunch in the Chinese pavilion in the midst of paintings depicting monkeys and birds, with golden Chinese figures in the antechambers, and golden dragons winding their way round the roof.

◂ **Lietzow, Insel Rügen.** Rügen hat viele Gesichter – wie der vierköpfige Gott Swantewit. Die Slawen verehrten ihn in der Jaromarsburg auf Kap Arkona, bevor Dänen und Christen kamen. Von Rügen brachte der Maler der Romantik, Philipp Otto Runge, das Märchen vom Fischer und siner Fru und dem Butt; Störtebeker und die Vitalienbrüder hatten hier ihre Raubnester; und es ist die Heimat von Ernst Moritz Arndt. Rügen – das sind aber auch stille Wälder und Buchten und die herrlichen Kreidefelsen auf der Halbinsel Jasmund. Dort, wo Jasmund mit dem Kerngebiet durch künstliche Aufschüttung verbunden ist, bei Lietzow, fand man an die 20000 bearbeitete Steingeräte aus der jüngeren Steinzeit.

▾ **Putbus, Insel Rügen. Festhaus.** Anfang des 19. Jahrhunderts kehrte reges Treiben »unter den Fliederbüschen« ein (Bedeutung des slawischen Namens Pod boz), denn Fürst Wilhelm Malte von Putbus ließ die Stadt als Residenz- und Badeort aufputzen, ein neues Schloß und verschiedene klassizistische Bauten, darunter das Festhaus, im schönen Park errichten. Die Badesitten waren allerdings andere als heute: Zum Entkleiden im Freien benutzte man einen Badekarren.

◂ **Lietzow, île de Rügen.** Près de Lietzow, la presqu'île de Jasmund avec ses merveilleuses falaises de craie a été reliée artificiellement avec l'île de Rügen.

▾ **Putbus, île de Rügen. Palais des fêtes.** Au début du 19e siècle, le prince Wilhelm Malte von Putbus a agrémenté cette station balnéaire – sa résidence – d'un palais et de différents édifices classiques dont le Palais des fêtes dans un joli parc.

◂ **Lietzow, Rügen Island.** Near Lietzow, the Jasmund Peninsula, with its marvellous chalk cliffs, has been artificially linked to the main island of Rügen.

▾ **Putbus, Rügen Island. Banqueting Hall.** At the beginning of the 19th century, Prince Wilhelm Malte von Putbus improved this sea resort – his residence – by adding a palace and various Classicist buildings, including the Banqueting Hall in a fine park.

▾ **Bauernhof in Haren, Emsland.** Bookweitenjanhinnerk (Buchweizenpfannkuchen) mit Preiselbeeren oder Honig und einem Gläschen Korn dazu, Heidschnuckenbraten in Saure-Sahne-Soße und Pilzen, Suupböhnkes – das sind in Kornbranntwein eingelegte Rosinen mit Kandiszucker und Ingwer gewürzt – wem läuft da nicht das Wasser im Munde zusammen bei solch herzhaften emsländischen Spezialitäten. Und genauso deftig sind die Sprüche aus dem Bauernland an der Ems: »Röwen noh Weihnachten, Appeln noh Ostern un Wichter ower de Vättig, dor is den Gesmack af.« (Rüben nach Weihnachten, Äpfel nach Ostern und Mädchen über Vierzig, dann ist es mit dem Geschmack vorbei.)

▸ **Wümmeniederung bei Bremen.** Weiter Himmel, Wermutstropfen, wehmütig fast klingt es da, alles dem Wind hingegeben. Fehlen nur die Torfschiffe mit ihren schwarzen Segeln, die früher im Herbst zu Hunderten auf den Moorflüssen Beeke, Hamme, Wörpe und Wümme in Richtung Bremen schwankten, wo die Moorbauern ihre kostbare Fracht verkauften, um dann für ein Jahr wieder in die Einsamkeit der Moore zurückzukehren.

▾ **Ferme à Haren, Emsland**. La spécialtié de l'Emsland est une crêpe de sarrazin faite de café léger, d'œufs, de lard gras et servie avec des airelles rouges ou du miel et un verre d'eau-de-vie.

▸ **Les Marschen de Wümme près de Brême**. Un ciel immense, une note de mélancolie. Il ne manque que les bateaux transportant la tourbe avec leurs voiles noires et qui autrefois à l'automne voguaient par centaines sur les rivières des Marschen, Beeke, Hamme, Wörpe et Wümme.

▾ **Farmhouse in Haren, Emsland**. The most famous local speciality in Emsland is buckwheat pancake made with thin coffee, eggs, and fat bacon, and served with cranberries or honey, and a glass of schnapps.

▸ **The Wümme Marshlands near Bremen**. Far-flung views, broad stretches of sky, windswept, and burdened with a touch of melancholy. All that is missing are the peat boats with their black sails, which, in the autumn, used to sail clumsily down the marshland rivers Beeke, Hamme, Wörpe, and Wümme in their hundreds.

Am nicht mehr ganz so grünen Strand der Spree

Die frühesten Erinnerungen an Berlin, in dessen Umgebung ich aufgewachsen bin, führen zu Elefanten, Affen und Eisbären, in den Zoo also. Und zu Wertheim. Dort kaufte meine Mutter mit einem Sammelbuch ein, die Bestellungen wurden notiert, die Waren in großen, mit reichlich Holzwolle ausgestopften Kisten ins Haus geliefert. Im Erfrischungsraum gab es Bouillonwurst mit Sahnemeerrettich, dazu Boalie, eine wunderbare Limonade, die wie in Selterswasser aufgelöste Götterspeise schmeckte. In der Adventszeit waren bei Wertheim Märchenszenen aufgebaut, auf Puppenbühnen sägten und hämmerten mobile Zwerge, schwebten Elfen, promenierten Prinzen, schüttelte Frau Holle die Betten aus. Je älter ich wurde, desto mehr hatte die Stadt zu bieten: die Museumsinsel mit dem Pergamonaltar, Schloß und Zeughaus, Ufa-Palast und Marmorhaus. »Tabu« hieß der erste Film, er hat mich zu Tränen gerührt. Als ich ihn jetzt im Westberliner »Arsenal« wiedersah, bestätigte sich der viele Jahre später aufgekeimte Verdacht, es habe sich bei diesem Streifen Murnaus um eine herzergreifend schnulzige Liebesgeschichte gehandelt. Ich erlebte Berliner Theater, die Oper, auch

◂ **Großes Moor bei Vechta, Niedersachsen**
Torfstich früher: Jeder konnte graben, wo er wollte. In den Gruben bildete sich auf dem stehenden Wasser eine schwache Pflanzendecke. Sie wurden deshalb dem Unkundigen oft zum Verhängnis. Erst Anfang des 19. Jahrhunderts begann man planmäßig mit Entwässerung und Abbau.
Torfstich heute: »Moderne Stechmaschinen ziehen lange Gräben, und sich auf Raupen bewegende Planiermaschinen ebnen das Moor.« (Heimatchronik des Kreises Vechta)

Sur les bords de la Sprée

Mes premiers souvenirs de Berlin – j'ai grandi dans ses environs – me conduisent aux éléphants, aux singes et aux ours, au zoo donc. Et au Wertheim, un grand magasin où ma mère faisait ses emplettes à l'aide d'un carnet de commandes; celles-ci étaient notées, les marchandises livrées à la maison dans de grandes caisses abondamment garnies de copeaux de bois. A la buvette, on mangeait des saucisses assaisonnées de raifort avec pour boisson de la «boalie», une merveilleuse limonade au goût parfumé. Avant Noël, le Wertheim reconstituait des décors de contes; sur des scènes de poupées, des nains sciaient et martelaient, des elfes planaient, des princes se promenaient, Frau Holle secouait les lits. A mesure que je grandissais, la ville m'offrait plus de distractions: l'île des musées avec l'autel de Pergame, le château et l'arsenal, les cinémas, l'Ufa-Palast et le Marmorhaus. Le premier film que je vis s'intitulait «Tabou» et il m'émut aux larmes. Lorsque je le revis plus tard à l'«Arsenal» à Berlin-Ouest, le soupçon qui avait germé dans mon esprit bien des années après se trouva confirmé: ce film était un véritable mélo. J'allais au théâtre à Berlin, à

◂ **La grande tourbière près de Vechta, Basse-Saxe**
L'extraction de la tourbe autrefois: chacun pouvait creuser où il voulait. Une fine couche de végétation recouvrait parfois l'eau stagnante dans les trous ainsi creusés, véritables pièges pour les étrangers. Ce n'est qu'au début du 19e siècle que l'on a commencé à drainer le sol et à extraire méthodiquement la tourbe.
L'extraction de la tourbe aujourd'hui: «Des excavatrices modernes creusent de longs canaux et des bulldozers nivellent la tourbière.» (Chronique locale du district de Vechta).

On the no longer quite so green banks of the Spree

My earliest memories of Berlin, near which I grew up, take me back to elephants, monkeys, and polar bears – to the zoo, in fact. And to the department store called Wertheim. There, my mother bought things with an order book, and the goods were delivered at home packed in large boxes with lots of wood shavings. In the snack bar there you could get delicious sausages with horseradish sauce and wash them down with a wonderful lemonade that tasted like jelly dissolved in soda-water. In the pre-Christmas period, Wertheim put up decorations with fairytale scenes in which mechanical dwarfs hammered and sawed, elves flitted, and princes strutted. The older I became, the more the town had to offer: the museum with the Pergamum altar, the palace and arsenal, the Ufa-Palast and Marmorhaus cinemas. The first film I saw was called "Taboo"; it moved me to tears. My later suspicions that this work by Murnau was a sentimental tear-jerker were confirmed when I saw it again in the West Berlin Arsenal Cinema recently. I enjoyed the Berlin theatres, the opera, and, on occasion, the "Wintergarten" or "Scala" vaudeville theatres. But my special favourites were the Sunday

◂ **The Great Moor near Vechta, Lower Saxony**
Peat-digging in the past: Everyone could dig where he wanted to. The water that gathered in the resulting pits was sometimes covered with a thin layer of plants, and this often proved fatal for strangers. Planned drainage and stripping did not begin until the beginning of the 19th century.
Peat-digging today: "Modern excavators cut long ditches, and bulldozers on caterpillar tracks level the moorland." (District of Vechta Homeland Chronicle.)

schon mal den »Wintergarten« oder die »Scala«. Vor allem aber die Sonntagvormittagskonzerte in der alten Philharmonie, Bernburger Straße, häufig von Furtwängler dirigiert. Anschließend wurde im Weinhaus Habel Unter den Linden zu Mittag gespeist.
Studienjahre im verdunkelten Berlin, Jahre, in denen man vor dem Hintergrund von Terror, Krieg, Grauen, der damaligen »Landschaft Deutschland«, lebenshungrig alles wahrnahm, was noch geboten wurde. Und das war, auch als sich die Bombenangriffe mehrten, noch lange das Angebot einer der lebendigsten Städte der Welt. Über der zielstrebig von den Machthabern als Prestige-Folie aufrecht erhaltenen kulturellen Szene, von der die großen jüdischen Künstler freilich längst vertrieben waren, prangten Namen wie Gründgens, Hilpert, Käthe Gold, Werner Krauß, Erna Berger, Maria Cebotari, Helge Roswaenge, Wilhelm Kempff, Walter Gieseking, Carl Schuricht, Richard Strauss, um nur ganz willkürlich einige herauszugreifen.
Der Kurfürstendamm, in jenen Jahren noch hinreißend elegant, wohl auch ein bißchen morbid, verdrängte Weltuntergangsstimmung. Sommers saß man bei »Mampe« im Freien und ließ die den Zeitläuften trotzende Schickeria Revue passieren. Kleine Bierkneipen wie die »Geroldstuben«, Bars wie das vornehme »Quartier Latin« oder die demimondäne »Allotria«, wo Aljoscha »Bei mir biste scheen« sang oder die Stimmung mit verbotenen amerikanischen Evergreens wie »Some of these days« anheizte. Parfümiertes Geplauder im »Eden-Grill« oder im »Adlon«,

l'Opéra, parfois également au «Wintergarten» ou à la «Scala». Et surtout il y avait les concerts, le dimanche matin, souvent dirigés par Furtwängler à l'ancienne Philharmonie, Bernburger Strasse. On allait ensuite déjeuner au «Weinhaus Habel» Unter den Linden. Puis ce furent mes années d'étudiante dans le Berlin camouflé de la guerre où sur un fond de terreur et d'horreur, «le paysage allemand» de l'époque, on profitait avidement de chaque événement culturel. Et il y en avait dans cette ville vivante, même lorsque les bombardements se multiplièrent, car pour des raisons de prestige le régime encourageait les arts sur une scène dont les grands artistes juifs avaient bien sûr étaient bannis depuis longtemps. Les noms de Gründgens, Hilpert, Käthe Gold, Werner Krauss, Erna Berger, Maria Cebotari, Helge Roswaenge, Wilhelm Kempff, Walter Gieseking, Carl Schuricht, Richard Strauss me reviennent en mémoire.
Le Kurfürstendamm, encore merveilleusement élégant à cette époque bien qu'un rien morbide, vous aidait à réprimer un sentiment d'angoisse. En été, on s'asseyait à la terrasse du «Mampe» et l'on regardait passer les snobs. Il y avait de petites brasseries comme les «Geroldstuben», des bars comme le distingué «Quartier Latin» ou le demimondain «Allotria» où Aljoscha chantait «Bei mir biste scheen» ou électrisait l'atmosphère avec des succès américains interdits comme «Some of these days». On allait bavarder dans l'ambiance parfumée de l'«Eden-Grill» ou au «Adlon» où, même dans les premiers temps de la guerre, on ne servait

morning concerts, frequently conducted by Furtwängler, in the old Philharmonic Hall in Bernburger Straße. Afterwards one went to the winery called Habel, on Unter den Linden for lunch. Then came student-years in blacked-out Berlin, years in which, against the background of terror, war, and cruelty that made up the political scene in Germany in those days, one hungrily took in every cultural event still to be had. And there was a lot to be had in that lively town, even after the air raids increased, because, for reasons of prestige, the regime still did a lot for the arts – from which, of course, the great Jewish artists had long since been banned; names like Gründgens, Hilpert, Käthe Gold, Werner Krauß, Erna Berger, Maria Cebotari, Helge Roswaenge, Wilhelm Kempff, Walter Gieseking, Carl Schuricht, and Richard Strauss spring to mind.
The Kurfürstendamm – still breathtakingly elegant in those days, despite the taint of morbidity in the air – helped one to suppress any feelings of disaster. In the summer one sat in the open at Mampe's and watched the anachronistic beautiful people go past. There were little beer dens like "Geroldstuben", bars like the elegant "Qartier Latin" or the slightly naughty "Allotria", where Aljoscha sang "Bei mir biste scheen", or heated up the atmosphere with forbidden American hits like "Some of these days"; there were cosy chats in the scented atmosphere of the "Eden Grill" or in the "Adlon", where even in the early part of the war they still served only the hearts of lettuce in a salad. A highly subjective

wo man noch in der ersten Kriegszeit vom grünen Salat nur die Herzen servierte.
Ein höchst subjektives Sammelsurium Berliner Bilder im Schatten der drohenden Katastrophe. Judensterne, Freunde, die gefährdet waren. Die zerstörte Synagoge in der Fasanenstraße. Das Seminar in einem Moabiter Hinterhof, wo der Unterricht des halbjüdischen Lehrers etwas außerhalb der Legalität stattfand. Straßenbahndienst, früh um fünf Uhr mit dem Arbeitereinsatzwagen nach Spandau – da gab es Trinkgelder. Verdruß gab es in der Linie 76 auf dem Kudamm, wo sich die versnobte Klientel genauso benahm, wie ich es noch ohne Amtsmütze nicht anders gehalten hatte: Sie machte sich einen Sport aus der Schwarzfahrerei. Immer mehr zerbombte Straßenzüge, Feuersbrünste, Angst, Hunger, Kälte, Tod. Tanz auf dem Vulkan, ausgelassene Partys zwischen Sirenengeheul. Hoffen auf den Endsieg der Alliierten. Noch im März 1945 eine endlose Fahrt durch das brennende Berlin mit einem Kanister Benzin, kostbares Geschenk eines Rumänen. Übernachtung in der Dahlemer Villa von Freunden, die uns vor ihrem fluchtartigen Verlassen der Stadt ermuntert hatten, uns der Restbestände ihres Weinkellers anzunehmen. Diener Hans war noch da, ihn zu kredenzen.
Berlin – dazu hatte bis in die ersten Kriegsjahre hinein auch das Umland gehört. Die Ostseebäder Bansin, Swinemünde, Heringsdorf – waren das nicht Vororte? Ebenso rasch war man mal in Leipzig oder in Dresden. Der Patenonkel war Konzertmeister an der

des laitues que le cœur. Une collection de scènes berlinoises des plus subjectives à l'ombre de la catastrophe. Les étoiles juives, les amis menacés. La synagogue détruite dans la Fasanenstrasse. Le séminaire dans une arrière-cour de Moabit où le professeur demi-juif enseignait dans une semi-clandestinité. Mon service à cinq heures du matin comme receveuse sur la ligne de tramway en direction de Spandau – les ouvriers donnaient des pourboires! Mais plus tard dans la journée, sur la ligne 76 le long du Kudamm, les snobs se comportaient exactement comme je l'aurais fait sans ma casquette officielle: voyager sans payer était pour eux un sport. De plus en plus de rues bombardées, la peur, la faim, le froid, la mort. La danse sur un volcan, des surprises-parties pleines d'entrain entre les hurlements des sirènes. L'espoir de la victoire des Alliés. Au mois de mars 1945, la traversée sans fin de Berlin en flammes grâce à un bidon d'essence fourni par un Roumain. Nous passons la nuit à Dahlem dans une villa appartenant à des amis qui, avant de fuir la ville, nous ont encouragés à faire honneur à ce qui reste de leur cave. Hans, leur domestique, est encore là pour nous servir à boire.
Jusqu'aux premières années de la guerre, Berlin avait encore des environs. Les stations balnéaires de la Baltique, Bansin, Swinemünde, Heringsdorf, n'étaient-ce pas sa banlieue? On faisait un saut à Leipzig ou à Dresde. Mon parrain était chef de musique à l'Opéra de Semper à Dresde que l'on est en train de reconstruire. Il me montra la Suisse franconienne et, dans des promenades au

collection of scenes has survived from the shadowy days before the final catastrophe: yellow stars worn by the Jews, friends in danger; the wrecked synagogue in Fasanenstraße. The seminar in a backyard in Moabit, where a half-Jewish professor taught half illegally. The 5 a.m. shift on the trams when I was doing my bit as a conductor: the workers gave you tips; but later in the day on the Nr. 76 along Kudamm the snobs did just what I would have done without my official hat: made a sport out of travelling without a ticket. More and more bombed-out roads, fires, fear, hunger, cold, death. Dancing on the powder barrel; wild parties with the noise of sirens in the background. Hope for an Allied victory. In March 1945: an endless drive through burning Berlin thanks to a can of petrol provided by a friendly Rumanian. An overnight stay in a house belonging to friends of ours in Dahlem, who, before they fled, suggested we should help ourselves to what was left in their wine cellar. Hans, the servant, was still there to pour it for us.
Until right into the early years of the war Berlin had an extensive hinterland. The Baltic resorts of Bansin, Swinemünde, and Heringsdorf were surely suburbs? You were also in Leipzig or Dresden in what seemed like no time at all. My godfather was leader of the Dresden opera orchestra; the opera house is now being rebuilt. He took me on excursions to "Saxon Switzerland", and, while we went walking in that rugged countryside, prepared me for my first encounter with "Freischütz", whose librettist had been inspired to the

Dresdner Oper, die jetzt wieder aufgebaut wird. Er zeigte mir die Sächsische Schweiz und bereitete mich auf Spaziergängen zwischen den zerklüfteten Felstürmen der Bastei auf meine erste Begegnung mit dem »Freischütz« vor, dessen Librettist angesichts dieser dramatischen Naturkulisse die Wolfsschlucht-Szene eingefallen war. Bootsfahrten nach Templin, Fürstenberg, Lychen, kreuz und quer über die Mecklenburger Seenplatte. Nudelsalat mit Schinken und feinen Erbsen mußte dabei sein. Und das Akkordeon. Und der baumlange Vetter Günther. Als Kind hatte ich mit einer langen Leine ein Brett an das Boot gehängt, auf dem ich mich stundenlang durchs Wasser ziehen ließ. Ausflüge in den Harz mit seinen tosenden Wildbächen, in denen man von Stein zu Stein hüpfen konnte; in die schaurigen Gefilde von Roßtrappe und Hexentanzplatz; zum Brocken, den Eichendorff einen »altdeutschen Riesengreis« genannt; zu den Burgen am hellen Strand der Saale, ins über tausendjährige Quedlinburg, nach Weimar zu früh vielleicht, kaum mehr als Goethes Gartenhäuschen hat sich dem kindlichen Gemüt nachhaltig eingeprägt.
Später Hiddensee, die kleine Insel westlich von Rügen, die fast nur aus Himmel besteht. Erich Heckel hat diesen Himmel einmal in so schweren, dunklen Farben gemalt, daß er wie eine Drohung auf der Landschaft lastet. Ein andermal konnte er blendend und schwerelos sein, Land und Meer gleichsam in seine Unendlichkeit einsaugend. Auch hier sollte man besser von Himmelschaft als von Landschaft reden.

milieu des tours rocheuses de la Bastei, me prépara à ma première rencontre avec le «Freischütz» dont le librettiste avait imaginé la scène de la Wolfsschlucht en voyant ces imposantes coulisses naturelles. Des promenades en bateau vers Templin, Fürstenberg, Lychen, à travers le plateau lacustre du Mecklembourg. La salade de nouilles au jambon et aux petits pois était de rigueur dans ces excursions. Au même titre que l'accordéon et l'immense cousin Günther. Enfant, je m'amusais à attacher avec une longue corde une planche au bateau et je m'y laissais tirer sur l'eau pendant des heures. Il y avait des excursions dans le Harz avec ses torrents impétueux où l'on pouvait sauter de pierre en pierre; dans l'inquiétante campagne de la Rosstrappe et de la Hexentanzplatz; vers le Brocken qu'Eichendorff a appelé un «ancien géant teuton»; vers les châteaux des rives claires de la Saale, dans la ville millénaire de Quedlinburg, à Weimar, trop tôt peut-être car il n'y a guère que le pavillion de Goethe qui s'est gravé de façon durable dans ma mémoire.
Plus tard, la petite île de Hiddensee, à l'Ouest de Rügen, qui n'est presque faite que de ciel. Erich Heckel a une fois peint ce ciel dans des couleurs si sombres et graves qu'il semble peser comme une menace sur le paysage. A d'autres moments, il pouvait être éblouissant et serein, absorbant quasiment la terre et le ciel dans son infini. Ici également il vaudrait mieux parler de cielage que de paysage.
L'île de Hiddensee a exercé depuis longtemps un attrait particulier sur les artistes

Wolf's Glen scene by precisely that scenery. There were boat trips from Berlin to Templin, Fürstenberg, Lychen, and on the many lakes in nearby Mecklenburg. Noodle salad with ham and peas was a must on such trips; so were an accordeon and my tremendously tall cousin Günther. As a child I used to attach a plank to the boat by a long rope, and allow myself to be towed on it for hours at a time. There were many excursions to the Harz Mountains full of clamorous torrents across which one could hop from stone to stone; to uncanny places like Roßtrappe and Hexentanzplatz, where the witches were said to dance; up to Mt. Brocken, which the poet Eichendorff called an "ancient Teutonic giant"; to the castles along the River Saale, to Quedlinburg, with its thousand years of history, and to Weimar – this latter at too early an age, perhaps, as I can recollect little more than Goethe's summer-house.
Later came Hiddensee, the little island to the west of Rügen which consists almost entirely of sky. Erich Heckel once painted this sky in such heavy, dark colours that it seems poised above the landscape like a threat. At other times it could be radiant and weightless, embracing the land and sea in its infinity. Here, too, skyscape is a better description of the optical impression than landscape.
Hiddensee had long exercised a special attraction for artists and eccentrics, starting with Gerhard Hauptmann, who, at his special request, was also buried there. Lively conversations on the beach, kissing of hands in birthday suits, dozing in the soft white

Hiddensee hatte schon lange eine besondere Anziehungskraft auf Künstler und Originale ausgeübt, angefangen bei Gerhart Hauptmann, den man seinem Wunsche entsprechend auch auf der Insel begraben hat. Munteres Palaver am Strand, Handküsse im Adamskostüm, dösen im weißen Streichelsand. Boccia-Spiele auf den Wiesen zwischen dem nicht nur für seinen »Aal grün« berühmten Gasthof »Dornbusch« und dem weiter oben gelegenen Landhaus der Käthe Kruse. Kein Autoverkehr auf dem idyllischen Eiland. Vor dem Dämmerschoppen versammelte sich ein buntes Völkchen an der Anlegestelle des Dampfers, um die Ankömmlinge überschwenglich in die Arme zu schließen oder kühl zu mustern. »Auslandsdeutsche wählen in Neapel« – so kommentierte mit einem sarkastischen Seitenblick auf die politische Situation der Regisseur Jürgen Fehling das Bild, auf dem ein Maler diese Szene in gar zu aufdringlichen Farben festgehalten hatte. Ein Hiddenseer Nocturno: Die Strandkörbe wurden wie eine Wagenburg zusammengerückt, die Schnapsflasche kreiste. Chansons von Charles Trenet hingen in der Luft. Über unseren Köpfen glitt einer Katze gleich die damals noch kaum bekannte junge Schauspielerin Joana Maria Gorvin zwischen den Strandkörben hin und her.
Erstes Wiedersehen mit Berlin nach Kriegsende – ich war über die Grüne Grenze zurückgekommen in das große Trümmerfeld, in dem nun zwei Welten aufeinanderstießen. Der Wunsch, mir von dem, was hinter dem Brandenburger Tor geschah, ein eigenes Bild

et les originaux, à commencer par Gerhart Hauptmann qui a voulu y être enterré. Conversations animées sur la plage, baise-main en costume d'Adam, sieste sur le sable doux et blanc. Jeux de boccia sur le pré entre les restaurant «Dornbusch» réputé entre autres pour son anguille au bleu et la maison de campagne de Käthe Kruse. Pas de voitures sur cette île idyllique. L'après-midi, au débarcadère, une foule bigarrée attendait les arrivants pour les accueillir avec des transports de joie ou les jauger avec froideur. Nocturne à Hiddensee: on rapprochait les fauteuils-cabines et la bouteille de schnaps circulait de l'un à l'autre. Dans la nuit, les chansons de Charles Trenet et la jeune actrice à peine connue à l'époque, Joana Maria Gorvin qui se faufilait entre les fauteuils comme un chat.
Mes retrouvailles avec Berlin après la guerre furent une rencontre avec un immense tas de décombres où désormais s'affrontaient deux mondes. Le désir de voir par moi-même ce qui se passait derrière la Porte de Brandebourg m'amena souvent à Berlin-Est, à l'Alexander-Platz, dans la Stalinallee, une avenue à l'architecture monstrueuse, l'actuelle Frankfurter Allee, dans les librairies au choix uniforme, dans les restaurants nationalisés comme le «Ganymed» ou «Die letzte Instanz». Bien que difficiles à organiser, ces courtes visites étaient amplement récompensées par le «Berliner Ensemble» de Brecht, le «Komischer Oper» de Felsenstein. Souvenirs d'une visite à Berlin pendant l'hiver 1947. Le train de Leipzig avait eu tant de retard qu'il

sand. Boccia on the meadow between the "Dornbusch" Inn – famous not only for its green eels – and Käthe Kruse's house higher up the slope. There was no motorized traffic on the idyllic island. Before sundowner time, a colourful group of people would meet at the landing stage to greet arriving friends with warm embraces or newcomers with a cool appraisal. A Hiddensee Nocturne: the wickerwork beach chairs drawn up like covered wagons to form a hollow square, the liquor bottle passing around, chansons by Charles Trenet rising into the night sky, and the then little-known actress Joana Maria Gorvin gliding about between the beach chairs like a cat.
My first post-war encounter with Berlin was with a wilderness of rubble in which two ideologies met. My desire to find out for myself what was happening on the other side led me to visit East Berlin frequently – Alexanderplatz, the architecturally monstrous Stalinallee, as the former Frankfurterallee was then still called, the politically monotonous bookshops, and the "people's restaurants" such as "Ganymed" or "Die Letzte Instanz". Although these flying visits were not easy to arrange they could be very rewarding, for there was Brecht's "Berliner Ensemble" and Felsenstein's "Komische Oper" to go to.
Recollections of a visit to Berlin in the winter of 1947: The train from Leipzig was so late that public transport had ceased to function by the time we arrived at Anhalter Station in Berlin. So we gathered up our belongings and started to walk straight across the gloomy,

zu verschaffen, zog mich häufig nach Ostberlin, zum Alexanderplatz, in die architektonisch monströse Stalinallee, wie die frühere Frankfurter Allee damals noch hieß, in die einfarbig sortierten Buchhandlungen, in volkseigene Restaurants wie das »Ganymed« oder die »Letzte Instanz«. Für die etwas mühsamen Stippvisiten wurde man reich entschädigt bei Brechts »Berliner Ensemble«, in Felsensteins »Komischer Oper«.
Erinnerung an einen Berlin-Besuch im Winter 1947. Der Zug von Leipzig her hatte so viel Verspätung gehabt, daß die öffentlichen Verkehrsmittel zur Stunde unserer nächtlichen Ankunft auf Resten des Anhalter Bahnhofs den Betrieb längst eingestellt hatten. Also rafften wir unsere Siebensachen und machten uns zu Fuß auf den Weg quer durch die finstere, ausgestorbene Stadt bis zum Lietzensee. Ein Plakat an einer Litfaßsäule kündete von einer Leiche im Landwehrkanal. Es war ein bißchen unheimlich, lausig kalt obendrein, natürlich auch keine Kneipe mehr offen, in der wir uns mit einem Heißgetränk hätten aufwärmen können. Trotz allem waren wir von der lang entbehrten Berliner Luft so beschwingt, daß wir noch einen kleinen Umweg über den Kudamm einlegten.
Seither hat sich diese Stadtlandschaft, nicht zuletzt atmosphärisch, so verändert, daß ich meine liebe Not habe, etwas vom alten Berlin wiederzufinden. Kaum verwunderlich, nachdem die unselige Mauer die Stadt in zwei Hälften zerrissen hat, die politische Situation grundlegend anders geworden ist, Westberlin

n'y avait plus aucun moyen de transport public à l'heure nocturne de notre arrivée à l'Anhalter Station à Berlin. Nous avons donc pris nos affaires et sommes partis à pied à travers la ville sombre et déserte jusqu'au Lietzensee. Une affiche placardée sur une colonne Morris indiquait la découverte d'un cadavre dans le Landwehrkanal. L'atmosphère était quelque peu sinistre, il faisait froid de surcroît et il n'y avait évidemment pas un seul café d'ouvert. Pourtant nous étions si heureux de respirer à nouveau l'air de Berlin que nous fîmes encore un petit détour par le Kudamm.
Depuis la ville a tellement changé que j'ai bien du mal à retrouver le vieux Berlin que j'ai connu. Rien d'étonnant à cela car le funeste mur a coupé la ville en deux, la situation politique a complètement changé et Berlin-Ouest a perdu sa fonction centrale de métropole et son arrière-pays. L'air de Berlin ne pétille plus autant qu'autrefois même s'il n'y a pas d'alerte au smog. C'est comme si les plaies de la guerre n'étaient pas encore tout à fait cicatrisées. Dans cette situation, l'aide financière de Bonn n'est pas un remède, elle revitalise artificiellement la ville, fait surgir des constructions d'une qualité architecturale souvent très contestable et encourage la spéculation.
Pourtant les jeunes, précisément ceux qui critiquent, se sentent encore bien sur les rives plus aussi vertes de la Sprée. Tant il est vrai qu'entre le Tegeler See et le Krumme Lanke, il se passe encore plus de choses que nulle part ailleurs. Un exemple parmi tant d'autres:

dead town to Lietzensee. We passed a poster reporting the discovery of a body in the Landwehr Canal. It was all rather uncanny, and very chilly, and, of course, the pubs had all long-since shut. We were nevertheless so stimulated by the Berlin air which we had missed for so long, that we made a detour via Kudamm.
In the meantime the town has changed so much that I have my work cut out to find any trace of the old Berlin I knew. This is hardly surprising considering the fact that the wretched wall has cut the town in two, that the political situation has completely altered, that West Berlin has lost both its central function as a metropole and its hinterland. The Berlin air no longer sparkles as it did, even though smog is no problem. It seems as if the wounds of the war have still not completely healed. In this situation, the financial aid from Bonn is also no panacea, stimulating as it does the construction of vast new buildings, often of very doubtful architectural quality, and encouraging speculation.
Despite all this, young people, in particular the critical ones, still enjoy living on the no longer quite so green banks of the Spree; their "no future" slogans, however, are in stark contrast to the Berliner's proverbial resilience of character. Despite all the restrictions, there is still more going on there than elsewhere. Just one of many examples: Berlin has the most populous and probably the best rock music scene in Europe. It would be unjust to maintain that the *genius loci* can only be

den Verlust der zentralen Funktion einer Metropole und seines Hinterlandes verkraften mußte. Die Berliner Luft moussiert nicht mehr so wie früher, auch wenn kein Smog-Alarm herrscht. Es ist, als seien die Wunden des Krieges noch immer nicht völlig verheilt. Da helfen auch die Spritzen aus Bonn nicht recht, die die Stadt künstlich revitalisieren, überall gewaltige Neubauten von unterschiedlichster architektonischer Qualität entstehen lassen und die Bauspekulanten auf den Plan rufen.
Trotz allem fühlen sich gerade kritische junge Leute am nicht mehr ganz so grünen Strand der Spree noch recht wohl, obschon ihre No-future-Parolen der sprichwörtlichen Stehaufmännchen-Mentalität der Berliner ja eigentlich hohnsprechen. Es ist halt zwischen Tegeler See und Krummer Lanke noch immer mehr los als andernorts. Nur eines von vielen Beispielen: Man trifft in Berlin auf die dichteste und wahrscheinlich beste Rockmusikszene Europas. Ungerecht wäre es, zu behaupten, der Genius loci ließe sich nur noch rückblickend, etwa bei solchen Gelegenheiten wie der großen Preußen-Ausstellung erahnen; gäbe allenfalls mal ein Gastspiel in der Schaubühne Peter Steins; klammre sich im übrigen an die hundertjährigen Knie der Berliner Philharmoniker. Man begegnet ihm auch auf dem heute so beliebten Trödel im Tiergarten wieder, in einem mit Stuckornamenten verbrämten Treppenhaus der Gründerjahre, im »Café Einstein«, nach dem Dichter Carl Einstein benannt, das in einer ehemaligen Villa der Stummfilmdiva Henny

Berlin a certainement la meilleure scène de rock d'Europe. Il serait injuste de prétendre que le genius loci ne transparaît que rétrospectivement, comme par exemple à la grande exposition sur la Prusse, qu'il se manifeste tout au plus à la «Schaubühne» de Peter Stein et que sa présence permanente ne se sent qu'à la Philharmonie, à présent centenaire, de Berlin. Car on le rencontre également en d'autres lieux. Au marché aux puces du Tiergarten, dans la cage d'escalier ornée de stucs d'un immeuble fin du siècle, au «Café Einstein» – baptisé du nom du poète Carl Einstein – qui, dans une villa ayant appartenu à la vedette des films muets Henny Porten, rappelle l'atmosphère du «Romanische Café» si célèbre à l'époque des années vingt; ou à l'«Exil» où il se régale de boulettes de Bohême. Parfois l'esprit de Berlin ouvre la bouche dans un taxi lorsque par exception ce n'est pas un étudiant en sociologie qui est au volant. Car au fond, il a plutôt la vie dure. Et si on ne l'aperçoit par aujourd'hui sur le Kurfürstendamm ou dans la Friedrichstrasse, on pourra peut-être le dénicher dans le quartier de Friedenau ou de Kreuzberg.

discovered by retrospection – as in the great Prussia Exhibition, for example – that it does, of course, give the occasional guest performance at Peter Stein's "Schaubühne", but that otherwise its permanent presence is to be felt only in the now hundred-year-old Berlin Philharmonic Orchestra, for it still manifests itself in other places, too. At the Tiergarten flea market, for example; in the stucco ornamentation of an end-of-the-century staircase; in the "Café Einstein", named after the poet Carl Einstein, which, located in a villa that at one time belonged to the silent-film diva Henny Porten, recalls the atmosphere of the "Romanische Café", so famous in the 1920's; or in the "Exil", where Bohemian dumplings are the great attraction. And, sometimes, on one of those rare occasions when the driver is not a student of sociology, the spirit of Berlin gives tongue in a taxi. For it is basically a pretty tough phenomenon. And if it has largely disappeared on Kurfürstendamm or at the Friedrichstraße Station, it can, perhaps, still be found in the Friedenau or Kreuzberg districts.

Porten vage Reminiszenzen an das in den goldenen zwanziger Jahren so berühmte »Romanische Café« pflegt, oder im »Exil«, wo er sich an böhmischen Knödeln delektiert. Manchmal macht der gute Geist Berlins überraschend in einem Taxi den Mund auf, wenn ausnahmsweise kein Soziologe am Steuer sitzt. Denn im Grunde ist er doch ziemlich zählebig. Und wenn er sich heute am Kurfürstendamm oder am Bahnhof Friedrichstraße unsichtbar gemacht hat, so kann man ihn vielleicht in Friedenau oder am Kotti in Kreuzberg aufstöbern.

Gesichtsverlust

Hatten die Menschen schon in früheren Zeiten die Landschaft manchmal erheblich verletzt, so konnten sie doch von der Tragweite solcher Anschläge nichts ahnen. Die verbleibenden Narben waren auch kaum der Rede wert gemessen an jenen Verunstaltungen, die sich in der vergleichsweise lächerlichen Zeitspanne der letzten anderthalb Jahrhunderte abgespielt und uns die heutige Umweltkrise beschert haben. Noch unsere Urgroßväter durften sich einer naturnahen Kulturlandschaft erfreuen. Wasser und Luft waren rein, das Gleichgewicht im Reich der Tiere und Pflanzen intakt, Smog, saurer Regen und Bäumesterben lagen außerhalb ihrer Vorstellungswelt. Daß sie dennoch über die Landschaft wachten und fahrlässige Beschädigungen mißbilligten, mag folgendes Zitat aus Bismarcks »Gedanken und Erinnerungen« belegen: »Ich kann nicht leugnen, daß mein Vertrauen in den Charakter meines Nachfolgers einen Stoß erlitten hat, seit ich erfahren habe, daß er uralte Bäume vor der Gartenseite seiner, früher meiner Wohnung hat abhauen lassen, welche eine erst in Jahrhunderten zu regenerierende, also unersetzbare Zierde der amtlichen Reichsgrundstücke in der Residenz bildeten. Kaiser Wilhelm I. wird im Grabe keine Ruhe haben, wenn er weiß, daß sein früherer Gardeoffizier alte Lieblingsbäume, die ihresgleichen in Berlin und der Umgebung nicht hatten, hat niederhauen lassen, um ein wenig mehr Licht zu gewinnen.«
Opfer des neuen Zeitalters wurden nicht nur uralte Bäume, sondern ganze Landstriche.

Un visage défiguré

Si autrefois les hommes ont déjà porté des atteintes parfois graves au paysage, ils ne pouvaient cependant pas en mesurer toute la portée. Les cicatrices ainsi occasionnées ne valaient d'ailleurs guère la peine d'être mentionnées comparées aux défigurations qui se sont produites au cours des cent cinquante dernières années et qui nous valent la crise actuelle de l'environnement. Même nos arrière grands-parents jouissaient encore d'un paysage proche de la nature. L'eau et l'air étaient purs, l'équilibre intact dans le royaume des bêtes et des plantes; le smog, la pluie acide, les arbres qui meurent, étaient des phénomènes encore inconnus. Qu'ils aient toutefois veillé sur le paysage et désapprouvé les dépradations est un fait qu'atteste la citation suivante tirée des «Réflexions et souvenirs» de Bismarck: «Je ne peux nier que ma confiance dans le caractère de mon successeur a été ébranlée depuis que j'ai appris qu'il a fait abattre de très vieux arbres du côté jardin de sa maison, autrefois la mienne, qui constituaient un ornement dont la régénération prendra des siècles, donc irremplaçables, du terrain impérial dans la Résidence. L'empereur Guillaume Ier se retournerait dans sa tombe s'il savait que son ancien officier de la garde a fait couper ces vieux arbres aimés qui n'avaient pas leurs pareils dans Berlin et les environs, pour avoir un peu plus de lumière.»
Les temps modernes n'ont pas seulement immolé de vieux arbres mais des régions entières. Car la société industrielle, qui depuis la première moitié du siècle dernier a

Loss of face

Although man did sometimes seriously injure the countryside in earlier ages, he was not in a position to be able to judge the long-term consequences. The scars that remained were in any case negligible compared with the disfigurations which it has been subjected to in the relatively short space of time represented by the last century and a half. Even our great-grandfathers were still able to enjoy the amenities of a cultural landscape that was still close to nature. The water and air were pure, the balance of nature still intact; smog, sour rain, and dying forests were as yet unknown. The fact that they nevertheless kept an eye on the countryside, and disapproved of reckless damage to it, is shown by the following quotation from Bismarck's "Thoughts and Recollections": "I cannot deny that my confidence in the character of my successor suffered a blow when I discovered that, on the garden side of his, formerly my, flat, he had some ancient trees, which constituted an embellishment of the state grounds in the palace, and which can only be regenerated in the course of centuries, and were therefore irreplaceable, cut down. Emperor Wilhelm I would turn in his grave if he knew that his former guards officer had cut down his favourite old trees, which were unmatched in Berlin and its environs, in order to get a litte more light."
The new age has sacrificed not only ancient trees, but also whole landscapes. For our industrial society, which, since the first half of the last century, has replaced the long-lived agrarian society founded during Neolithic

Denn die Industriegesellschaft, die seit der ersten Hälfte des letzten Jahrhunderts die in der neolithischen Revolution entstandene langlebige Agrargesellschaft abgelöst hat, bestellte den Boden auf neue Weise. Es entstanden die Industrielandschaften, die sich nur in seltenen Glücksfällen in die Landschaft integrieren ließen, oft wie ein Aussatz ihr Gesicht zerfraßen. Freilich – hätten die Industriegewaltigen ihre Quartiere nicht nach ökonomischen, sondern nach ökologischen Gesichtspunkten auserkoren, sie wären wohl bald pleite gegangen. Auf die Infrastruktur kam es an. Also konzentrierten sie sich auf jene Reviere, die möglichst viele günstige Voraussetzungen für das Gedeihen ihrer Unternehmen vereinten: die Nachbarschaft von Bodenschätzen und Energiequellen, genügend Arbeitskräfte sowie ein dichtes Verkehrsnetz. Um Halle und Leipzig herum basieren die Industriezentren auf üppigen Braunkohlevorkommen. Im Ruhrgebiet, obwohl es dort zunächst an Arbeitskräften mangelte, im Saargebiet und in Mittelsachsen wurden sie von den vor Ort lagernden Schätzen an Steinkohle angelockt. In Reichweite zur Steinkohle ließ sich die Schwerindustrie nieder. Über die ausgedehnten Fabrikgelände und Wohnsiedlungen hinaus zog sie landschaftsverändernde Kreise. Da wurden Stauseen zur besseren Energieversorgung gebaut, Straßen und Wasserwege angelegt, und auch die Landwirtschaft paßte sich den veränderten Konsumbedürfnissen rasch an. Immer neue Landstriche beschlagnahmte die Industrie, ob in Niedersachsen, in

remplacé la société agricole née de la révolution néolithique, a exploité le sol d'une autre manière. Les paysages industriels sont nés, qui ne s'intègrent que rarement dans le paysage et souvent le défigurent comme la lèpre. Certes si les puissants de l'industrie avaient choisi leurs quartiers non pas d'après des points de vue économiques mais écologiques, ils auraient bientôt fait faillite. Ils se sont donc concentrés dans des zones réunissant le plus de conditions favorables possible pour la réussite de leurs entreprises: le voisinage de richesses du sous-sol et de sources d'énergie, suffisamment de main-d'œuvre ainsi qu'un réseau de communications dense. Autour de Halle et Leipzig, les centres industriels sont basés sur d'abondants gisements de lignite. Dans la région de la Ruhr, bien que l'on y ait manqué tout d'abord de main-d'œuvre, dans la région de la Sarre et en Moyenne-Saxe, ils ont été attirés par les gisements de houille. L'industrie lourde s'est implantée à portée du charbon. L'industrialisation a transformé le paysage bien au-delà des terrains industriels et des grands ensembles. Des lacs de barrage ont été construits pour un meilleur approvisionnement en énergie, des routes et des canaux ont été tracés et l'agriculture s'est adaptée rapidement aux besoins modifiés des consommateurs. L'industrie a continué à faire main basse sur les régions, que ce soit en Basse-Saxe, en Saxe, dans la région du Rhin-Neckar ou en bordure des grandes villes où le paysage urbain n'est plus guère concevable sans paysage industriel. Elle a encerclé les petites

times, has exploited the earth in a new fashion. Industrial landscapes have been created which more often disfigure the landscape like a form of leprosy than merge with it. On the other hand, it must be admitted that if the industrialists had chosen their sites for ecological rather than economic reasons, they would soon have been bankrupt. A good infrastructure was the main requirement, and those parts of the country which offered the greatest number of advantages for the new enterprises were chosen: prime sites provided proximity of mineral resources and sources of energy, an adequate supply of labour, and a good communications system. Round Halle and Leipzig, the industrial centres are based on large lignite deposits. In the Ruhr district, although there was a lack of available labour there at first, in the Saarland, and in central Saxony, there were large coal deposits. Heavy industry settled close to coal-producing areas, with effects on the landscape that extended beyond the actual factory sites and housing estates: dams were built for extra energy supplies, roads and canals were constructed, and agriculture in the surrounding areas adapted itself to the changing consumer demands. Industry took over more and more of the countryside: in Lower Saxony, for example, in Saxony, in the Rhine-Neckar area, and around the large towns, and this to such an extent that a townscape is now scarcely imaginable without the inevitable industrial districts. Middle-sized and smaller towns were surrounded, strangled, by industrial

Sachsen, im Rhein-Neckar-Raum oder in den Randgebieten der großen Städte, wo Stadtlandschaft ohne Industrielandschaft kaum mehr denkbar ist. Mittlere und kleinere Städte kreiste sie ein, zwängte sie zusammen.
Noch immer setzt sich dieser Strukturwandel auf dem Rücken unserer Landschaft fort. Vor allem in Ballungsgebieten hat die Urbanisierung ländlicher Räume ihr vormals liebliches Antlitz in eine überschminkte, von Prothesen entstellte Fratze verwandelt. Eigenständiges ist überzogen mit der Folie des Austauschbaren. Wenn ich heute von Stuttgart in den Schwäbischen Wald hinausfahre, so habe ich – und das mag für neuere Ballungsgebiete exemplarisch sein – stets zwei Bilder vor Augen: einmal das Bild in meinem Kopf, das mich erinnert, wie es hier noch vor zwanzig Jahren aussah. Es zeigt eine heiter beschwingte Landschaft – nicht von ungefähr deutete ein Freund beim ersten Augenschein das damalige Backnanger Kraftfahrzeug-Kennzeichen BK als Abkürzung für Bukolien. Die Straße wand sich zwischen Feldern und Auen dahin. Zur Rechten der Korber Kopf, an dessen Hängen würziger Trollinger gedeiht. Wenig Wald. Es dominierten die bäuerlichen Obstwiesen, im Frühling ein einziges Blütenmeer, im Herbst herausgeputzt mit einer paradiesischen Fülle tiefrot leuchtender Äpfelchen. Die von solchem Segen schier erdrückten Bäume wie dafür geschaffen, einem Sonntagsmaler Modell zu stehen. Kleine, bunt gewürfelte Dörfer.
Dem gegenüber das Bild von heute. Da ist zunächst das breite, gefräßig in die Land-

et moyennes villes les obligeant à fusionner. Cette transformation de structure se poursuit encore aux dépens de notre paysage. L'aspect de la nature a été déformé par l'urbanisation à grande échelle, son originalité s'est affadie. Aujourd'hui, lorsque je me rends de Stuttgart dans la Forêt Souabe, j'ai toujours – et cela peut servir d'exemple pour presque toutes les régions d'Allemagne – deux images devant les yeux: l'une est dans ma tête et me rappelle ce qu'il y avait ici il y a vingt ans. Elle me montre un paysage vivant, harmonieux, bucolique. La route traversait des champs et des prairies.
A droite, les collines étaient couvertes de vignobles produisant le succulent Trollinger. Il y avait peu de forêts. Les vergers dominaient, au printemps véritable mer de fleurs, en automne parés d'une abondance paradisiaque de pommes d'un rouge sombre et brillant. Un tableau idéal pour le peintre du dimanche.
Quant à l'image d'aujourd'hui, c'est tout d'abord la large bande de béton de la voie rapide qui a pénétré avec voracité dans le paysage. Des blocs d'habitation et des supermarchés, des blocs de béton gris, misanthropiques, faisant l'important en se nommant «centres»; le colosse aveugle du réservoir. De petites et moyennes exploitations industrielles, des dépôts, des stations-service, la plupart jaillis pour ainsi dire en une nuit du sol. Toutes ces constructions érigées selon des méthodes rapides ont envahi le paysage, détruit la polarité de l'espace rural et urbain. Les prés tondus très tôt pour l'ensilage sont privés de leur floraison, des cultures de

belts. These structural changes are continuing at the expense of our countryside. Nature's face has been deformed by large-scale urbanization, her body crippled. Local character has been stifled by uniformity. Nowadays, when I drive from Stuttgart into the Swabian Forest I always see two scenes, and this might be taken as typical of almost any area in Germany. One is the picture before my mind's eye of what it looked like here twenty years ago. My memory shows me a lively, harmonious, truly bucolic landscape. The road wound its way through a mixture of arable and grazing land. On the right the hills were alive with vineyards producing aromatic Trollinger wine grapes. There was little woodland. Orchards, a mass of blossom in the spring, and dotted with gleaming, deep-red apples in the autumn, were the main feature: an ideal scene for the naive painter. The villages were small, and had developed organically. Compare this with today's impression. First we have the broad concrete band of the trunk road, eating its way greedily into the countryside. A rash of high-rise blocks and supermarkets; misanthropic, grey concrete blocks claiming a spurious importance by calling themselves "centres"; the blind colossus of the reservoir. Small-to-medium industrial plants everywhere, depots, petrol stations, many of which shoot up almost overnight – these buildings, erected by high-speed construction methods, have spread over large areas, destroying the former polarity of town and country. Meadows, mowed early for silage, are denied their

schaft eingedrungene Betonband der Schnellstraße. Zusammengerottete Wohnsilos, Supermärkte, misanthropische graue Betonquader, die sich mit dem Namen Center wichtigtun, der blinde Koloß der Wasserversorgung. Kleinere und größere Gewerbebetriebe zuhauf, Lagerhallen, Tankstellen, die meisten gleichsam über Nacht aus dem Boden geschossen – all diese im Schnellverfahren hochgezogenen Bauten haben die Landschaft weithin überwuchert, die Polarität zwischen ländlichem und städtischem Raum getilgt. Früh gemähten Silowiesen ist die Blütenpracht vergangener Jahre versagt, grüne Maiskulturen machen sich breit, zahlreiche Feldwege sind asphaltiert. Verträumte alte Bäume am Straßenrand sind dem Ausbau der Verkehrswege zum Opfer gefallen. An ihrer Stelle ein endloser Schilderwald. Zur Rechten, zur Linken und zu allem Überfluß an hohen, den Himmel zersäbelnden Galgen auch noch über der Straßenmitte protzige Ampeln, die den zähflüssig durch die Häuserschneisen sich dahinwälzenden Verkehrsstrom mehr behindern als regulieren. Neue Siedlungen an den Ortsrändern, »wo's Dörflein traut zu Ende geht«, sehen aus, als demonstrierten sie für ein Berufsverbot phantasieloser Architekten. In einer dichtgemachten Tankstelle schreit die Grill-Station »Hamburger Himmel« zum Himmel. Es hat den Anschein, als fänden diese Dörfer kein Ende in ihrem Wettstreit, auf schwäbischem Boden ein Zipfelchen Texas vorzugaukeln. Das Überblenden solcher Bilder von gestern und heute schmerzt. Doch letzten Endes geht

maïs étalent leur vert monotone, des nombreux chemins vicinaux sont asphaltés. De vieux arbres idylliques au bord des routes sont tombés victimes de l'élargissement des voies de communication. A leur place, une forêt infinie de panneaux indicateurs. A droite et à gauche, et à profusion, des signaux lumineux qui s'avancent orgueilleusement jusqu'au milieu de la route gênant plus qu'ils ne régularisent le flot lent des voitures qui s'écoule entre les rangées de maisons. De nouveaux lotissements en bordure des localités semblent autant de preuves du manque d'imagination des architectes d'aujourd'hui. On croirait que ces villages rivalisent de zèle pour faire miroiter sur le sol souabe un petit coin de Texas. La comparaison de ces images d'hier et d'aujourd'hui fait mal. En fin de compte pourtant il ne s'agit pas uniquement de la défiguration de grandes parties du paysage. Cette défiguration menace en effet les bases mêmes de notre existence: les polémistes parlent d'une consommation du paysage bien qu'à vrai dire on ne puisse consommer le paysage mais seulement l'altérer, l'éroder. Car la nature blessée sait se défendre. Les hommes ont compris trop tard qu'il est suicidaire de la blesser, qu'il y a autre chose en jeu que son aspect idyllique. Mais même s'il en était autrement, si la beauté et le caractère du paysage naturel étaient seuls menacés, n'aurions-nous pas tout lieu de le protéger?

flowers, maize fields spread a monotonous green over large areas, most of the country lanes have been asphalted. Fine old trees that lined the roads have been sacrificed to the Moloch of modern road traffic, replaced by traffic signs. Traffic lights to the right, to the left, and, as if that were not enough, soaring high above the middle of the roads, hinder rather than help the traffic as it oozes its way through the built-up areas. New estates built on the outskirts of towns and villages look as if they were deliberate demonstrations of how unimaginative our architects are. Garish advertisements strike a blow for ugliness. It almost seems as if these villages were constantly competing with one another as to which can most successfully transfer a patch of Texas to Swabia. A comparison of today's scenery with that of yesterday is a painful process. And yet, ultimately, it is not only a question of our countryside suffering surface injuries, for, at the same time, these injuries represent a progressive threat to the fundamental conditions of our life on earth: polemicists speak of consumption of the countryside, although, strictly speaking, the landscape cannot be consumed, but only altered, eroded. For nature, when injured, knows how to defend herself. It is simply that we have taken far too long to realize that to injure nature is to injure ourselves, that there is far more at stake than idyllic scenery. But even if this were not the case, even if there were no more at stake than the beauty and character of our landscape, would that alone not be worth protecting?

es ja nicht nur darum, daß weite Teile unserer Landschaft ihr Gesicht verlieren, kosmetisch verunstaltet werden. Verbunden mit diesem Gesichtsverlust ist die fortschreitende Gefährdung unserer natürlichen Lebensgrundlagen – Polemiker sprechen vom Landschaftsverbrauch, obwohl man genau genommen Landschaft nicht verbrauchen, sondern nur ihren Typus variieren, sie beispielsweise verschleißen kann. Denn die verletzte Natur weiß sich ihrer Haut zu wehren. Spät genug haben die Menschen begriffen, daß es selbstmörderisch ist, ihr Wunden zu schlagen, daß mehr auf dem Spiel steht als die landschaftliche Idylle. Und wäre dem nicht so, sähen wir nichts anderes bedroht als die Schönheit und Eigenart der heimatlichen Landschaft, hätten wir nicht allemal Anlaß genug, sie zu beschützen? Bitte umblättern …

Garderobenwechsel

Der Mai ist doch noch gekommen. Vor meinem Fenster hat er eine Rhapsodie in Grün angestimmt. Die eben noch kahlen Bäume haben sich in duftige Schleier gehüllt, Grüntöne schwimmen sanft ineinander oder setzen sich in temperamentvollem Helldunkel gegeneinander ab. Im Überschwang der Lenzeslust hat sich der Wald die kühnsten Ton-in-Ton-Malereien gestattet. Jetzt ist es an der Zeit, Wicken und Bartnelken auszusäen und all die anderen Sommerblumen, nach Waldmeister für die Maibowle Ausschau zu halten und sich wieder einmal zu verlieben. Der Wonnemond macht den Pegasus traben, bietet sich Malern und Komponisten als Top-Modell an. Er fördert auch den Dilettantismus. Aber nicht jeder sieht in ihm einen Bruder Leichtfuß mit Blümchen und Bändern und Tirili. Die Porträts können so verschieden ausfallen wie vertonte Frühlingsgefühle von Joseph Haydn oder Richard Wagner, Christian Sinding oder Igor Strawinsky.
Bei aller Begeisterung für den Mai, diesen großen Charmeur unter den Monaten: was wäre er ohne einen Kontrahenten wie den triefnasigen November? Isabel war noch sehr klein – sie mochte damals etwa drei Jahre alt gewesen sein –, als sie, bei einer Autofahrt hinter mir sitzend, ganz unvermittelt in Jubel ausbrach. »Warum jauchzst du denn so, liebe Tochter«, frag' ich, »ist denn das Leben so schön?«
»Oh ja, es ist wunderschön.«
»Und weshalb?«
»Wegen Sommer und Winter.«
Wer wollte da widersprechen? Wer möchte

Changement de tenue

Le mois de mai est quand même arrivé. Devant ma fenêtre, il a entonné une rhapsodie en vert. Les arbres à l'instant encore nus se sont drapés dans des voiles vaporeux, des teintes vertes se fondent l'une dans l'autre ou offrent des harmonies contrastantes. Gagnée par l'exubérance printanière, la forêt s'est permis les peintures ton sur ton les plus audacieuses. Il est temps de semer les pois de senteur et les œillets barbus et toutes les autres fleurs d'été, de chercher le petit muguet et d'être à nouveau amoureux. La lune inspire à nouveau les peintres et les musiciens. Mais tout le monde ne voit pas seulement dans le printemps une période de gaieté fleurie et enrubannée. Les portraits peuvent être aussi différents que les sentiments printaniers mis en musique par Joseph Haydn ou Richard Wagner, Christian Sinding ou Igor Stravinsky. Pourtant, malgré tout l'enthousiasme que suscite le mois de mai, ce grand charmeur parmi les mois, que serait-il sans son antipode, le mois de novembre? Isabelle était encore très petite – elle avait peut-être trois ans à l'époque – lorsqu'au cours d'un trajet en voiture, assisse derrière moi, elle se mit soudain à pousser des cris de joie. «Que t'arrive-t-il, ma chérie» demandais-je «la vie est-elle si belle?»
«Oh oui, elle est merveilleuse.»
«Et pourquoi?»
«A cause de l'été et de l'hiver.»
Qui pourrait la contredire? Qui voudrait donner au printemps toute l'année carte blanche? N'est-ce pas précisément l'alternance des saisons qui rend le paysage si

Change of clothes

Spring has come again after all! It has spread a rhapsody in green outside my window. The trees, so recently bare, have now clothed themselves in a sweet-smelling veil. Green tones merge gently into each other or provide strong chiaroscuro contrasts. In the surge of springtide, the woods have ventured to display their full range of tone values. Now is the time to sow sweet peas and sweet william and all the other summer flowers, to look for woodruff for the *Maibowle,* a kind of spiced wine traditionally drunk on 1st May, and to fall in love again. The moon comes into its own once more, challenging painters and composers to do their best – giving inspiration to the amateur, too. But not everyone sees springtime simply as a happy-go-lucky period adorned with flowers and ribbons. The portraits can diverge as much as spring feelings put into music by Haydn or Wagner, Sinding or Stravinsky can. But, no matter how delightful the month of May may be, what would it amount to without antipodean November? Isabel was very small – perhaps three years old – when, sitting behind me in the car, she suddenly crowed with delight. "What's all that about, dear child", I asked, "is life so wonderful?"
"Oh yes, really wonderful!"
"And why?"
"Because of the summer and winter."
Who could contradict her? Who would like spring to continue its reign throughout the year? It is precisely the changing rhythms of the seasons that bring the countryside to life, multiplying it, as it were, by altering its

dem Lenz ganzjährig die Regie in unserer Landschaft übertragen? Ist es doch gerade der wechselnde Rhythmus der Jahreszeiten, der sie lebendig macht, sie gleichsam vervielfacht, indem er ihr Bild ständig wandelt, eine ansehnliche Garderobe für sie parat hält: vorwitzig Getupftes für Frühlings Erwachen; bauschige florale Volants für den Hochsommer; Goldbrokat für sonnige Herbsttage; perlgrauen Chiffon für melancholische Novemberstimmungen; fließendes Weiß mit blauen und violetten Schatten für die Wintersaison, womöglich vom Rauhreif mit glitzernden Diamanten bestückt; Sack und Asche für trübe Tauwettertage in der Fastenzeit.
Zu jedem Kostüm der passende Duft: ein Hauch von Flieder, Jasmin oder wildem Knoblauch; der würzige Geruch von frischem Heu, von Wiesenchampignons; der Gestank der Stinkmorchel und des selten gewordenen Jauchewagens; das Aroma reifer Früchte, neuen Weins, feuchten Holzes und faulenden Laubs; die ruchbare Ahnung in der Luft liegender Schneeflocken.
Schließlich der Wechsel der Klangbilder: Vogelgezwitscher im Frühling, einsetzend mit einem jubelnden Forte, zum Sommer hin in trägem Diminuendo mehr und mehr verstummend; Kuckucksruf und Käuzchenschrei, Bienengesumm, Fröschequaken, Grillengezirp; das Heranbrausen der flügelschlagenden Windsbraut vor dem Gewitter, Paukenwirbel des Donners, Trommeln des wolkenbruchartigen Regens; zärtliches Gewisper der Pappeln im Sommerwind, Ächzen der Tannen im Herbststurm; das Tosen der aufgewühlten

vivant, si varié en renouvelant sa garde-robe: une robe mouchetée et un brin effrontée pour l'éveil du printemps, des volants bouffants pour le plein été; du brocart pour les journées d'automne ensoleillées; du blanc fluide aux reflets bleus et violets pour la saison d'hiver, rehaussé de givre et de diamants étincelants; un sac et des cendres pour les jours de dégel, à l'époque du Carême.
Pour chaque costume, un autre parfum: un soupçon de lilas, de jasmin ou d'ail sauvage; l'odeur épicée du foin frais, des champignons des prés; la mauvaise odeur du satyre puant et de la voiture de purin rare à présent; l'arôme des fruits mûrs, du vin nouveau, du bois humide et des feuilles qui pourrissent; l'odeur de la neige qui s'annonce dans l'air.
Enfin le changement des images sonores: le gazouillis des oiseaux au printemps qui commence par des forte joyeux et va diminuendo vers l'été; le chant du coucou et le cri de la chouette, le bourdonnement des abeilles, le coassement des grenouilles, le grésillement des grillons; le claquement des rafales de vent avant l'orage, le roulement de tambour du tonnerre, le tambourinage de la pluie torrentielle; le tendre chuchotement des peupliers dans le vent d'été, le gémissement des sapins dans la tempête d'automne; le mugissement des flots agités; le grondement des avalanches. Mais ce sont surtout les couleurs qui annoncent le changement des saisons. Un spécialiste des medias, Marshall Mc Luhan a dit une fois: «Environments are invisible» – l'environnement est invisible. En fait seules les couleurs sont visibles. Elles sont

appearance, by having a change of clothes always at hand: pertly pointillé for awakening spring; frilly, floral flounces for high summer; gold brocade for sunny autumn days; pearly-grey chiffon for melancholy November moods; flowing white with blue and violet shadows occasionally embellished with frosty diamonds for the winter season; sack and ashes for dull, damp days in Lent.
And every set of clothes has its own perfume: a touch of lilac, jasmine, or wild garlic; the aromatic smell of fresh hay, or mushrooms; the smell of the stink-horn and the now rare natural dung; the aroma of ripe fruit and new wine, of damp wood and moist leaves; the smell in the air of approaching rain or snow.
Finally, there are the changing sounds: birdsong in spring, beginning with a jubilant forte and subsiding in a gradual diminuendo through the summer; the cuckoo's voice, the screech of the owl, the humming of bees, croaking of frogs, chirping of crickets; the swish of the wind before the storm, the rolling crash of thunder, drumming of raindrops; the delicate whisper of poplars in the summer breeze, the groaning of fir trees in the winter storm; the roar of waves on the beach, the rumble of the avalanche.
But, above all, it is the colours that mark the seasons. The communications specialist Marshall McLuhan once said: "Environments are invisible". In fact, only the colours are visible. Colours are to landscape what sounds are to language. We "translate" sounds into meaning according to our abilities, and, similarly, our idea of landscape is formed out

Brandung; das Grollen der Lawinen.
Vor allem aber sind es die Farben, die den Wechsel der Jahreszeiten anzeigen. Der Medienforscher Marshall McLuhan hat einmal gesagt »Environments are invisible« – Landschaft ist unsichtbar. Sichtbar sind in der Tat nur die Farben, so wie von der Sprache nur die Laute vernehmbar sind, die wir je nach unseren Kenntnissen in Sprache umsetzen können. Aus den Signalen der Farben, die wir zu deuten gelernt haben, entsteht in unserer Vorstellung das Landschaftsbild. Wie kommen sie zustande?
»Dieser wunderbare Baldachin, die Luft ...«, läßt Shakespeare seinen Hamlet einmal ausrufen. Er konnte nicht ahnen, wie recht er mit dieser Metapher hat. Ohne den schützenden Baldachin der Atmosphäre gäbe es kein Leben auf dieser Erde, kein grünes Pflanzenkleid und nichts von all dem, was in tausend und aber tausend Farben um uns her kreucht und fleucht. Es gäbe auch kein gleißendes Sonnenlicht über azurenem oder veilchenfarbenem Himmel; weder rosenfingrige Morgendämmerung noch die mit so unerhörtem Aufwand zelebrierte Apotheose des Sonnenuntergangs. Niemals stiege der Mond wie der Superlativ einer Orange am schwarzen Nachthimmel auf, und niemals stünde ein Regenbogen als in den reinsten Farben prunkender Arc de Triomphe des Lichtes am Firmament. Abgesagt wäre das tausendfältige Farbenspiel aus Wolken und Luft, wie es ein Turner, Monet, Corinth, Nolde oder Caspar David Friedrich dargestellt haben. Unsere Landschaft wäre jeglicher Garderobe bloß.

au paysage ce que les sons sont au langage. Nous traduisons les sons en idée selon nos capacités et, de façon analogue, notre idée de paysage est faite des signaux colorés que nous avons appris à interpréter. Comment se forment-ils? «Le ciel, ce dais splendide ...» fait dire Shakespeare à Hamlet. Il ne pouvait supposer combien il avait raison avec cette métaphore. Sans le dais protecteur de l'atmosphère, il n'y aurait pas de vie sur terre, pas de verte robe végétale et rien de tout ce qui autour de nous rampe et vole dans une multitude de couleurs. Il n'y aurait également pas de lumière brillante du soleil sur un ciel azuré ou violet; pas d'aube rosée ni d'apothéose crépusculaire si souvent célébrée. Jamais la lune ne monterait comme une grande orange dans le ciel noir de la nuit et jamais l'arc-en-ciel ne jetterait son arc de triomphe lumineux dans le firmament. Décommandé le multiple jeu de couleurs des nuages et de l'air tel que Turner, Monet, Corinth, Nolde ou Caspar David Friedrich l'ont représenté. Notre paysage serait privé de tout costume.

of colour signals which we have learned to interpret. How are they produced? "This most excellent canopy, the air ..." runs one of the lines given to Hamlet by Shakespeare. He could not have imagined how supremely apt this metaphor was. Without the protective canopy of the atmosphere there would be no life on earth, no green mantle of plant life, and none of those countless creatures that populate the earth with their infinite variety of colours and colour combinations. There would also be no incandescent sunlight above an azure or violet-coloured sky; no rose-fingered dawn, nor the so-often-celebrated apotheosis of the sunset. The moon would never rise like a great orange against the blackness of the night sky, nor would the rainbow ever form a celestial triumphal arch of pure colours. The myriad colour-effects resulting from the play of clouds and light as depicted by a Turner, Monet, Corinth, Nolde, or Caspar David Friedrich, would not exist. Our landscape would be stripped of all its clothes.

Der wunderbare Baldachin

Vieles, was wir in der Natur als besonders großartig empfinden, haben wir dem Baldachin der Atmosphäre zu danken. Aus den Dialogen zwischen Licht und Luft entstehen die heitersten wie die erhabensten Schauspiele. Der Himmel verfügt über einen Fundus an Lichtvorhängen, die der genialste Bühnenbildner nicht zu plagiieren vermag. Einmal treten die Wolken als schneeweiße Lämmchen auf, ein andermal sammeln sie sich zum Reigen in flamingofarbenem oder violettem Tutu, dann wieder ziehen sie in düsteren, womöglich schwefelgelb gesäumten Gewändern auf, dräuend und fürchterlich, als stünde die Atridentragödie auf dem Programm. Im Silberlicht des Mondes träumen sie den Sommernachtstraum, um bald darauf gleich einer lohenden Feuersbrunst die Götterdämmerung zu illuminieren.
Die Palette der Lufthülle spendet die Farben des Himmels und der Meere, denn die Atmosphäre bricht und streut das Sonnenlicht, in dem Strahlen aller Wellenlängen des sichtbaren Spektrums von Violett bis Rot enthalten sind, an den Molekülen der Luft, an Rauch- und Staubteilchen und Wassertröpfchen. Nähert sich die Sonne dem Horizont, so müssen ihre Strahlen, bis sie die Erde erreichen, einen immer längeren Weg durch die Atmosphäre zurücklegen. Die Moleküle der Luft, die Wassertröpfchen von Nebel und Dunst, die feinen Staubteilchen, sie alle beugen viel mehr kurzwellige blaue Strahlen ab als langwelliges rotes Licht. So erklärt es sich auch, daß der rauchige und staubige Himmel über den Dächern einer Großstadt

Ce dais splendide

C'est au dais de l'atmosphère que nous devons la plupart de ce que nous considérons comme les manifestations les plus extraordinaires de la nature. Des dialogues entre la lumière et l'air naissent les spectacles les plus gais comme les plus grandioses. Le ciel dispose d'un stock de rideaux de lumière que le décorateur le plus génial ne peut réussir à copier. Tantôt les nuages apparaissent comme des petits moutons d'un blanc de neige, tantôt ils dansent la ronde habillés de tutus roses ou violets puis ils revêtent à nouveau des tenues sombres ourlées peut-être de jaune soufre, menaçants et terribles comme si la tragédie des Atrides était à leur programme. Dans la lumière argentée de la lune, ils font le songe d'une nuit d'été pour illuminer peu après le crépuscule des dieux. La palette de l'atmosphère dispense les couleurs du ciel et des mers, c'est d'elle que viennent le demi-jour verdâtre, le brouillard mélancolique de novembre, les lointains éclairs de chaleur. Car l'atmosphère avec ses molécules d'air, ses particules de fumée et de poussière et ses gouttes d'eau réfracte et diffuse la lumière du soleil qui contient des rayons de toutes les longueurs d'ondes du spectre visible du violet au rouge. Lorsque le soleil s'approche de l'horizon, ses rayons doivent parcourir une plus grande distance dans l'atmosphère avant d'atteindre la terre. Les molécules de l'air, les gouttes d'eau de la brume et du brouillard, les fines particules de fumée, toutes détournent plutôt les rayons bleus à ondes courtes que la lumière rouge à ondes longues. C'est pourquoi le ciel enfumé et poussiéreux au-

This most excellent canopy …

We have to thank the canopy of air for many of what we feel to be nature's most superb manifestations. The most dazzling and impressive spectacles result from the interplay between light and air. The sky commands a repertoire of light effects that not even the most brilliant theatrical lighting engineer can copy. Clouds can enter the scene one moment as snow-white lambs, or gather for the dance in violet or flamingo-coloured tutus, then appear in sombre robes, with, perhaps, sulphur-coloured trimmings, threatening and terrible, as if a Greek tragedy were on the programme. They dream of mid-summer night in the silver light of the moon, and follow this up with a spectacular performance of the twilight of the gods.
The palette of the atmosphere endows the sky and the oceans with their colours, from it comes the dim greenish hue of dusk, the melancholy November mist, the distant sheet-lightning, the lightning flash. For the atmosphere, with its molecules of air, particles of smoke and dust, and drops of water, refracts and diffuses the sunlight, which contains rays of all wavelengths of the visible spectrum from violet to red. When the sun nears the horizon its beams have to pass through the atmosphere for a much greater distance before reaching the earth. The air molecules, drops of water, and fine particles of dust all deflect far more of the short-wave blue beams than of the long-wave red ones. This is why the smoky and dusty atmosphere above a large city produces the most imposing sunsets – apart from those in the Alps when

die imposantesten Sonnenuntergänge präsentiert, abgesehen von den großen Galaabenden der Sonne in den Alpen, wo sie in ihrer Lust am Untergang ganze Bergketten oder den Gipfel des Watzmann erröten macht. Gibt es ein grandioseres Schauspiel als das Alpenglühen?
Ist der Himmel mit Wolken verhangen wie das Gemüt eines Melancholikers, so verliert er sein vielbesungenes Blau und erscheint uns als Grisaille, als Grau-in-Grau-Malerei. Je dichter die Wolken sich türmen, desto mehr Licht wird von den Wassertröpfchen verschluckt. So wird der Himmel dunkler und dunkler, bis er schließlich die neblige Kulisse für Krimis abgibt. Wohl das schönste aller Farbenspiele am Firmament ist der Regenbogen. Er hatte sein Debut nach der Sintflut. Mit ihm hat der liebe Gott Farbe bekannt und seinen Bund mit den Menschen geschlossen. Es heißt, er habe die Füße des Regenbogens in goldenen Schüsselchen auf die Erde gestellt.
Die Farbenpracht des Meeres wird im wesentlichen von drei verschiedenen Farbkörpern bestimmt, die in wechselnder Dichte im Wasser umherschwimmen. Da ist eine goldgelbe Farbe; dann eine braungelbe Säure, die beispielsweise auch die Färbung der gewiß schönen, aber alles andere als blauen Donau bewirkt; schließlich ein farbarmer Fluoreszenzstoff, der unter Einwirkung ultravioletter Strahlen tiefblau aufleuchtet. All diese Farbstoffe sind Zersetzungsprodukte toter Organismen, insbesondere abgestorbener Pflanzen. Sieht man von der Mitwirkung der Atmosphäre ab, so werden die Farben des

dessus des toits d'une grande ville présente les couchers de soleil les plus imposants, exception faite des grandes soirées de gala du soleil dans les Alpes quand en se couchant il fait rougir des chaînes entières de montagnes ou le sommet du Watzmann. Y a-t-il spectacle plus grandiose que les Alpes incandescentes?
Le ciel est-il voilé de nuages comme l'âme d'un mélancolique, il perd alors ce bleu tant célébré et nous apparaît comme une grisaille, un tableau en camaïeu gris. Plus les nuages s'amoncellent et plus la lumière est absorbée par les gouttelettes d'eau. Le ciel devient ainsi de plus en plus sombre jusqu'à fournir les coulisses brumeuses d'un film policier. Le plus beau de tous les jeux de couleurs dans le firmament est certainement l'arc-en-ciel. Il a fait ses débuts après le déluge. Avec lui, Dieu a établi son alliance avec les hommes. La légende dit qu'il a posé chaque pied de l'arc-en-ciel dans une coupelle d'or. La couleur de la mer est essentiellement déterminée par trois pigments de densité variable qui flottent dans l'eau. Il y a une matière colorante jaune or; un acide brun jaune responsable par exemple de la couleur du Danube qui est certes beau mais pas bleu; enfin une matière fluorescente pauvre en couleur qui sous l'effet des rayons ultra-violets paraît d'un bleu profond. Toutes ces matières colorantes sont des produits de décomposition d'organismes morts, en particulier de plantes. Si l'on fait abstraction de l'action de l'atmosphère, les couleurs de la mer sont déterminées par le dosage de ces trois matières colorantes. Elles

the sun puts on a performance of such virtuosity that peaks, or whole chains of mountains, are dipped in rosy light. Is there any more grandiose spectacle than the alpine glow?
If the sky is clouded over like a melancholic's mind, it loses its cheerful blueness and apears to us as a grisaille – as a painting executed in a series of greys. The thicker the clouds, the more light they absorb, and the sky gets darker and darker until it finally provides the gloomy background beloved of thriller writers. The most lovely of all the colour effects in the sky is surely the rainbow. It had its debut after the Deluge. With it, the Almighty showed his colours, as it were, and entered into his covenant with humanity. Legend has it that he placed each end of the rainbow in a pot of gold.
The colour of the sea is largely determined by three colour pigments found in the water – a golden-yellow colouring matter, a brownish-yellow acid, which, for example, is responsible for the colour of the beautiful, but certainly not blue, Danube, and, finally, a rather colourless fluorescent matter which appears deep blue in colour under the influence of ultra-violet rays. All of these pigments are decayed products of dead organisms, in particular, dead vegetation. If one ignores the influence of the atmosphere, then the colour of the sea depends on the ratio in which these three pigments are mixed. Their colours appear particularly intense close to coastlines with luxurious vegetation or near the estuaries of large rivers. The blue

Meeres durch das Mischungsverhältnis bestimmt, in dem diese drei Farbstoffe auftreten. Sie erscheinen besonders bunt in der Nähe üppig bewachsener Küsten oder im Mündungsgebiet großer Flüsse. Der blaue Fluoreszenzstoff ist übrigens im Grundwasser, in Süßwasserquellen und Seen oft reichlicher vorhanden als im Meer. Doch nur unter ganz bestimmten Lichtverhältnissen können die Blautöne auch hier so imposant auftreten. Ein berühmtes Beispiel dafür ist der Blautopf, ein kleiner Quellsee auf der Schwäbischen Alb.
Wie sieht es nun unter dem Boden aus? Wie ist das Fundament unserer Landschaft beschaffen? Frei nach Caesar: Germania est omnis divisa in partes tres – Deutschland ist dreigeteilt in das norddeutsche Flachland, die Mittelgebirge und das Hochgebirge. Zwischen diesen drei Hauptmotiven bestehen beträchtliche geologische Unterschiede. Das erste ist eine weite Deponie eiszeitlichen Abfalls. Innerhalb von etwa einer halben Million Jahre haben sich mindestens dreimal gewaltige Eismassen von Norden her in unsere Gebiete vorgeschoben, erst vor rund zwanzigtausend Jahren sind sie endgültig abgeschmolzen. Die Schmelzwasserfluten lagerten vor dem Eisrand dicke Schichten von Sand, Lehm und Geröll ab. Findlinge lassen erkennen, daß sie aus den fernen Gebirgen Skandinaviens herantransportiert worden sind.
Diese glazialen Mitbringsel, im norddeutschen Raum in große Tiefen abgesunken, bauten in den angrenzenden Mittelgebirgen

paraissent très intenses à proximité des côtes à la végétation abondante ou à l'embouchure de grands fleuves. La matière fluorescente bleue est du reste souvent beaucoup plus abondante dans les nappes souterraines, les sources d'eau douce et les lacs. Mais ce n'est que dans certaines conditions d'éclairage que les tons bleus sont particulièrement soutenus. Le Blautopf, un petit étang aux eaux d'un bleu intense dans le Jura Souabe, en est un exemple célèbre.
Et sous le sol? De quoi sont faites les fondations de notre paysage? D'après César: Germania est omnis divisa impartes tres – L'Allemagne est divisée en trois parties, la grande plaine du Nord, les plateaux subalpins et les montagnes. Entre ces trois régions, il existe des différences géologiques considérables. La première est un vaste dépôt de débris de la période glaciaire. Dans l'espace d'un demi-million d'années, par trois fois au moins, de gigantesques masses de glace venant du Nord ont avancé dans notre région et ce n'est qu'il y a vingt mille ans environ qu'elles ont fondu définitivement. Les eaux de fonte ont déposé d'épaisses couches de sable, de terre glaise et de galets. Les blocs erratiques montrent qu'elles ont été amenées des lointaines régions de Scandinavie. Ces cadeaux glacials qui ont été enfouis à de grandes profondeurs en Allemagne septentrionale ont structuré le paysage dans la région des plateaux limitrophes. Dans cette contrée cassée en de nombreux blocs il n'y a pas de vastes étendues comme celles que l'on trouve plus au Sud. Des formations rocheuses

fluorescent material is, by the way, often more abundant in ground water, sweet-water springs, and lakes than in the sea. But the blue tones can only really come into their own under specific light conditions. A famous example of this concatenation of conditions is to be found at the Blautopf, a small lake in the Swabian uplands.
And what does our country look like beneath the surface? As Caesar (nearly) said: *Germania est omnis divisa in partes tres* – Germany is divided into three parts – the north German plain, the sub-alpine uplands, and the mountains. These three main divisions are distinguished by considerable geological differences. The most northerly region is a great depository of ice age debris. In a period of about five hundred million years, huge ice masses thrust down from the north into our region at least three times, and finally receded only about twenty thousand years ago. As they thawed, they deposited thick layers of sand, clay, and stones. Erratic blocks have been found that were transported all the way from the distant mountains of present-day Scandinavia.
These glacial mementos, which are now buried far below the surface in the north German region, contributed towards the shape of the landscape in the adjacent upland region. In this area of block mountains there are no broad flat expanses such as are to be seen further south; rock formations of various ages and degrees of hardness are to be found directly adjacent to one another. The southern uplands are part of a large region

die Landschaft auf. Anders als in den südlichen Mittelgebirgen konnten in diesem Landstrich, der in zahllose Schollen zerbrochen ist, nirgendwo weite Flächen entstehen. Gesteinsarten verschiedensten Alters und Härtegrades finden sich hier ganz unvermittelt nebeneinander. Die südlichen Mittelgebirge sind Teil einer Großlandschaft um den Oberrheingraben. Von dessen Randgebirgen fällt das Land in ausgedehnten Schichten ab, die das Erdreich horizontal gliedern. Als schiefe Ebene aus eiszeitlichem Nachlaß über tertiärem Grund präsentiert sich das Alpenvorland. Von hier aus erklimmt die deutsche Landschaft noch eben die nördlichen Kalkalpen, erreicht auf der Zugspitze bei 2963 m ihren alpinistischen Höhepunkt, wofür sie mit einer nun schon so manches Jahr währenden Dauerveranstaltung des Massentourismus honoriert wird.
Kehren wir auf den Boden zurück. Ist er nicht mit Humus bedeckt, der ihn schwarz, grau oder braun färbt, so wird er durch das Gestein gekennzeichnet, aus dem er sich zusammensetzt. Es bedingt die Färbung des Bodens, die Pflanzen- und Tierwelt. Weiß schimmern die Kreidefelsen auf der Insel Rügen. Vor allem sind es graue Schiefer, roter Sandstein, schwärzlich flimmernder Granit und der hellgelbe Sand der Urstromtäler Norddeutschlands, die den Eindruck Mitteleuropas bestimmen. Sieht man jedoch von der Meeresküste und der schmalen Zone des Hochgebirges ab, so hat der Boden fast überall seine Blöße mit einem Pflanzenkleid überdeckt.

de différents âges et de divers degrés de dureté y sont juxtaposées. Les plateaux du Sud font partie d'une grande région autour du fossé du cours supérieur du Rhin. Les Préalpes se présentent comme une surface inclinée, héritage de la période glaciaire, sur un terrain tertiaire. De là le paysage allemand escalade encore les Alpes calcaires du Nord et culmine à 2963 mètres à la Zugspitze, un sommet gratifié depuis longtemps du spectacle permanent du tourisme de masse.
Mais revenons au sol. S'il n'est pas couvert d'humus qui le colore de noir, gris ou brun, son aspect est caractérisé par les roches qui le composent. Celles-ci déterminent la coloration du sol, la nature de sa flore et de sa faune. Les falaises de craie de l'île de Rügen sont d'un blanc étincelant. Ce sont surtout les schistes gris et le sable jaune clair des vallées glaciaires de l'Allemagne du Nord qui caractérisent l'Europe centrale. A l'exception de la côte et de l'étroite zone des hautes montagnes, le sol a presque partout recouvert sa nudité d'une robe végétale.
La végétation verte est la conditio sine qua non de l'existence de l'homme et des bêtes. Sans chlorophylle, les plantes ne pourraient ni respirer ni pousser. Malgré la dominance du vert, ce sont surtout les fleurs multicolores qui attirent nos regards et charment nos sens. Dans le bouquet de fleurs que la nature a offert à la terre, il y a plus de teintes réunies que de mots dans le vocabulaire d'un citoyen moyen. Quatre mille nuances sont dénombrées dans un dictionnaire des fleurs. Nous ne voulons pas toutes les énumérer ici mais citer

centred on the Upper Rhine Rift Valley. The foothills of the Alps are a tilted plain, a heritage of the ice age, above a tertiary foundation. From here, the German countryside climbs the northern limestone Alps, arriving at its highest point on the Zugspitze at 9,721 ft, a mountain which has been rewarded for being the highest in Germany by becoming a major attraction for mass tourism.
Let us get back to lower altitudes. If the ground is not covered with soil, which colours it black, grey, or brown, its appearance is determined by the rock of which it is composed, which dictates the colouration of the surface and the type of flora and fauna that live on it. The chalk cliffs on the island of Rügen gleam white, but, in general, the optical impression created by central Europe derives from grey slate, red sandstone, glittering grey granite, and the pale yellow sand of the great troughs or depressions formed by ancient, now defunct, river systems. Except for along the coastline and the narrow strip of high mountains, however, the surface of the country has covered its nakedness almost everywhere with a mantle of vegetation.
Green vegetation is the *conditio sine qua non* for the existence of man and beast. Without chlorophyll, the colouring matter of leaves and other green parts, the plants would be unable to breathe or grow. But, although green is very much dominant, it is the variegated flowers and blossoms that attract our attention and stimulate our senses most. The bouquet of flowers that nature has

Die grüne Vegetation ist die Conditio sine qua non für das Leben von Mensch und Tier. Ohne Blattgrün, das lebenspendende Chlorophyll, könnten die Pflanzen weder atmen noch wachsen. Doch so sehr das Grün dominiert, es sind vor allem die bunt leuchtenden Blüten, die unsere Blicke fesseln. In dem Blumenstrauß, den die Natur der Erde geschenkt hat, sind weit mehr Farbtöne vereint als Vokabeln im Sprachschatz eines Durchschnittbürgers. In einem Lexikon der Blumen sind viertausend Farbstufen unterschieden. Wir wollen sie nicht alle aufzählen, sondern uns lieber an den Mystiker Jakob Böhme halten, der einmal gesagt hat: »Du wirst kein Buch finden, da du die göttliche Weisheit könntest mehr innewerden zu forschen, als wenn du auf eine grünende Wiese gehst. Da wirst du die wunderliche Kraft Gottes sehen, schmecken und riechen.«
Schließlich aber tritt der Herbst auf den Plan, um die Vorherrschaft der Grüntöne in unseren heimischen Laubwäldern radikal zu brechen. Der Pessimist ahnt sein Auftreten lange voraus, mitten im Sommer beschleicht ihn bereits eine wehmütige Stimmung, wenn er eines vorzeitig vergilbten Blättchens ansichtig wird. Der Optimist übersieht ihn so lange wie möglich und trachtet den Sommer zu verlängern, indem er sich bis zuletzt an dem schwindenden Grün delektiert. »Laßt vergehen, was vergeht!« schreibt Hölderlin. »Es vergeht, um wiederzukehren, es altert, um sich zu verjüngen, es trennt sich, um sich inniger zu vereinigen, es stirbt, um lebendiger zu werden.«

plutôt le mystique Jakob Böhme qui a dit une fois qu'aucun livre ne peut mieux enseigner la sagesse divine qu'un pré fleuri. «Là tu verras, goûteras et sentiras le merveilleux pouvoir de Dieu.»
Enfin l'automne arrive au programme pour rompre radicalement la prédominance des tons verts dans nos bois feuillus. Le pessimiste pressent son arrivée longtemps à l'avance; au milieu de l'été un sentiment de mélancolie l'étreint à la vue d'une feuille prématurément jaunie. L'optimiste l'ignore le plus longtemps possible et essaye de le prolonger en se délectant jusqu'à la fin du vert qui disparaît: «Laissons passer ce qui passe!» écrit Hölderlin. «Tout passe pour revenir, tout vieilit pour rajeunir, tout se sépare pour mieux se réunir, tout meurt pour vivre plus intensément.»
D'où la forêt tire-t-elle tout à coup cette parure de riches couleurs?
A partir du printemps et tout l'été, les arbres et les plantes ont fait travailler la chlorophylle pour se nourrir. Lentement, mais bien avant les premières gelées, ce ravitaillement cesse, la couleur émeraude des fleurs disparaît, des teintes jaune or et rouge apparaissent jusqu'à ce que tout se transforme en un brun mat. Cette transformation débute très lentement puis le rythme s'accélère jusqu'à ce que la forêt ressemble à une mer de flammes. Dans la lumière du soleil, les feuilles de l'érable brûlent d'un rouge écarlate, les hêtres sont dorés de part en part. Quel habit de fête! Chaque année, nous sommes fascinés par cette merveilleuse cérémonie d'adieux pour

presented the earth with contains far more colour tones than the vocabulary of the average citizen contains words. One encyclopaedia of flowers registers four thousand gradations of colour. We will not repeat them all here, but simply quote the mystic Jacob Böhme, who once said that no book could teach you more about divine wisdom than a flowering meadow: "There you will see, taste, and smell the wonderful power of God."
The ascendancy of green is, of course, broken in autumn, at least in our native mixed woodlands. The pessimist feels the coming of the new season long in advance; in the middle of summer he is overcome by a melancholy mood as soon as he sees one prematurely yellow leaf. The optimist ignores the coming of autumn for as long as possible, and lengthens the summer by enjoying the slowly-disappearing green till the end. "Let go what must go", wrote Hölderlin. "It goes only to come again, it ages only to rejuvenate, it departs to heighten the delight of reunion, it dies to live more intensely."
How does the woodland so suddenly acquire this variegated, pastoso effect?
From spring onwards, right through the summer, the trees and plants have made use of chlorophyll to obtain their nourishment. Gradually, but long before the first frost, this process comes to a stop; the emerald green of leaves disappears, and other pigments dominate, gold-yellow and red finally giving way to dull brown. This transformation begins very slowly but then accelerates rapidly until the woodland resembles a sea of flames. The

Winter
Klosterleben
auf dem Feld der Härten – streng leben
verkarstet, wasserlos abdichten
erstarrt verzichten
Barockkirche
Fassade aus Schwüngen – Gefühle quillen aus allen
und geschweift Ritzen hervor
Rückseite schlicht frommfarbig und frommrund
in weißem Stuck geronnen.

▸ **Kloster Neresheim auf dem Härtsfeld, Schwäbische Alb**

L'hiver
La vie monacale
sur les plateaux désolés une vie d'austérité
karstiques, sans eau de solitude
figés de renoncement
Une église baroque
des façades ornées des sentiments bouillonnant
et décorées de toute part
une simplicité à l'abri une piété vivante
de stucs tout blancs de forme et de couleur

▸ **L'abbaye de Neresheim sur le Härtsfeld, Jura Souabe**

Winter
Monastic life
on the bleak uplands life of austerity
karstified, waterless severity
frozen renunciation
Baroque church
soaring, arching feelings gush from every
facade detail
simplicity itself behind piety lives in colour and form
stucco flows white

▸ **Neresheim Monastery in the Härtsfeld District, Swabian Uplands**

Woher bezieht der Wald mit einem Male diese bunte, pastose Farbenpracht?
Vom Frühjahr an und den ganzen Sommer hindurch haben Bäume und Pflanzen zu ihrer Ernährung das grüne Chlorophyll arbeiten lassen. Allmählich, aber lange schon vor dem ersten Frost, hört dieser Nachschub auf, die Smaragdfarben der Blätter schwinden, goldgelbe und rote Farbtöne werden laut, bis schließlich alles in ein stumpfes Braun übergeht. Diese Verwandlung beginnt sehr langsam, dann steigert sich das Tempo in einem gewaltigen Accelerando, bis der Wald einem leuchtenden Flammenmeer gleicht. Im Sonnenlicht glühen die Blätter des Ahorns scharlachrot, die Buchen sind über und über vergoldet. Welch ein Festgewand! Immer wieder sind wir fasziniert von dieser großartigen Abschiedsvorstellung, für die der Wald sein Blätterkleid färbt. Genauer betrachtet ist es allerdings umgekehrt: Er färbt es nicht – er entfärbt es. Mit den Augen des Botanikers betrachtet bereitet sich das vielbewunderte Herbstfest des Waldes recht nüchtern vor: Das Blattgrün zerfällt nach und nach, und nun kommen jene roten und gelben Farbstoffe zum Zuge, die von Anfang an in den Blättern vorhanden waren, sich jedoch gegen das übermächtige Chlorophyll nicht durchsetzen konnten. Bald lösen sich einzelne Blätter von den Zweigen, bis sie in Myriaden zur Erde taumeln. Und nach und nach zersetzen sie sich, rüsten den Boden für den Energiebedarf des nächsten Frühlings. Der Winter breitet derweil sein schützendes weißes Tuch über der Landschaft aus.

laquelle la forêt teint sa robe de feuilles. En réalité, elle ne la teint pas, elle la déteint. Observée avec l'œil du botaniste, la fête automnale n'est pas aussi romantique: la chlorophylle se décompose peu à peu et ce sont maintenant les colorants jaunes qui se manifestent; dès le début, ils étaient dans les feuilles mais ne pouvaient pas s'imposer devant la toute-puissante chlorophylle. Bientôt les feuilles se détachent des branches et vont tomber en myriades sur le sol. Petit à petit elles se décomposent, arment la terre d'énergie pour le printemps prochain. Pendant ce temps l'hiver étend son drap blanc protecteur sur le paysage.

leaves of the maple glow scarlet in the sunlight, while the beech trees turn pure gold. What a gala uniform! Every year we are fascinated anew by this magnificent farewell performance for which the forest dyes its leafy raiment – although, strictly speaking, the leaves are not dyed, but lose their colour. Seen through the eyes of a botanist, this autumnal riot of colour is less romantic: the chlorophyll slowly decays, and the red and yellow pigments which were present in the leaves from the beginning, but which could not prevail over the all-powerful chlorophyll, gain the upper hand. Soon the individual leaves begin to loosen their hold, falling finally in their myriads to the ground. And then they gradually decay, providing the soil with the energy it will need in the coming spring. And in the meantime winter casts its protective white cloak over the countryside.

◂◂ **Schloß Lichtenstein, Schwäbische Alb.** »Einsam an den Fensterpfeiler meines selbstgebauten Landhauses lehnend schaue ich hinein in die traurigen Schneegestöber und die pfeifenden Winde als in ein Bild meines jetzigen Lebens, das auch einmal ein Frühling und auch einmal ein Sommer gewesen ...« Wehmütig wie der Ritter von Lang († 1835) jenseits der Alb den Winter seines Lebens in der Landschaft schaut, wird einem hier beim Blick auf Schloß Lichtenstein.
Es wurde als eine Ritterburg aus romantischer Begeisterung für das Mittelalter gebaut (1840–1842), eine Begeisterung, die ihre ganz besonderen Blüten trieb. So ließ sich der Erbauer, Graf Wilhelm von Württemberg, eine Rüstung schmieden, in der er auf einem Fest als Ritter auftrat.

◂ **Benediktinerkloster Beuron, Donautal.** Während in vielen Klöstern die Säkularisation jahrhundertelange Traditionen jäh abschnitt, gelangte das Beuroner Kloster erst nach der Wiederbelegung 1862 zu seiner Berühmtheit, vor allem durch die Kunstschule und die Untersuchung von Palimpsesten und der ältesten Bibeltexte aus Palästina.

▸ **Burgruine Hohentwiel, Hegau.** Er ist der »dickste«, der patriarchalischste und der behäbigste von allen Hegaubergen, mit dem meisten Platz für eine Burg. Und weil die Burgenbauer nicht alles selbst hinaufschleppen wollten, machten sie es zur Regel, daß »waß stadts und Hochheit der seye, so in die Vöstung gelassen, fünfzig oder allerwenigst vierzig Pfundt Stin auff einmal an Berg hinauff in die Vöstung tragen« solle, wie der Burgherr Herzog Eberhard II. von Württemberg im 17. Jahrhundert die Regel in Worte faßte. Für den verlorenen Schweiß gab es oben dann einen Becher Wein von drei Schoppen zu trinken. Als ihn im Jahre 1672 der Landgraf Max von Fürstenberg auf dem Hohentwiel besuchte, schrieb er ihm ins Fremdenbuch der Festung folgenden Spruch:

»Lieben undt nit dörffen sagen,
ist schwörer als 118 pfundt stein tragen.«

Ähnlich wie der Lichtenstein durch einen Roman Wilhelm Hauffs im romantischen Deutschland bekannt wurde, wurde es der Hohentwiel durch den Roman »Ekkehard« von Viktor von Scheffel, der die Zeit des 10. Jahrhunderts schildert, als die Herzogswitwe Hadwig auf dem Hohentwiel lebte. Zur Zeit Scheffels war die Festung, die im Dreißigjährigen Krieg mehreren Belagerungen standgehalten hatte, auf Befehl Napoleons bereits geschleift.

◂◂ **Château de Lichtenstein, Jura Souabe**. Animé d'un enthousiasme romantique pour le Moyen Age, le comte Guillaume de Wurtemberg fit construire, de 1840 à 1842, ce manoir d'où l'on a un très beau panorama.

◂ **L'abbaye bénédictine de Beuron, vallée du Danube**. C'est après la sécularisation que l'abbaye est devenue célèbre par son école d'art et ses recherches sur les plus anciens textes de la Bible de Palestine.

▾ **Les ruines du château de Hohentwiel, Hegau**. A l'instar du château de Lichtenstein rendu célèbre par un roman de Wilhelm Hauff dans l'Allemagne romantique du 19e siècle, le Hohentwiel, le plus gros sommet des monts du Hegau est devenu une attraction touristique après avoir été immortalisé par Victor von Scheffel dans son roman «Ekkehard». A l'époque de Scheffel, le château fort qui avait résisté à plusieurs sièges pendant la guerre de Trente Ans avait déjà été rasé sur les ordres de Napoléon.

◂◂ **Lichtenstein Castle, Swabian Uplands**. Inspired by a Romantic enthusiasm for the Middle Ages, Count Wilhelm of Württemberg had this "knightly castle" built between 1840 and 1842. It provides a magnificent panoramic view of the countryside.

◂ **The Benedictine Monastery of Beuron, in the Danube Valley**. It has only been since its revival after the Secularization that the Monastery has achieved a reputation for its school of art and its scholastic work on the oldest Bible texts from Palestine.

▾ **The ruins of Hohentwiel Castle, Hegau**. Lichtenstein Castle was made famous in the Romantic Germany of the 19th century by a Wilhelm Hauff novel. Hohentwiel, the heavyweight among the Hegau hills, with its castle, became a tourist attraction as a result of Viktor von Scheffel's novel "Ekkehard". In von Scheffel's time, the castle, which had resisted several sieges during the Thirty Years' War, had already been razed on Napoleon's orders.

▸ Novembertag im Hegau. Der Geist dieser Landschaft tut sich kund in der besonderen Mischung aus offenen Tälern und eigenwillig geformten Bergen, in der Öffnung zum Wasser und im Ausblick zu schneebedeckten Gebirgen. Die Menschen, die hier geboren sind, auf der zur Ruhe gekommenen Vulkanerde, suchen später auch anderswo die Weite, Vielfalt und innere Harmonie ihres ersten Welt-Bildes.
Die Bergkegel entstanden im Tertiär vor mehreren Millionen Jahren. Aus der heißen Erde drang Tuff, später Basalt und zuletzt Phonolith, das im Tuff steckenblieb und erst durch eiszeitliche Abtragung zum Vorschein kam.
Man erzählt, daß einst, als Gott die Welt erschuf und – der Hegau war soweit fertig – er nur noch den Schiener Berg mit seinem äußersten Ende in den Bodensee schieben mußte, der Schöpfer gesagt hat: »Jetzt hör' i!« und mit diesen Worten sein Werk abschloß. Bis auf den heutigen Tag heißt deshalb die Halbinsel zwischen Untersee und Zeller See Höri.

▸ Un jour de novembre dans le Hegau. Cette région au Nord-Ouest du lac de Constance est faite de larges vallées, de montagnes aux formes étranges, de panoramas qui s'ouvrent brusquement sur des cônes volcaniques coiffés de neige. Les hommes qui sont nés ici recherchent toujours par la suite des régions qui leur offrent l'espace, la diversité et l'harmonie intime de leur pays. Les montagnes coniques ont été formées au Tertiaire, il y a plusieurs millons d'années. Le tuf a été projeté de l'intérieur de la terre, suivi par le basalte et enfin par le phonolithe qui est tout d'abord resté dans le tuf mais que l'érosion de la période glaciaire a fait apparaître.

▸ November day in the Hegau district. This landscape, to the northwest of Lake Constance, is composed of broad valleys and strangely-shaped hills, with sudden vistas of water or snow-capped mountains. When they have to move elsewhere, people born here tend to seek areas that offer the same kind of space, variety, and inner harmony as their homeland. The conical hills were formed during the Tertiary period, several million years ago. Tuff was forced out of the earth's interior, followed by basalt, and, finally by phonolite, which at first remained buried, but was later exposed by erosion during the Ice Age.

◂ **Auf den Höhen des Schwarzwaldes.** Angesichts des Nebelmeeres mag in unserer Phantasie die Vorstellung aufsteigen, wie vor 180 Millionen Jahren ein Meer das Land überflutete. Darinnen bildeten die höchsten Erhebungen von Schwarzwald und Vogesen gerade noch Inseln. Als das Meer wieder zurückflutete, die Alpen sich auffalteten und der Rheingraben einbrach, begannen Schwarzwald und Vogesen, nunmehr getrennt, aufzusteigen. Die Eiszeithobel ließen Seemulden und Bachbetten zurück und Hochmoore auf den Gipfeln. Und Drachen, die Ungeheuer der Vorzeit, sollen sich manchmal noch im Mummelsee am Fuß der Hornisgrinde zeigen.
Jahrhundertelang stand der Schwarzwald im Ruf der Unheimlichkeit. Die Klöster wagten sich am weitesten vor, erste Siedlungen entstanden bei Bergwerken und Glashütten. Und wo die eigene Anschauung fehlte, da blühten die Sagen und Legenden. Erst im letzten Jahrhundert wurde der Schwarze Wald als Reise- und Erholungsland entdeckt.

◂ **Sur les hauteurs de la Forêt-Noire**. La mer de brouillard qui s'étend au-dessous de nous fait surgir dans notre imagination la véritable mer qui recouvrait le pays il y a 180 millions d'années. Une mer si profonde que les sommets de la Forêt-Noire et les Vosges étaient justes assez hauts pour former des îles. Lorsqu'elle se retira, que les Alpes se déployèrent et que se forma le fossé rhénan, la Forêt-Noire et les Vosges, désormais séparées, commencèrent à s'élever. Les glaciers de la période glaciaire sculptèrent cuvettes et vallées et laissèrent des tourbières sur les sommets. La Forêt-Noire fut longtemps considérée comme une contrée mystérieuse et ce n'est qu'au siècle dernier qu'on en a fait une région touristique et de villégiature.

◂ **High up in the Black Forest**. The mist spreading out below us like a sea is reminiscent of the real sea that flooded this whole region 180 million years ago. It was so deep that the peaks in the Black Forest and the Vosges were just high enough to form islands. When the sea had receded, and the Alps and the Rhine Rift Valley had formed, the Black Forest and the Vosges, now seperated, began to rise. The Ice Age glaciers carved out basins and valleys, and left moors on the peaks. The Black Forest was for a long time considered uncanny, and was only discovered as a recreation area during the last century.

▸ **Abend auf der Insel Reichenau, Bodensee.** Reich ist die Aue an Gemüse und Fischen – und Kirchen; Trauben, Melonen und Pfirsiche gab es schon, als die Bodenseeufer noch Urwald säumte. Und über Kräuter schreibt der wohl berühmteste Gärtner der Insel, Walafried Strabo, in seinem Gartenbuch. Die karolingische Klostergründung auf der »Insula felix«, der glücklichen Insel, entwickelte sich im ottonischen Reich zu einem kulturellen Mittelpunkt, zu einer Pflegestätte von Wissenschaft, Dichtung und Buchmalerei. So groß die Blüte dieses Klosters war, so unwiederbringlich war sein Niedergang seit dem 13. Jahrhundert. Friedrich von Zollern, im 15. Jahrhundert Abt der einstigen »Erzschreibstube des Heiligen Römischen Reiches«, konnte nicht einmal richtig lesen und schreiben. Überkommen aus der großen Zeit sind als steinerne Zeugen die Kirchen in Niederzell, Mittelzell und St. Georg in Oberzell (Bild). In dieser erdhaft-stämmigen Säulenbasilika kam unter der Tünche der wohl kostbarste Schatz der Reichenau ans Licht: Wandbilder in gelbem und rotem Ocker, mit blauer und grüner Erde, Zinnober, Mennige und Schwarz und Weiß gemalt, aus dem 10. Jahrhundert. Es sind die einzigen erhaltenen aus dieser Zeit. Wesentlich jüngeren Datums (14. Jahrhundert), aber sehr originell zeigt ein Wandbild am linken Choraufgang, wie der Teufel das Geschwätz der Frauen in der Kirche aufschreibt, das aber so viel ist, daß es nicht auf seine Kuhhaut gehen will.

▸ **Le soir sur l'île de Reichenau, lac de Constance**. L'île a une longue et féconde histoire. Au 9e siècle, l'abbé Walafried Strabo, le plus célèbre sans doute des jardiniers de l'île, parle dans son livre de jardinage de raisins, melons, pêches et herbes diverses. A la même époque, l'abbaye acquit une importance considérable sur le plan scientifique et artistique.

▸ **Evening on Reichenau Island, Lake Constance**. The island has a long and fruitful history. Abbot Walafried Strabo, probably the island's most famous gardener, wrote in his gardening book, in the 9th century, about his grapes, melons, peaches, and various herbs. In the same period the monastery also gained a reputation for scholarship, poetry, and painting.

▸ Wintermorgen am Bodensee
Seinen schilfigen Schwanentraum läßt er zurück.
Leicht ist der Abschied vom Ufer,
und durch das stille Morgenwasser gleitend,
begrüßt er den neuen Tag.

▸ Matin d'hiver sur le lac de Constance
Il quitte ses rêves ailés,
d'un adieu léger à la rive,
et glissant sur l'onde paisible,
il salue le jour nouveau.

▸ Winter morning on Lake Constance
He leaves his lakeside dreams behind
With an easy farewell to the shore,
And, slowly swanning through the tranquil water,
Joyfully greets the new day.

◂ **Abteikirche Weingarten. Chorgitter.** Im »schwäbischen Escorial« trennte ein Gitter das gemeine Gottesvolk vom Mönchschor und eröffnete ihm eine Scheinperspektive in Gold, und über ihm taten sich die gemalten Himmel auf. »In sieben Jahren vollendet, gewidmet und konsekriert am 10. Tage des Monats September des Jahres 1724. Möge Gott allein in allem verherrlicht werden!« heißt es in der Widmung zum Kirchenneubau. Künstler von Rang und Namen trugen dazu bei wie Cosmas Damian Asam und Josef Anton Feuchtmayer, denn Weingarten war eine reiche und durch die Heilig-Blut-Reliquie berühmte Abtei.

▸ **Lindau, Bodensee, Bayerisch Schwaben.** Da unten das Mauerband. Verlassener Hafen, verlassene Promenade. Schwarzer, gelber, roter, grauer Turm. Einzelne blockige Häuser, daneben ganze Dächerhaufen. Aus der Vogelperspektive an diesem Wintertag alles noch weiß-blauer als sonst.
Anfangs war auf der Insel ein Kloster, dann eine Fischersiedlung, zur freien Reichsstadt angewachsen, seit 1805 bayerisch.

◂ **L'abbatiale de Weingarten, grille du chœur**. Cette grille merveilleusement ciselée (1724), qui crée une illusion de profondeur par l'utilisation de la perspective, séparait à l'origine l'église de pélerinage de la partie de l'église réservée aux moines.

▸ **Lindau, lac de Constance, Souabe bavaroise**. L'ancienne ville impériale surmontée de tours, enserrée dans le mur du port, se blottit sur l'île. Une scène en bleu et blanc observée à vol d'oiseau en ce jour d'hiver.

◂ **The Abbey Church of Weingarten. Chancel screen**. This wonderfully wrought screen (1724), which creates the illusion of depth by the use of perspective, originally separated the pilgrimage from the monastic part of the church.

▸ **Lindau, Lake Constance, Bavarian Swabia**. The buildings of the former imperial city, interpersed with towers, and enclosed by the harbour wall, are tightly packed together on the island. A white and blue scene from the bird's eye point of view on this winter's day.

◂ **Murnauer Moos, Oberbayern.** Verstummt ist das Gemekker der Himmelsziegen, der Bekassinen, im weißen Moos. Weiß bleibt übrig, Blau und Schwarz. Und gerade angesichts der vom Winter all ihrer berauschenden Kleider entblößten Natur wird nachvollziehbar, daß auf dem Hintergrund dieser Landschaft das erste gegenstandslose Bild der modernen Kunst überhaupt entstehen konnte, im Jahre 1910, und ein Buch »Über das Geistige in der Kunst«. Wassily Kandinsky lebte von 1909 bis 1914 in Murnau. Es ist die Zeit des »Blauen Reiters«, wo die Entdeckung der naiven Volkskunst auf bayerischen Votiv- und Glasbildern verarbeitet und aus der Landschaft nach und nach nur noch das Geistige herausgezogen wird. »Man kann sich von der Natur lösen, wenn es einem gelingt, mit dem Ganzen in Berührung zu kommen«, sagte Kandinsky einmal über die abstrakte Kunst.
Das Murnauer Moos ist das schönste und größte Moor im Voralpenland, genauso bedroht allerdings wie jede noch unberührte Naturlandschaft. Noch blühen die Trollblumen und Sumpfsterne, im dichten Schilf brüten noch Tüpfelsumpfhühner, und im Sturzflug erzeugen die Bekassinen mit ihren Schwanzfedern das meckernde Geräusch.
Über die Winterfarben Weiß, Schwarz und Blau:
»Deswegen wirkt auch das Weiß auf unsere Psyche als ein großes Schweigen ... Es ist ein Schweigen, welches nicht tot ist, sondern voll Möglichkeiten ... Es ist ein Nichts, welches vor dem Anfang, vor der Geburt ist. So klang vielleicht die Erde zu den weißen Zeiten der Eisperiode ...«
»Und wie ein Nichts ohne Möglichkeit, wie ein totes Nichts nach dem Erlöschen der Sonne, wie ein ewiges Schweigen ohne Zukunft und Hoffnung ... das Schwarz ... Es ist wie das Schweigen des Körpers nach dem Tode, dem Abschluß des Lebens ...«
»Je tiefer das Blau wird, desto mehr ruft es den Menschen in das Unendliche, weckt in ihm die Sehnsucht nach Reinem und schließlich Übersinnlichem ...«
(Wassily Kandinsky, »Über das Geistige in der Kunst«)

◂ **Moos de Murnau, Haute-Bavière.** C'est la plus belle et la plus grande tourbière de la région des Préalpes mais menacée comme chaque paysage naturel à notre époque. En regardant cette nature dépouillée par l'hiver de tous ses attraits, on peut comprendre que c'est sur ce fond que Kandinsky a créé – en 1910 – la première peinture abstraite de l'art nouveau et écrit «Du spirituel dans l'art». Wassily Kandinsky a vécu de 1909 à 1914 à Murnau et est devenu célèbre avec le groupe du «Blaue Reiter» (Cavalier bleu) dont il fut l'un des fondateurs.
Des couleurs blanche, noire et bleue de l'hiver: «C'est pourquoi le blanc agit sur notre psyché comme un grand silence ... Ce n'est pas un silence mort, mais un silence plein de possibilités ... C'est un Néant, présent avant le commencement, avant la naissance. C'est peut-être ainsi que la terre paraissait aux blanches époques de la période glaciaire ...»
«Et comme un Néant sans possibilité, comme un Néant mort après l'extinction du soleil, comme un silence éternel sans avenir et sans espoir ... le noir ... C'est comme le silence du corps après la mort, la fin de la vie ...»
«Plus le bleu est profond et plus il appelle l'homme dans l'infini, éveille en lui un désir de pureté et finalement de transcendantal ...»
Wassily Kandinsky, Du spirituel dans l'art.

◂ **Murnau Moor, Upper Bavaria.** This is the largest and most beautiful moor in the foothills of the Alps, but is just as endangered in our age as every other natural landscape. Looking at this picture of nature stripped of all its finery by winter, one can understand that it was against this background that Kandinsky created the first abstract painting of our time – in 1910 – and wrote the book entitled "The Art of Spiritual Harmony". Wassily Kandinsky lived in Murnau from 1909 to 1914, and became famous as one of the founders of the "Blaue Reiter" group.
On the winter colours white, black, and blue:
"That is why white has the effect of utter silence on our psyche ... It is not a dead silence, but is full of potentiality ... It is a Nothing that is present before the beginning, before birth. This was, perhaps, how the earth sounded during the white times of the Ice Ages ..."
"And like a Nothing without potentiality, like a dead Nothing after the sun has been extinguished, like an eternal silence without future and hope ... Black ... It is like the silence of the body after death, the end of life ..."
"The deeper the blue, the more it draws man into infinity, awakens in him a longing for purity and, ultimately for the transcendental ..." Wassily Kandinsky, The Art of Spiritual Harmony.

◂ **Abend am Bannwaldsee bei Füssen, Allgäu**
Wenn es jetzt gelingt,
die Fäden des Tages zu entwirren,
Unwichtiges abzulegen,
einen Saum um die dunklen Angstwasser zu legen –
dann können wir getrost die Nacht über die Schwelle treten lassen.

▸ **St. Koloman bei Füssen, Allgäu.** Mitten im tiefsten Winter, in der längsten und tiefsten Nacht wird in Wahrheit die Finsternis besiegt, nimmt alles Leben, alles Blühen und Fruchten wieder einen neuen Anfang: Die Sonne steigt auf ihrer Bahn wieder aufwärts.

◂ **Le soir sur le Bannwaldsee près de Füssen, Allgäu**
Si nous arrivons
à démêler les fils du jour,
à en ôter les futilités,
à réprimer les sombres peurs de l'eau –
alors nous pouvons laisser venir la nuit
en toute quiétude.

▸ **St.-Coloman près de Füssen, Allgäu**. C'est au plus profond de l'hiver, pendant les nuits les plus longues et sombres, que les ténèbres sont vaincues, que tout renaît, la vie, les fleurs, les fruits. Le soleil remonte vers son zénith.

◂ **Evening on Lake Bannwald near Füssen, Allgäu**
If we now succeed
in unravelling the day's threads,
in dismissing trivialities,
in containing the sombre, nightmare waters –
then we can welcome darkness when it falls.

▸ **St. Coloman near Füssen, Allgäu**. In the depths of winter, during the longest and deepest night, darkness is conquered, and all life, all flowers and fruit begin to revive: the sun is once more moving towards its zenith.

◂ **Sylvensteinsee im Karwendel, Oberbayern**
Still und unberührbar.
Kristalline Strukturen zu metallischem Grau.
Wintersonne versilbert das Wasser,
und Eis hat Filigranwerk aus Sträuchern gezaubert.
In der Tiefe des Stausees ein bayerisches Vineta, das Dörfchen Fall. Keine Strafe für übermäßigen Reichtum oder Lasterhaftigkeit, sondern Tribut an allmächtige Notwendigkeit unserer Zeit.

◂ **Sylvensteinsee dans le Karwendel, Haute-Bavière**. Un lac de barrage. Tranquille et intouchable. Des structures cristallines dans un gris métallique. Le soleil hivernal argente l'eau et la glace a transformé les buissons en ouvrage de filigrane.

◂ **Lake Sylvenstein in the Karwendel Mountains, Upper Bavaria**. A reservoir. Tranquil and remote. Crystalline structures in metallic grey. The winter sun silvers the water, and ice transforms shrubs into filigree compositions.

◂ **Auf dem Wendelstein bei Bayrischzell, gegen Kaisergebirge und Hohe Tauern.** Ein Zuckergußhäuschen in einer Zuckergußlandschaft, ein Kirchleinskristall hoch auf dem Wendelstein, und die Sage erzählt, daß in den Bergen die Nymphen und Feen hausen in Palästen aus funkelndem Bergkristall.
Dieser sei nichts anderes als »zusammen geronnenes Eys«, glaubte man noch bis in die Neuzeit, und für beides hatten die Griechen nur ein Wort: »krystallos«.

◂ **Sur le Wendelstein près de Bayrischzell, en face des Kaisergebirge et des Hohe Tauern.** Une maison en sucre glace dans un paysage en sucre glace, une chapelle cristalline tout en haut du Wendelstein; la légende raconte que dans la montagne les nymphes et les fées habitent des palais de cristal de roche scintillant. Il n'y a pas si longtemps on croyait que le cristal de roche n'était rien d'autre qu'une sorte de glace et les Grecs n'avaient pour les deux qu'un seul nom «krystallos».

◂ **On the Wendelstein Range near Bayrischzell, facing the Kaisergebirge and the Hohe Tauern.** A sugar-icing house in a sugar-icing landscape, a crystalline chapel high up in the Wendelstein mountains; legend says that the mountain nymphs and fairies live in palaces of glittering rock-crystal. Until not so very long ago, it was believed that rock-crystal was nothing but a kind of "curdled ice", and the Greeks had only one name for both: *krystallos*.

◂ **Wintermorgen am Chiemsee mit Frauenwörth, Oberbayern.** Eiland von harter Kontur ausschneiden, Wasser großzügig zu Nebelweiß auflockern und vom Himmelsblau mit bucklig-zackiger Linie die Berge abtrennen – fertig ist das Winterchiemseegesicht.
In das Licht der Geschichte tritt die Insel Frauenworth vor rund 1200 Jahren. Herzog Tassilo von Bayern gründete hier um 770 ein Benediktinerkloster für Männer und eines für Frauen. Nach dem Ungarnsturm (907) erholte sich nur das Frauenkloster wieder und hat sich bis heute gehalten.

◂ **Matin d'hiver sur le Chiemsee avec Frauenwörth, Haute-Bavière**. L'île de Frauenwörth entre pour la première fois dans l'histoire voici 1200 ans lorsque le duc Tassilo de Bavière y fonde vers 770 une abbaye de bénédictines. Après l'invasion hongroise (907) seul le couvent a été rétabli et il existe encore aujourd'hui.

◂ **Winter morning on Lake Chiem with Frauenwörth, Upper Bavaria**. The island of Frauenwörth entered the pages of history some 1200 years ago when Duke Tassilo of Bavaria founded a Benedictine monastery and convent there in about 770. After the Hungarian incursion (907) only the convent revived, and it still exists today.

▸ Wallfahrtskirche Kappel bei Waldsassen, Oberpfalz. Das Mysterium der Heiligsten Dreifaltigkeit »in den Kirchenneubau zu adumbrieren«, war die Idee des Pfarrers von Münchenreuth vor dreihundert Jahren. Vielleicht kam sie ihm aus der unsichtbaren Harmonie der Kurven und Schwünge von Feldern und Anhöhen, getaucht in den verglühenden Goldglanz der Sonne – wie an diesem Winterabend. Baumeister Georg Dientzenhofer hatte die Aufgabe, des Pfarrers Idee zu verwirklichen, und so durchdrang er mit der Dreizahl alle architektonischen Maße, für einen Gesellenlohn. Als er 1689 starb, war die Kirche gerade im Rohbau fertig.

▸ Eglise de pélerinage de Kappel près de Waldsassen, Haut-Palatinat. Construite à la fin du 17e siècle, l'église consacrée à la Sainte-Trinité est pleine de références symboliques au chiffre trois et son architecture s'insère harmonieusement dans les courbes et les ondulations des champs et des hauteurs environnantes.

▸ Pilgrimage Church of Kappel near Waldsassen, Upper Palatinate. Built at the end of the 17th century, and dedicated to the Holy Trinity, the church is full of symbolic references to the figure three, and the architecture discreetly harmonizes with the curves and undulations of the surrounding fields and hills.

◂ **Der Main bei Steinheim, Hessen.** In diesem Winter hat sich vor die alte Stadtbefestigung noch eine Barriere aus Eis gelegt. Das Städtchen hat seinen Namen von den Steinbrüchen, in denen schon die Römer Basalt abbauten. Markante Punkte der ehemaligen Sommerresidenz der Erzbischöfe von Mainz: Bergfried, Schloß und Kirche.

▸ **Weihnachten in Rothenburg ob der Tauber, Mittelfranken.** Die Bürger von Rothenburg baten den Kaiser Albrecht oft, er möge ihnen gestatten, das reiche Hospital zum Heiligen Geist in ihre Mauern einzuschließen. Lange weigerte sich der Kaiser, weil die Stadt durch die Erweiterung zu schwer zu verteidigen sei. Endlich, als die Bürger nicht nachließen, sagte er ärgerlich: »Sieht eure Stadt doch so schon aus wie eine Schlafkappe, so mag dieses der Zipfel daran sein.« (Zitiert nach Hinze, Diederichs, Fränkische Sagen.)

◂ **Le Main près de Steinheim, Hesse**. Le nom de la ville vient des carrières de pierre où les Romains exploitaient déjà du basalte. Elle s'étire le long du Main et fut autrefois la résidence d'été des archevêques de Mayence. Le donjon, le château et l'église s'élèvent au-dessus des autres édifices.

▸ **Noël à Rothenburg ob der Tauber, Moyenne-Franconie**. Plus qu'aucune autre ville d'Allemagne, Rothenburg est considérée comme l'incarnation de la ville médiévale. Des tours, des portes et des murs, des maisons à colombage et des ruelles étroites, tortueuses, cahoteuses. Un tableau idyllique que seul l'hiver peut encore parfaire car la neige saupoudre les toits d'une couche de sucre glace.

◂ **The River Main near Steinheim, Hesse**. The town's name comes from the nearby stone quarries which the Romans already exploited for basalt. It lies strung-out along the Main, and was at one time the summer residence of the Archbishops of Mainz. Rising above the other buildings are the keep, the palace, and the church.

▸ **Christmas in Rothenburg ob der Tauber, Central Franconia**. Rothenburg, surely more than any other town in Germany, is regarded as the type of a medieval city. Towers, gateways, fortifications, half-timbered houses, narrow, twisting, cobbled streets. This idyll is capable of enhancement only in winter when the snow covers the roofs with a dusting of sugar-icing.

▾ **Dom zu Speyer, Rheinland-Pfalz.** Drei Kaiser lang dauerte die Errichtung des Speyrer Domes. Kaiser Konrad II. legte um 1030 den Grundstein zu diesem gewaltigen Bauwerk. Er und sein Sohn wurden im unfertigen Dom beigesetzt. Erst der Enkel, Heinrich IV., erlebte die Endweihe und veranlaßte schon zwanzig Jahre später einen Umbau: die Verstärkung der Fundamente und die Einwölbung des riesigen, zunächst flachgedeckten Mittelschiffes, eine für die Architektur epochemachende Leistung. Von Speyer aus trat derselbe Kaiser Heinrich auch den berühmten Gang nach Canossa an.

▸ **Abtei Arnstein an der Lahn, Rheinland-Pfalz.** Picpusianer heißen die Väter der Genossenschaft vom Heiligen Herzen Jesu und Mariä (der Name kommt von der Straße der Beulenstecher in Paris, wo sie ihr erstes Haus hatten), und sie tragen das Herzzeichen Jesu und seiner Mutter auf weißes Schultertuch gestickt und verehren noch besonders die heilige Marie Marguerite d'Alacoque. Sie bezogen das im 19. Jahrhundert verfallene Kloster im Jahre 1919 und machten es zu ihrem Zentrum in Deutschland und zum Wallfahrtsort. Früher, seit der Gründung im 12. Jahrhundert, war Arnstein Prämonstratenserkloster.

▾ **Cathédrale de Speyer, Rhénanie-Palatinat**. La première pierre de cette imposante construction a été posée en 1030 par l'empereur Conrad II mais c'est son petit-fils, l'empereur Henri IV qui a assisté à sa consécration. C'est de là qu'Henri IV est parti pour son célèbre voyage à Canossa.

▸ **L'abbaye d'Arnstein sur la Lahn, Rhénanie-Palatinat**. Fondé au 12ᵉ siècle par les Prémontrés et sécularisé en 1803, le couvent d'Arnstein est maintenant le centre des Picpuciens en Allemagne et un lieu de pélerinage.

▾ **Speyer Cathedral, Rhineland-Palatinate**. The foundation stone for this tremendous structure was laid by Emperor Conrad II in 1030, but the final consecration did not take place until the reign of his grandson, Emperor Henry IV. It was from here that Henry IV set out on his famous journey to Canossa.

▸ **Arnstein Abbey on the Lahn, Rheinland-Pfalz**. Founded in the 12th century by Premonstratensians, and secularized in 1803, the monastery is now the German headquarters of the Picpusian Congregation, and a place of pilgrimage.

◂ **Haus in Hochstraßen bei Marienberghausen, Bergisches Land.** An solchen klaren Wintertagen gibt es draußen nicht viel zu tun. Alles ist unter Dach und Fach, und der Weg ist gebahnt. Drinnen in der Stube auf der warmen Ofenbank legt der Bauer seine abgeschafften Glieder aus. Er überschlägt: Was hat das verflossene Jahr gebracht an Freude und Kummer, und was wird das neue bringen? Die Rauhnächte um die Jahreswende muß man beachten, die Lostage und die Bauernregeln. Vielleicht wird er wie seine Altvorderen im Bergischen in der Nacht vor Weihnachten ein Schweinchen ins Haus holen, ihm ins Ohr kneifen und fragen: »Witzchen, sag mir, Witzchen, viel oder ein Fitzchen?«, und aus dem Quieken ist auf eine gute oder schlechte Ernte zu schließen.

▾ **Rosper Mühle bei Gummersbach, Oberbergisches Land.** Sieht man die zuckrige, schneebedeckte Welt mit Bauernaugen, so wird man sagen: »Januar hell und weiß, wird der Sommer heiß«. Oder: »Viel Schnee – viel Heu« und meint gar, mitten im Winter die Hitze zu fühlen und das Heu zu riechen!

◂ **Maison à Hochstrassen près de Marienberghausen, Bergisches Land.** L'hiver est la saison où les paysans font le bilan de l'année écoulée et à l'aide de leurs expériences et de leurs méthodes traditionnelles tirent des prévisions pour l'année à venir.

▴ **Moulin de Rosper près de Gummersbach, Oberbergisches Land.** Contemple-t-on le monde en hiver avec l'œil du paysan, on dira «Noël aux tisons, Pâques au balcon» ou encore «Pluie aux Rois, blé jusqu'au toit» et l'on croira même sentir l'odeur du blé mûr en plein hiver.

◂ **House in Hochstraßen near Marienberghausen, Bergisches Land.** The winter is the time when farmers survey the old year, and use their experience and traditional methods to estimate what the new one is likely to bring.

▴ **Rosper Mill, near Gummersbach, Oberbergisches Land.** Farmers, looking at the snow-covered world around them, still remember sayings such as: "If in January it snows a lot, then the summer will be hot", or: "Lots of snow – and the grass will grow", and; at the same time, perhaps, in the middle of winter they feel they can already smell the new hay.

◂ **Lenne im Lennetal, Rothaargebirge, Westfalen.** Die rund 130 Kilometer lange Lenne entspringt an der höchstgelegenen Quelle Westdeutschlands, nämlich auf dem Kahlen Asten, dem höchsten Berg in Westfalen.
Das kleine Dörfchen im Lennetal macht nicht viel Aufhebens von sich, drängt sich dicht zusammen und heißt nicht anders als der Fluß. Sieht man genauer hin, so wirken die Häuser doch recht stattlich, groß, Erkervorbau und aufwendiger gestaltetes Fenster. Und die Pfarrkirche St. Vinzenz wird schon 1221 als »capella« erwähnt. Nach altem Brauch klopfen im Hochsauerland die Kinder winters auf die Türschwellen und singen, um den Sunnevogel, den Schmetterling, herauszulocken, und warten, daß sich Wald und Wiesen wieder mit einem grünen Kleid überziehen.

◂ **Lenne dans la vallée de la Lenne, Rothaargebirge, Westphalie.** La Lenne a presque 130 kilomètres de long et dans sa vallée se blottit le petit village de Lenne. Elle jaillit de la plus haute source d'Allemagne fédérale – sur le Kahler Asten, le plus haut sommet de Westphalie. Riche en cours d'eau, le Rothaargebirge est également appelé «le château d'eau de la région de la Ruhr». En hiver dans le Hochsauerland, selon une vieille coutume, les enfants frappent sur le seuil des maisons et chantent pour faire sortir «l'oiseau du soleil», le papillon afin qu'il hâte la venue du printemps.

◂ **Lenne in the Lenne Valley, Rothaar Mountains, Westphalia.** The 75-mile-long River Lenne, in whose narrow valley the village of Lenne huddles, springs from the highest source in West Germany – on Kahler Asten, Westphalia's highest mountain.
In winter in Hochsauerland, children still follow the old custom of knocking on the thresholds of houses and singing to entice the "sun bird", the butterfly, to come out and hasten the approach of spring.

◂ **Kreuzberg, Südrhön, Unterfranken.** Kalvarienstimmung herrscht an diesem gottverlassenen Ort. Der Berg hieß ursprünglich Aschberg, bis Ende des 7. Jahrhunderts – der Legende nach – der heilige Kilian an Stelle einer heidnischen Kultstätte ein Kreuz errichtete. Zur Zeit der Gegenreformation ließ der baufreudige und tatkräftige Fürstbischof von Würzburg, Julius Echter (1573–1617), ein steinernes Kreuz und eine Kapelle errichten, um der Wallfahrt auf den Kreuzberg mehr Bedeutung zu verleihen. Später folgte noch ein Kloster, und auch heute zählt der Kreuzberg in Franken zu den bedeutendsten Wallfahrtsorten.

▾ **Abtsroda mit Wasserkuppe, Nordrhön.** Darmstädter Gymnasiasten und Studenten machten in den Jahren 1911 bis 1913 auf der Wasserkuppe die ersten Segelflugversuche, und 1920 fand dort der erste Rhön-Wettbewerb statt – 25 Teilnehmer mit selbstgebauten Gleitapparaten. Die Besten schafften es gerade, knapp drei Minuten in der Luft zu bleiben. So wurde die Wasserkuppe nicht nur die Geburtsstätte, sondern in den folgenden zwei Jahrzehnten auch das Zentrum der Segelfliegerei. Und so durch die blauen Lüfte zu gleiten, unter sich Berge und Täler, über sich nur den weiten Himmel, das hat bis heute nichts von seiner Faszination verloren.

◂ **Brotterode am Rennsteig, Thüringer Wald.** Mit milchigem Dunst überzogen und doch durchscheinend wie Murano-Glas liegt Brotterode in einen weiten Talkessel gebettet. Dahinter steigt die Höhe des Thüringer Waldes an zum Großen Inselsberg. Sagen und Namen wie der Venetianerstein beim Ort erinnern an jene Bergleute aus Italien, die früher ins Land kamen, um nach Erz für die Schmelzen von Murano, der Glasmacherstadt in den Lagunen von Venedig, zu suchen. Am Johannistag öffneten sich die unterirdischen Klüfte, und furchtlos holten sich die Venetianer von dem von einem Drachen bewachten Goldsand.

▸ **Georgenfeld, Erzgebirge.** Weiter östlich auf dem Kamm des Erzgebirges, unmittelbar an der tschechischen Grenze, versinken die schindelbedeckten Häuser im Schnee. Was noch bis ins 19. Jahrhundert als »sächsisches Sibirien« gemieden war, lockt heute zahlreiche Wintersportler an. Im Sommer ist bei Georgenfeld ein Hochmoor, nach der letzten Eiszeit vor rund 20000 Jahren entstanden, mit seltener Flora auf einem Knüppeldamm begehbar.

◂ **Brotterode sur le Rennsteig, Forêt de Thuringe**. Recouverte d'une brume laiteuse, la ville est nichée dans une large vallée encaissée au pied du Großer Inselberg. Jusqu'au début de notre siècle, l'exploitation de riches gisements de fer a dominé la vie économique du pays.

▸ **Georgenfeld, Erzgebirge**. Plus à l'Est, sur la crête de l'Erzgebirge (les Monts Métallifères), la région baptisée autrefois «Sibérie saxonne» et que l'on a évitée pendant longtemps, attire de nombreux amateurs de sports d'hiver. En été, la tourbière près de Georgenfeld vaut la peine d'être vue à cause de sa flore rare.

◂ **Brotterode on Rennsteig, Thuringian Forest.** The town lies half concealed in the haze that fills the wide valley, below the hill called Großer Inselberg. Rich iron-ore deposits dominated the economic life of this area until the beginning of our century.

▸ **Georgenfeld, Erzgebirge.** Further to the east, the Erzgebirge (lit. Ore Mountains), at one time dubbed "Saxon Siberia", and avoided as far as possible, now attract many visitors for winter sports. In summer, the moor near Georgenfeld is worth seeing for its rare flora.

◂ **Elbsandsteingebirge, Sachsen.** Wie ein goldenes Band schlängelt sich die Elbe durch die »gemütlichen Alpen«. Auf dem Großen Winterberg stehend, kann man drunten im Tal Postelwitz und Bad Schandau ausmachen, im Hintergrund Lilienstein und Schrammstein. Von hier also schiffte man seit dem Mittelalter den »Pirnaischen Sandstein« nach Meißen, Dresden, Prag. Doch Sandstein ist nicht gleich Sandstein: Da gibt es den weichen *Cottaer Stein* von links der Elbe. Er eignet sich für die Plastiken und war und ist wegen seines silbergrauen Tons zur Verblendung von Fassaden und Innenräumen beliebt (z. B. in der neuen Leipziger Oper). Mit einer tiefgrauen Patina überzieht sich Sandstein aus den Steinbrüchen direkt *an der Elbe*. Aus solchem ist die Katholische Hofkirche in Dresden erbaut. Und schließlich *aus Posta*, einem Vorort von Pirna, kommt ein sehr harter Sandstein, der am stärksten nachdunkelt und am widerstandsfähigsten ist (z. B. am über 750 Jahre alten Meißner Dom). Bei den Restaurierungsarbeiten am Zwinger machte man sogar die bestimmten Steinbrüche zwischen Rathen und Königstein wieder ausfindig, um dasselbe Material verwenden zu können.

◂ **Elbsandsteingebirge, Saxe**. Comme un ruban doré, l'Elbe serpente au milieu des «Alpes accueillantes». Du Großer Winterberg, on peut apercevoir Postelwitz et Bad Schandau dans la vallée, au fond le Lilienstein et le Schrammstein. Tous les édifices imposants de la région comme la cathédrale à Meissen, l'Eglise de la Cour à Dresde, le Zwinger, les châteaux et palais seraient impensables sans ce grès de l'Elbe exploité depuis le Moyen Age et encore utilisé aujourd'hui.

◂ **Elbsandsteingebirge, Saxony**. The River Elbe winds its way like a golden ribbon through the "cosy Alps". Standing here, on the Großer Winterberg, one can make out Postelwitz and Bad Schandau in the valley, and the Lilienstein and Schrammstein Mountains in the background. All the mighty buildings of the region, such as the Cathedral in Meißen, the Court Church in Dresden, the Zwinger, and many other churches and palaces would be unthinkable without this sandstone along the Elbe, which has been exploited since the Middle Ages and is still used today.

▸ **Ausblick beim Torfhaus zum Brocken, Harz.** Bericht von der ersten Besteigung des Brocken im Winter: Goethe unternahm dieses Wagnis am 10. Dezember 1777 und schreibt darüber an seine Freundin Charlotte von Stein: »Wie ich gestern zum Torfhause kam, saß der Förster bei seinem Morgenschluck in Hemdsärmeln, und diskursive redete ich vom Brocken, und er versicherte die Unmöglichkeit hinaufzugehen, und wie oft er sommers droben gewesen wäre und wie leichtfertig es wäre, jetzt es zu versuchen. – Die Berge waren im Nebel, man sah nichts, und, so sagt er, ist's auch jetzt oben, nicht drei Schritte vorwärts können Sie sehen, und wer nicht alle Tritte weiß pp. Da saß ich mit schwerem Herzen, mit halben Gedanken, wie ich zurückkehren wollte ... Ich war still und bat die Götter, das Herz dieses Menschen zu wenden und das Wetter, und war still. So sagt er zu mir: Nun können Sie den Brocken sehen. Ich trat ans Fenster, und er lag vor mir klar wie mein Gesicht im Spiegel. Da ging mir das Herz auf, und ich rief: Und ich sollte nicht hinaufkommen! Haben Sie keinen Knecht niemanden? Und er sagte: Ich will mit Ihnen gehen. ... Ich hab's nicht geglaubt bis auf der obersten Klippe. Alle Nebel lagen unten, und oben war herrliche Klarheit, und heute nacht bis früh war er im Mondschein sichtbar und finster auch in der Morgendämmerung, da ich aufbrach ...« Galt der Brocken auch schon seit dem Mittelalter als Hexentanzplatz, so machte ihn doch erst Goethe mit seiner Schilderung der Walpurgisnacht auf dem Brocken für alle Zeiten berühmt. (In der Walpurgisnacht tanzen die Hexen den Schnee auf dem Brocken weg.) Goethes Empfindungen von den Farbtönen und Schattierungen und den Schatten auf dem winterlichen Brocken fanden auch Niederschlag in seiner Farbenlehre.

◂ **Hahnenklee, Westharz.** Die 1908 erbaute nordische Stabkirche mit der Holzverschalung, den Türmen und gestaffelten Dächern ist einzigartig in Deutschland.

▸ **Vue du «Torfhaus» sur le Brocken, Harz.** Le Brocken était certes connu depuis le Moyen Age comme la place où se réunissaient les sorcières pour danser mais il est devenu à tout jamais célèbre par la description de la nuit de la Walpurgis dans le «Faust» de Goethe. En 1777, Goethe a été le premier à escalader le Brocken en hiver.

◂ **Hahnenklee, Harz occidental.** L'église construite entièrement en bois dans le style des églises nordiques date de 1908. Elle est unique en Allemagne.

▸ **View from "Torfhaus" of the Brocken, Harz Mountains.** The Brocken was made famous by the witch scene in Goethe's "Faust", but had probably been popularly regarded as a witches' meeting place on Walpurgis night since the Middle Ages. In 1777 Goethe became the first to climb the Brocken in winter.

◂ **Hahnenklee, Westharz.** This Nordic stave church with its timber walls and tiered roofs was built in 1908. It is the only one in Germany.

◂ **Windmühle bei Hedeper, Niedersachsen.** Hei! ist das eine Freude, über das blanke Feld zu brausen! Er fährt einem Baum nach dem andern ins kahle Geäst und treibt dann sein Spiel mit dem Windrad. Und tollt, bis ihm die Puste ausgeht – die Mühle aber bleibt, und die Bäume bleiben, und der Acker bleibt und der Himmel.

◂ **Moulin à vent près d'Hedeper, Basse-Saxe**. «Quel bonheur de souffler sur un champ ouvert comme celui-là» doit se dire le vent en s'engouffrant dans les branches nues des arbres et en jouant avec la roue du moulin à vent à en perdre le souffle. Mais lorsque le vent est tombé, le moulin à vent demeure et avec lui le champ et les arbres et le ciel.

◂ **Windmill near Hedeper, Lower Saxony.** The "west wind, wanton wind, wilful wind" must love an open field like this to blow across, gathering strength to whistle through the bare branches of the trees and play with the windmill till it runs out of breath; but when the wind's gone, the field remains, and the mill, the trees, and the sky.

◂ **Lehde im Spreewald, Niederlausitz.** Tausend Flußarme durchziehen den Spreewald. Im Sommer erfüllt zartes Birken- und Erlengrün die Luft, und dicke, saftige Wasserpflanzen breiten sich aus. Im Winter liegt »Spreewald-Venedig«, wie Lehde genannt wird, ganz bloß und durchschaubar: Straßen aus Wasser, fast jedes Haus seine eigene Insel, aber man kann auch über die Holzbrücken, die »Bänke«, hinübergelangen. Im einstmals fast unzugänglichen Sumpfgebiet hat sich die slawische Bevölkerung am längsten gehalten und ihre Eigenart bewahrt.

▸ **Berlin, Marienkirche am Neuen Markt.** Die Errichtung dieser dreischiffigen Hallenkirche steht im Zusammenhang mit der Vergrößerung Berlins nach Norden Ende des 13. Jahrhunderts. Der Chor stammt noch aus dieser Zeit. Nach dem verheerenden Stadtbrand von 1330 entstand das Langhaus und 1490 der Turm. Ein bedeutendes Wandgemälde, der Totentanz, kam erst 1860 in der Turmvorhalle unter der Tünche wieder zum Vorschein. Zu den wertvollsten Ausstattungsstücken gehört der Bronze-Taufstein von 1437, von vier Drachen getragen, mit der Inschrift »Ich diene den Armen und den Reichen«, und die Marmorkanzel mit Schalldeckel aus Holz von Andreas Schlüter (1703).

◂ **Lehde dans la Forêt de la Sprée, Niederlausitz**. Des milliers de cours d'eau sillonnent la Forêt de la Sprée, ce sont les rues de la «Venise du Spreewald» ainsi que l'on appelle Lehde. C'est dans cette région marécageuse difficile d'accès que la population slave a le mieux préservé son mode de vie et ses coutumes.

▸ **Berlin, église Notre-Dame, Neuer Markt**. Cette église a été bâtie à la fin du 13e siècle lorsque Berlin s'est étendu vers le Nord. La chaire baroque de Schlüter (1703) et les fonts baptismaux de 1437 comptent parmi les ornements les plus précieux. Sur les murs du porche de la tour, la «danse macabre» datant de 1485.

◂ **Lehde in the Spree Forest, Niederlausitz**. Thousands of streams criss-cross the Spree Forest, and form the streets of the "Venice of Spreewald", as Lehde is called. It is here in this once inaccessible swampy region that the Slav population has best preserved its customs and way of life.

▸ **Berlin, St. Mary's Church, Neuer Markt**. This church was built at the end of the 13th century, when Berlin expanded towards the north. Two of its most precious features are the marble pulpit by Schlüter (1703) and the font of 1437. There is a "dance of death" dating from 1485 in the tower vestibule.

158
425
55
159
164

▾ **Halbinsel Darß, Mecklenburg. Weststrand.** Eisfladen auf feinem Sand, und noch einsamer als sonst ist dieses Stück Strand im Winter dem unablässigen Nagen der See ausgesetzt. Kein Bus, keine Straße, nirgendwo an der Ostsee ist es einsamer. Urwaldiges Ufer mit Eichen, Birken, Buchen und hohen Farnen bestanden. Wer Glück hat, kann nach einem Sturm noch Bernstein finden.

▸ **Insel Usedom, Mecklenburg. Ückeritz, Achterwasser.** Schwer zu sagen, wo hier Land und Wasser anfangen oder aufhören, ob eingegrenztes, ausgegrenztes Wasser, Binnensee oder Fluß, und wie lange die zerbrechlichen Landbrücken der zipfligen Insel Usedom halten. Die schmalste Stelle zwischen Ostsee und Achterwasser ist nur etwa 300 Meter breit, nicht weit von Ückeritz entfernt. Dorthin zogen in harten Wintern noch im 18. Jahrhundert die Männer zur Wolfsjagd, »um hinter Dammerow das Netz zu stellen, maßen die Insel dorten wunderlich schmal ist und der Wulf das Wasser scheut«.

▾ **Presqu'île de Darss, Mecklembourg, plage Ouest**. Des galettes de glace sur le sable fin de cette plage déserte exposée à l'érosion inlassable de la mer en hiver. Aucune route ne conduit à cet endroit le plus solitaire de la côte Baltique où les chênes, les bouleaux et les hêtres croissent entremêlés de hautes fougères. Avec un peu de chance, on peut encore y trouver de l'ambre après une tempête.

▸ **Ile d'Usedom, Mecklembourg, Ückeritz, Achterwasser**. Difficile de dire ici où la terre et l'eau commencent ou se terminent, si l'eau est douce, salée ou saumâtre, si c'est un lac, une rivière ou une mer et combien de temps tiendront les minces ponts de terre vers l'île.

▴ **Darss Peninsula, Mecklenburg, Weststrand**. Pancake ice on the fine sand of this deserted beach, exposed to the erosion of the winter sea. No road leads to this loneliest section of the Baltic coast, forested with oak, beech, and birch, intermingled with tall ferns. After a storm you might be lucky enough to find amber here.

▸ **Usedom Island, Mecklenburg. Ückeritz, Achterwasser**. It is hard to say here where land and water begin and end, whether the water is sweet, salt, or brackish, lake or river, sea or lagoon, and how long the tenuous landbridges of the island will hold.

UTZ-019

▾ **Neuharlingersiel, Ostfriesland.** Wenn die Fischkutter im dicken Eis festliegen und nichts mehr geht, dann ist genug Zeit, sich in aller Ruhe einer Tasse Tee zu widmen: knisternde Kluntjes, ein Sahnewölkchen, sich zurücklehnen, und das rauhe Leben an der rauhen Nordsee kann durchaus erträglich sein.

▾ **Neuharlingersiel, Frise orientale.** Lorsque les chalutiers sont immobilisés par la glace et que rien ne va plus, c'est le moment de songer à la détente et de savourer, en toute tranquillité et bien confortablement assis, une bonne tasse de thé avec un nuage de crème. Et la vie au bord de cette mer du Nord au climat âpre peut être tout à fait supportable.

▾ **Neuharlingersiel, East Frisia.** When ice keeps the fishing boats in the harbour there is time to drink a cup of tea at leisure in the Frisian way with sugar candy and a dash of milk. Then life on the North Sea coast takes on a milder aspect, and winter becomes bearable.

▸ **Störbrücke bei Heiligenstedten, Holstein.** Früher wurde die Klappbrücke über der Stör erst heruntergelassen, wenn der Brückenzoll entrichtet war. Der Fluß verläßt hier die Geest und ergießt sich in die Elbmarschen, rechts die Wilster, links die Kremper Marsch, bevor er in die Elbe mündet. Schon um 810 kamen die Karolinger störaufwärts, gründeten in Itzehoe eine Burg und in Heiligenstedten eine der vier ältesten Kirchen nördlich der Elbe.

▸ **Pont sur la Stör près de Heiligenstedten, Holstein**. Les Carolingiens ont remonté la Stör vers 810 et ont construit un château à Itzehoe et une église – l'une des quatre les plus anciennes au Nord de l'Elbe – à Heiligenstedten. Autrefois, le pont-levis n'était abaissé qu'une fois le péage acquitté.

▸ **Bridge over the Stör near Heiligenstedten, Holstein**. The Carolingians came sailing up the Stör in about 810, built a castle in Itzehoe, and a church – one of the four oldest north of the Elbe, in Heiligenstedten. In former times the wooden drawbridge was only lowered after a toll had been paid.

◂ **Haus in Worpswede, Teufelsmoor, Niedersachsen.** »Zum erstenmal sah ich das braune Moor mit den geschichteten Torfhaufen, die blanken Wassergräben ... Gegen Abend ging ich auf den Berg. Da offenbarte sich mir Worpswede in seiner allergrößten Herrlichkeit. Ich weiß nicht, ob Sie schon einmal beobachtet haben, wenn bei sinkender Sonne verschiedene hoch übereinander schwebende Wolkengebilde Licht fangen. Dann gibt es Farben von Dunkelviolett, Kupferrot, Gold und Silber, und da, wo der Äther aufblitzt, erscheint er grünlich und in den Gebieten der silbernen Cirruswolken seidig blau. Unter einer solchen Herrlichkeit lagen die dunklen Äcker mit den weinroten Stoppeln des Buchweizens, den schwarzen Schollen der umgepflügten Erde und die formenreiche Weite mit den blitzenden Wasserläufen, auf denen schwarze Segel ihre Bahn zogen; auf den Weiden schwarzweiße Kühe, am Horizont das reiche Bild der Stadt Bremen ... Die Glocken des Dorfes läuteten, ein Bauer, der auf dem Felde pflügte, blieb stehen, nahm die Mütze ab, faltete die Hände, bis der letzte Klang verhallte ...« So entdeckte der Malschüler Fritz Mackensen die besondere Schönheit dieser herben Landschaft im Jahre 1884. In den Jahren darauf brachte er noch seine Freunde Otto Modersohn und Hans am Ende mit, und als sie sich 1888 in Worpswede niederließen, war der Grundstein zu jener Künstlerkolonie gelegt, die dieses kleine Moordorf weltbekannt gemacht hat. Overbeck, Vinnen und Vogeler folgten, Paula Becker und Clara Westhoff, die Frau Rilkes, und Bernhard Hoetger.

◂ **Maison à Worpswede, Teufelsmoor, Basse-Saxe**. Lorsqu'en 1884, l'élève peintre Fritz Mackensen découvrit la beauté singulière de ce rude paysage de tourbières et amena par la suite ses amis Otto Modersohn et Hans am Ende, qu'ils s'installèrent finalement ici, la première pierre de cette colonie d'artistes, qui allait faire de ce petit village de tourbière un endroit mondialement célèbre, était posée.

◂ **House in Worpswede, Teufelsmoor, Lower Saxony**. When the art student Fritz Mackensen discovered the strange beauty of this austere moorland area, and later showed it to his friends Otto Modersohn and Hans am Ende, and they finally settled here, the foundation for an artists' colony was laid which was later to make this small moorland village world famous.

Mitte: **Cloppenburg, Niedersachsen. Museumsdorf, Giebel eines Artländer Bauernhauses von 1776.** Ein Prachtexemplar bäuerlicher Kultur, die sich überall entfaltete, wo ein gewisser Wohlstand und Selbstbewußtsein vorhanden waren. Das Museumsdorf zeigt in 80 originalgetreu wiederaufgebauten Häusern aus der Zeit vom 16. bis zum 19. Jahrhundert die Vielfalt ländlicher Bau- und Lebensweise.

Rechts oben: **Landwüst, Vogtland. Bauernhaus-Museum.** Das Museum selber ist ein eingeschossiger Blockbau von 1782 mit dem schönsten Egerländer Fachwerkgiebel weit und breit, in dem Hausrat, Ackergeräte, Bodenfunde, Urkunden aus dem Oberen Vogtland und dem Westerzgebirge zusammengetragen wurden.

Rechts unten: **Amerang, Oberbayern. Bauernhaus-Museum, Webstube im Haus Schnapping.** Auch hier Holz das beherrschende Material, schwere Geräte, bodenständig und erdhaft.

Unten: **Markoldendorf, Niedersachsen. Bauernhaus von 1846.** Fachwerk, Ziegel, Sprüche, Malereien – das gehört zu einem schönen Bauernhaus.

Au milieu: **Cloppenburg, Basse-Saxe. Musée folklorique de plein air, pignon d'une maison paysanne d'Artland (1776)**
A droite en haut: **Landwüst, Vogtland. Musée folklorique**
A droite en bas: **Amerang, Haute-Bavière. Métier à tisser**
En bas: **Markoldendorf, Basse-Saxe. Maison paysanne (1846)**
Ce qui est exposé dans les musées montre la diversité et l'ingéniosité des techniques de construction et le mode de vie des paysans. Mais il y a encore en Allemagne de nombreuses belles maisons paysannes habitées.

Centre: **Cloppenburg, Lower Saxony. Museum Village, gable of a farmhouse from Artland (1776)**
Top right: **Landwüst, Vogtland. Farmhouse Museum**
Bottom right: **Amerang, Upper Bavaria. Farmhouse Museum, loom in the "Schnapping" House**
Below: **Markoldendorf, Lower Saxony. Farmhouse (1846)**
The amount of material exhibited in the museums demonstrates the variety and inventiveness of the building techniques and way of life of the rural population, but there are also many fine farmhouses in Germany still in use.

Register der Abbildungen

◂ **Schloß Clemenswerth, Hümmling, Niedersachsen.** Am Schluß unserer Jahreszeitenbilder aus Deutschland steht die Acht als vollkommene Zahl, denn sie beherrscht die Anlage des Jagdschlosses: Der fürstliche Pavillon (Bild), ein Oktogon mit Kreuzarmen, steht im Zentrum eines achtstrahligen Sterns von acht Waldschneisen und acht Pavillons, die der Unterbringung und Verpflegung der Jagdgesellschaft dienten. Fürstbischof Clemens August von Köln ließ sich das Schloß Mitte des 18. Jahrhunderts von seinem Architekten Schlaun inmitten der ausgedehnten Wald- und Heidelandschaft des Hümmling erbauen.

◂ **Château de Clemenswerth, Hümmling, Basse-Saxe.** A la fin de notre série de photos sur les saisons en Allemagne, nous avons le huit comme chiffre parfait, ici sous la forme du pavillon de chasse: le pavillon princier (photo), un octogone avec des prolongements cruciformes est placé au centre d'une étoille à huit branches constituée de huit allées tracées dans la forêt et huit pavillons pour l'hébergement des invités aux parties de chasse. Le prince évêque Clemens August de Cologne se fit construire ce château au milieu du 18e siècle par son architecte J. C. Schlaun en plein cœur de la région de forêts et de landes de Hümmling.

◂ **Clemenswerth Palace, Hümmling, Lower Saxony**. At the end of our series of pictures illustrating the seasons in Germany we have eight as the perfect number, here in the form of the hunting lodge of Clemenswerth which is built in the shape of an octogon with cruciform extensions, and is placed in the centre of an eight-armed star consisting of eight rides cut into the woods and eight pavilions which served to accomodate the hunting parties. The palace, set in the extensive heath and woodland area called Hümmling, was built for Prince Bishop Clemens August of Cologne in the mid 18th century by the architect J. C. Schlaun.

Fotoquellen

Dr. Wilfried Bahnmüller: 33
Bavaria: 40, 167, 282
Bavaria/Rostek: 209
Deutsche Luftbild KG: 118, 126, 210
Hans Huber: 25 (3), 169, 254
Huber/Radelt: 168, 274, 287 o.
Karl-Heinz Jürgens: 43, 44, 45, 77, 96, 97, 98, 99 (2), 107, 108, 109, 110 (2), 111, 112, 114, 196, 197, 198, 199, 200, 201, 202, 203, 204, 205, 206, 207, 270, 271, 272, 278, 279, 280, 281, 287 u.
Kinkelin: 19, 21
Kinkelin/Dols: 26, 158, 238, 260
Kinkelin/Klaes: 51, 88, 94, 103, 127
Kinkelin/Koch: 38, 39
Kinkelin/Mader: 116
Kinkelin/Mehlig: 64, 100
Kinkelin/Ziegler: 176
Klammet: 23, 75, 80, 87, 102, 119, 164, 180, 185, 245, 248, 250, 252, 268, 269
Klammet & Aberl: 165, 174, 234, 237, 247, 256
Chr. Koch: 37
laenderpress/Damm: 187, 192
laenderpress/Klaes: 42, 90, 92, 117, 175, 186, 194, 264, 265
laenderpress/Streichan: 184, 282
Franz Lazi: 84
Löbl-Schreyer: 41, 47, 83, 86, 115, 179, 182, 251, 259, 261
Manfred Mehlig: 29, 68, 82, 85, 120, 128, 152, 181, 240, 243, 246
H. Müller-Brunke: 2, 24, 34, 66, 72, 74, 91, 161, 183
C. L. Schmitt: 17, 18, 32, 36, 48, 49, 52, 78, 79, 101, 121, 153, 170, 171, 173, 266, 275, 286/87 M.
Marco Schneiders: 28, 31
Toni Schneiders: 30, 67, 73
Sirius Bildarchiv/van Hoorick: 15, 16, 20, 63, 70, 89, 104, 123, 125, 149, 150, 154, 157, 162, 188, 191, 208, 233, 236, 255, 262, 263, 276, 284, 286, 288